10
18

12, AVENUE D'ITALIE. PARIS XIIIe

Sur l'auteur

Anne Birkefeldt Ragde est née en Norvège en 1957. Auréolée des très prestigieux prix Riksmål (équivalent du Goncourt français), prix des Libraires et prix des Lecteurs pour sa « Trilogie des Neshov » (*La Terre des mensonges, La Ferme des Neshov* et *L'Héritage impossible*, trilogie vendue à plus de 80 000 exemplaires en France), Anne B. Ragde est une romancière à succès, déjà traduite en vingt langues. Après *Zona frigida* et *La Tour d'arsenic*, son dernier roman, *Je ferai de toi un homme heureux*, a paru aux éditions Balland.

ANNE B. RAGDE

JE M'APPELLE LOTTE
ET J'AI HUIT ANS

Traduit du norvégien
par Hélène Hervieu

10
18

BALLAND

Titre original
En tiger for en engel
Publié la première fois par Forlaget octobre A/S, Oslo

© Anne B. Ragde, 1990.
© Balland éditeur, 2011. Tous droits réservés.
ISBN : 978-2-264-06001-3

À Jo.

Si tu vas dans la foule sans orgueil à tout rompre,
Ou frayes avec les rois sans te croire un héros ;
Si l'ami ni l'ennemi ne peuvent te corrompre ;
Si tout homme, pour toi, compte, mais nul par trop ;
Si tu sais bien remplir chaque minute implacable
De soixante secondes de chemins accomplis,
À toi sera la Terre et son bien délectable,
Et, – bien mieux – tu seras un Homme, mon fils.

Rudyard KIPLING

PREMIÈRE PARTIE

1

— Lotte ! Qu'est-ce que tu fais ? crie grand-mère. Allez, descends maintenant !

Lotte ne répond pas et se laisse tomber dans l'herbe. Ça lui fait frais aux genoux et ça pique un peu. Elle courbe la nuque et regarde par terre ; il y en a partout autour d'elle.

Elle laisse son corps et sa tête tomber en avant et reste en appui sur les mains, ses doigts s'enfoncent dans l'herbe coupée, jaune pâle. Ils n'ont pas vu la lumière pendant un bon moment. On dirait un tapis de paille qui sort de terre, des racines. Elle respire ce parfum, un parfum vert et chaud qui lui monte à la tête, qui recouvre son visage, sa robe, ses socquettes et ses chaussures : tout. Ceci n'est pas un rêve, c'est proche et c'est lourd de partout, ça se referme sur elle. La chair de poule, sur ses bras, forme de petites pointes blanches qui resserrent sa peau chaque fois qu'elle inspire à fond. Elle a les cheveux dans les yeux, ça fait un voile sombre entre elle et l'herbe. Ici, elle est seule. Son souffle devient saccadé.

Elle est ici. C'est ainsi qu'elle se l'était imaginé, lors des soirs d'hiver à Trondheim, avec le coussin gelé contre la joue, la gorge nouée par les sanglots et la tristesse due à l'éloignement, un nœud que sa mère ne pouvait pas entendre. À présent, les vapeurs de la terre lui montent au visage ; les odeurs l'envahissent, la traversent. C'est bon, ça y est, elle est enfin revenue après le long hiver, chez sa mère, à Trondheim.

Elle reste longtemps à quatre pattes, tout près du sol, avant de laisser les sons autour d'elle former des images qui vont avec. Elle tourne son visage derrière le rideau de ses cheveux, voit ses grands-parents et son oncle à travers une brume – des mouvements brusques qui entrent et sortent de son champ de vision, chacun avec sa faux. Ils fauchent avec des gestes réguliers, pivotent au niveau des hanches et lèvent les bras loin du corps. Les fronts luisent dans la forte lumière du soleil, ils scintillent tandis que les bras et les faux coupent avec énergie l'herbe verte qui virevolte et décrit, en crissant, de grands arcs dans l'air.

Schlak schlak schlak schlak ! entend-elle.

Ils travaillent sans se parler. L'herbe se change en tas tout aplatis après le passage des demi-lunes brillantes qui ne lui laissent aucune chance, et la couleur verte disparaît dans des amoncellements plus clairs, aux reflets d'argent. Le suc des tiges coupées de chaque brin d'herbe se mêle à celui de milliers d'autres, ils deviennent une vapeur qui démange et laisse un goût de vert sur la langue.

Le grand-père se redresse et pose sa faux dans l'herbe. Jetant à peine un regard à l'enfant, il sort une pierre à aiguiser de la poche arrière de son pantalon, lance la faux en l'air et la rattrape juste à la jonction entre le bois et le métal. Il examine la lame avec attention avant de cracher sur la pierre à aiguiser et de la passer le long du bord tranchant, toujours dans le même sens. Il décrit un cercle dans l'air, prend de l'élan avec l'avant-bras avant d'abattre la pierre sur le métal. Il crache et recrache, au milieu de ces mouvements en cercle, il crache une salive brune du coin de la joue. Il crache et aiguise, le front en sueur, plissant des yeux qui semblent regarder dans le vide, au-delà des ronds dans l'air, du sol herbeux devant lui. Lotte reste immobile, à quatre pattes dans l'herbe, et ne détache pas son regard de lui. Elle guette le moindre changement dans son visage, devine l'odeur légèrement sucrée de la chique qui se dégage quand il frotte le long de la lame, elle voit les yeux de grand-père qui ne la regardent pas. Puis il passe un doigt sur le tranchant, rayant l'ongle de son index, et remet la pierre à aiguiser dans sa poche. La faux étincelle au soleil et s'abat de nouveau sur l'herbe qu'elle tranche et qui retombe, toute tendre, d'un beau vert clair.

Le gardien, à Trondheim, coupe l'herbe avec un minuscule tracteur avant qu'elle ne soit trop haute, il dit que ça lui évite de ratisser après, il n'a qu'à la laisser sécher et mourir entre les nouvelles pousses d'herbe qui jaillissent entre tout ce jaune mort. Quelques jours après, tout est de nouveau vert. Et quelques jours plus tard, il tond encore. La bonne odeur ne dure pas longtemps, on sent surtout le gaz d'échappement du petit tracteur.

Quand elle sera grande, elle vivra ici à Perlevik pour toujours et elle ne coupera jamais l'herbe avant que ça lui arrive à la taille, car ça peut pousser aussi haut que la taille d'une dame, et cette dame, ce sera elle.

Il faut qu'elle se roule dedans. Les parfums pénètrent tout son corps et s'étendent dans ses membres, la chair de poule lutte jusqu'à ce que

15

les exhalaisons violentes la fassent exploser de l'intérieur.

Le terrain est en pente. Elle a huit ans, elle aura neuf ans en septembre.

Au pied de ce terrain, son grand-père et son oncle ont installé des claies pour y faire sécher le foin, avec des fils de fer tendus, enroulés une fois autour de chaque perche avant d'aller vers la prochaine. C'est là qu'on va suspendre toute l'herbe, brassée et soulevée par paquets, et elle va sécher là, disposée régulièrement sur plusieurs étages. Si elle s'approche trop près, ça la fait éternuer. Ça sent le sec et ça pique le nez, comme s'il y avait trop de poussière. Mais l'herbe est encore verte. Il faut qu'elle se roule dedans. Elle est de retour à Sinnstad, chez sa mamie.

Elle presse ses avant-bras en croix sur sa poitrine, ferme très fort les yeux, repousse le sol avec le talon et se met à dévaler la pente. Elle remarque que ça va beaucoup trop vite, elle veut s'arrêter, mais à présent ce n'est plus elle qui décide. Ses oreilles lui arrivent en plein visage, les yeux roulent derrière la tête, les cheveux s'enfoncent dans la bouche, ses genoux heurtent durement le sol, l'herbe, de plus en plus vite. Elle crie dans le tourbillon qui emporte sa tête, elle crie dans la lumière verte qui n'est plus un rêve du tout.

Enfin, elle s'immobilise et reprend son souffle. Elle a atterri dans un tas d'herbe jeté en bas de la pente. Elle reste là, au milieu des montagnes qui bordent son champ de vision. Elle plisse son visage tourné vers le ciel pour que ses yeux ne soient plus que deux fentes étroites. Les nuages sont d'un blanc éclatant sur fond de mer bleue, tout est à l'envers. Elle entend des cris.

— Lotte, tu t'es fait mal ? crie son oncle. Il ne faut pas faire ça ! Ah, ces enfants !

Sa voix est lointaine, elle se dissout dans la brume qui flotte au-dessus des montagnes. Sa respiration est calme, son corps détendu.

— Mais non ! Je ne me suis pas fait mal ! Je joue, c'est tout. J'ai quand même bien le droit ! répond-elle en criant à son tour.

Elle veut bien accepter qu'on la gronde comme si elle était presque grande. Ils l'aiment bien, ils sont heureux qu'elle soit revenue après le long hiver, ils râlent seulement un peu, comme le font tous les adultes. Elle tient le ciel prisonnier dans une fente bleue...

Sa grand-mère l'appelle. Lotte a très envie de la rejoindre, mais elle reste concentrée sur son bout de ciel. Elle imagine sa mamie appuyée à sa faux, s'essuyant le front avec son tablier. Lequel a-t-elle choisi aujourd'hui ? Oh, certainement le bleu avec un croquet le long de la bordure, en bas et sur le haut des poches. Lotte se la représente parfaitement, il suffirait qu'elle tourne un peu la tête et elle la verrait pour de vrai.

— Il faut que tu fasses attention, ma chérie ! Rester comme ça dans l'herbe... Tu sais, une libellule peut entrer dans ton oreille et se faufiler jusque dans ta tête ! C'est déjà arrivé un jour à un petit garçon, il traînait dans l'herbe fraîchement coupée, comme toi maintenant. Allez, relève-toi !

Puis sa mamie se tait. Les « schlak ! » des faux reprennent, par trois. Elle sait qu'ils se sourient, visages burinés avec du blanc tout au fond des plis. Des libellules ? À l'intérieur de la tête ? Non, tout ça, c'est des histoires.

Un nuage blanc tel une grande assiette de déjeuner avec un bord tout ondulé vogue vers elle. En levant les mains, elle peut tenir cette assiette. Elle ferme un œil pour que ses deux mains en fassent exactement le tour. Elle suit le déplacement du nuage jusqu'à en avoir mal aux bras.

Soudain, il se met à se disperser de chaque côté. Elle ouvre les bras. La forme blanche n'est plus seulement une grande assiette, mais deux petites, pour servir le thé ; elles voguent chacune dans une direction. Une large bande de ciel bleu se colle à elles et les chatouille, les éloignant de plus en plus l'une de l'autre.

Lotte laisse retomber ses bras sur son visage, une main sur les yeux ; elle aperçoit le soleil à travers ses doigts, la lumière est rouge comme du sang, ses doigts deviennent tout fins.

2

Elle avait eu froid aux genoux, la veille, en montant sur la passerelle de l'avion à l'aéroport de Værnes, à l'extérieur de Trondheim. Le ciel gris envoyait de fortes bourrasques le long de la piste ; il chuchota plusieurs fois autour de la tour de contrôle, entra dans les hangars et se disputa avec les bâches et les cordages avant de poursuivre sa course vers le terminal. Deux avions étaient au repos, tels des oiseaux blancs avec des trous sombres béants sur les côtés et des escaliers scintillants qui descendaient vers le tarmac. Un flot étroit de personnes, à la queue leu leu, d'abord au sol puis sur la passerelle, s'engouffrait dans une des machines. Les rafales de vent soulevaient les capes, les manteaux, les bouquets de fleurs, tandis que les passagers grimpaient les marches et se mettaient à l'abri dans l'habitacle sombre de l'appareil.

Lotte fut la première à bord de l'autre avion, celui qui allait à Bergen ; elle était la première parce qu'elle voyageait seule. Une hôtesse de l'air en talons hauts, un foulard en soie bleu et vert flottant au vent, la précédait et se retournait pour lui adresser quelques phrases. Mais Lotte n'en saisissait pas un mot, elle entendait seulement que son intonation était gaie. Sa voix était couverte par le vrombissement d'un camion-citerne qui remplissait les réservoirs avant le départ. Des hommes portant des casquettes bleues soulevaient valises et sacs pour les mettre dans la soute. La petite fille essayait d'apercevoir sa valise blanche, mais elle était obligée de se cramponner à la rampe et de faire attention aux marches. Oh, pas de danger qu'on oublie sa valise, Lotte était la première à monter à bord. N'était-elle pas la plus importante des passagers ?

La dernière chose qu'elle remarqua avant de monter dans l'avion, ce fut l'odeur de pluie dont était chargé le vent. Il allait bientôt pleuvoir à Trondheim, tandis qu'elle allait quitter cette pluie, toutes les gouttes humides et glaciales qui venaient de partout. Elle ne reviendrait pas ici avant huit semaines, le temps des grandes vacances. La pluie à Perlevik n'était jamais comme ici. La pluie à Perlevik, ça voulait dire des balades en bateau pour pêcher avec des asticots au bout de l'hameçon, un ruisseau qui bondissait et gonflait au milieu de la cour, des pommiers avec des feuilles vert sombre dont elle pouvait enlever l'eau d'un seul doigt...

Son siège était tout à l'avant, près du hublot. Les deux hôtesses de l'air lui sourirent. L'une d'elles s'approcha pour l'aider à attacher sa ceinture.

— Je sais la mettre toute seule, dit-elle.

— Ah bon, tu es une vraie experte ?

— Moi, j'ai déjà pris l'avion huit fois.

Elles lui sourirent encore, et bientôt, les sièges se remplirent de gens, des sacs et des vêtements furent déposés dans les coffres à bagages au-dessus ou sous les sièges. Un homme s'assit à côté d'elle. Il était seul, ne parlait avec personne, ne regarda pas Lotte. Elle avait les yeux rivés à la fenêtre, attendant que l'avion se mette à rouler, la presse contre le siège et la soulève pour l'emmener retrouver sa mamie, par-delà les nuages, tout là-haut dans le ciel, le plus près possible du soleil, sans se brûler. Elle allait quitter un monde, être dans l'air et le ciel, et redescendre dans un tout autre monde, un monde d'été qui laisserait le reste dehors et n'aurait rien à voir avec l'ancien. Les moteurs se mirent en route et vrombirent si fort qu'ils n'auraient pas pu être plus en colère, les petites lumières le long de la piste défilèrent à un rythme de plus en plus rapide, les roues tambourinèrent sur le tarmac, et, enfin – ils lâchèrent prise et quittèrent Trondheim : elle s'en allait ! Une hôtesse lui apporta du soda et des gaufres et elle put desserrer un peu sa ceinture, faire pivoter la tablette d'un geste expérimenté, et mâcher lentement, un sourire aux lèvres, tandis que les nuages s'amoncelaient sous elle.

L'homme à côté d'elle sentait fort. Elle éternua en buvant les premières gorgées de son soda et perçut l'odeur au même instant. Elle le fixa, mais il ne la regarda pas. Ses yeux papillonnaient d'une page à l'autre d'un journal. Qu'est-ce qu'il sentait ? Des poils bruns et durs lui sortaient du nez, des poils épais qui bougeaient au gré de sa respiration : inspiration, expiration. Un souffle oppressé que Lotte entendait clairement, malgré le bruit des moteurs. Il changea la prise en main de son journal pour le remettre bien droit devant lui, tourna la page en écartant les bras, les raidit, et laissa retomber une partie du journal sur l'accoudoir. Mais de son côté à elle !

Elle se déplaça un peu. Ne savait-il pas qu'il y avait une ligne qui passait là, au beau milieu de l'accoudoir ? Et qu'il empiétait sur son côté à elle ? Le journal touchait sa robe en éponge rouge et lui ferait certainement des taches.

Elle se tortilla encore derrière la tablette mobile, repoussa doucement un coin du journal, faisant une sorte de petit pli qui rendait les mots illisibles, mais il lisait plus haut et n'eut pas l'air de remarquer que le papier était replié. Il sentait. L'encre laisserait des traces sur sa robe.

— Il faut que j'aille aux toilettes, dit-elle en se relevant si brusquement que son soda faillit se renverser.

L'homme replia le journal et le déposa sur ses genoux. Quand elle revint, il s'était endormi, et l'hôtesse de l'air dut la soulever pour qu'elle regagne son siège, au fond. Lotte écarta ses jambes, avec ses socquettes blanches, au-dessus de l'homme. Il dormait la bouche ouverte, et l'odeur était presque partie. Pauvre homme. C'était toujours comme ça, le jour où elle partait chez sa mamie. C'était dommage pour tous ceux qui n'avaient pas sa chance, comme tous ces enfants qui sautaient et jouaient dans les jardins inconnus devant lesquels elle passait dans le bus qui allait à l'aéroport de Værnes. Eux resteraient à la maison. Alors qu'elle partait... Ah, si seulement ils savaient ce qu'ils rataient !

Sa mère l'avait accompagnée en ville, jusqu'à l'arrêt du bus pour l'aéroport, et avait porté sa valise pendant tout le trajet. D'habitude, c'est son père qui s'en chargeait, tandis que sa mère tenait Lotte par la main et lui remettait en mémoire tout ce dont elle devrait se souvenir une fois là-bas. Le plus important, surtout, c'était d'être une petite fille sage et obéissante. Mais cette année, sa mère avait dû porter la valise toute seule et ne lui avait fait aucune des recommandations habituelles.

En revanche, Lotte se souvenait de chacune des mises en garde de son père, lorsqu'il était venu la chercher, quelques jours plus tôt, et l'avait emmenée au *Neptun Kafé* pour lui dire au revoir. Sa mère avait été furieuse qu'il la prenne en dehors des rendez-vous dont ils étaient convenus. C'est lui qui aurait dû porter sa petite valise. Son père et sa mère seraient restés derrière le grillage de l'aéroport et auraient agité la main pour lui souhaiter bon voyage, ils lui auraient ensuite tourné le dos et seraient rentrés en bus à l'appartement, ensemble.

La rue était grise et déserte, avec de grosses ombres entre les pavés. Les rares taxis dérangeaient les mouettes qui s'envolaient avant d'atterrir de nouveau sur les pavés, on aurait dit des mouchoirs qu'on venait de laver et qui séchaient au vent ; elles battaient des ailes et semblaient vouloir savoir où allait Lotte. Il ne fallait pas croire qu'on pouvait les déranger si tôt dans la journée, si on n'avait pas une bonne raison pour le faire ! Une grande mouette blanche avec un bec rouge sous des yeux noirs comme du charbon cria dans sa direction.

— Moi, je vais voir la maman de papa… je vais voir la maman de papa… et je vais prendre l'avion… je vais prendre l'avion, chanta-t-elle en son for intérieur.

Tous les oiseaux s'éparpillèrent. Tant pis pour les miettes de pain. Lotte crut sentir les regards des mouettes la pincer dans le dos, tellement elles étaient stupéfaites. Aller chez sa mamie. En avion. Eh oui, ça n'arrivait pas tous les jours !

Sa mère était triste, ça se voyait. Lotte marchait derrière elle. Ainsi, elle pouvait être sûre que sa mère ne verrait pas à quel point elle se réjouissait. Il se peut qu'elle laisse échapper un sourire ou une réponse chuchotée aux mouettes, mais il valait mieux que sa mère ne voie pas ça, elle qui n'allait jamais « nulle part ». Lotte fixait son dos.

La respiration, les soupirs et les pas lourds de sa mère remplissaient presque toute la rue. L'épaule qui n'était pas du côté de la valise se balançait avec une certaine raideur et, tout au bout, ses doigts étaient refermés en une boule, comme lorsqu'elle pleurait. Lotte se réveillait parfois dans le lit de sa mère et apercevait cette main sur l'oreiller, devant ses yeux, au-dessus de sa tête ; elle savait alors que, derrière elle, sa mère pleurait, sans un bruit, sans un tressaillement. Ce poing, si serré que les jointures en étaient blanches, lui racontait tout.

Si Lotte se retournait pour voir son visage, sa mère faisait toujours semblant de dormir, le souffle calme. Et comment observer les larmes sur ses joues, dans l'obscurité de la nuit ? Elle n'osait pas non plus les sentir avec les doigts, car sa mère comprendrait qu'elle avait remarqué ses pleurs. Ce n'était pas si souvent qu'elle avait le droit de venir dans son lit. Il était trop étroit.

La mère fixait les pavés, ne réagissait pas aux cris des mouettes, ne se retournait pas vers Lotte, elle ne faisait que marcher, presque à côté de la lourde valise. Lotte trouvait qu'elle ressemblait à un crabe au fond de la mer, un crabe avec les pinces en l'air, en route vers quelque chose. Elle sourit. Elle préférait penser à un crabe plutôt qu'à sa mère, qui était si triste, alors qu'elle, au contraire, n'était pas chagrinée du tout à l'idée de ne pas la voir pendant huit semaines.

— Mon Dieu, ce que ta valise peut être lourde, gémit sa mère. Je ne comprends pas que tu aies autant de vêtements. J'ai l'impression de n'avoir jamais les moyens de t'acheter quoi que ce soit. Heureusement qu'on est presque arrivées. Je crois qu'il faut que je fasse une pause pour reprendre mon souffle.

Sa mère lâcha la valise et redressa le dos, regarda Lotte, qui s'arrêta aussi.

— T'es contente de partir, hein ?

— Ben oui… un peu.

— Ça te fera du bien d'être en vacances. Ça a été un long et drôle d'hiver, pour une petite fille.

Sa mère leva les yeux au ciel, n'attendant pas de réponse. Lotte regarda le trottoir. Inutile de dire à sa mère à quel point elle était contente de partir. Elle releva les yeux quand sa mère souleva la valise et reprit sa marche en lançant :

— Allez, on y va !

Lotte savait qu'elle faisait seulement semblant.

Elles n'auraient pas eu les moyens de prendre un taxi, ni même d'en appeler un d'ailleurs, car elles n'avaient plus le téléphone. Il était trop tôt pour emprunter la voiture de Mme Sybersen, lui avait dit sa mère. Et ça prenait autant de temps d'aller à la cabine téléphonique qu'au bureau de la compagnie d'aviation, d'où partait le bus. Cela coûtait cher de prendre un taxi, beaucoup trop cher. Le bus pour l'aéroport n'était pas donné non plus, cinq couronnes pour Lotte et dix pour sa mère. Le portefeuille rose était toujours tout plat, maintenant. Pas comme avant, lorsque son père vivait encore à la maison et qu'il y avait toujours une chance pour qu'elle ait droit à une glace ou à un paquet de chewing-gums. À présent, Lotte faisait attention à l'épaisseur de tous les portefeuilles qu'elle voyait, ceux des gens devant elle dans la queue au magasin, ceux qui étaient usés et qui prenaient la forme de tous les billets et pièces qu'ils contenaient. Comme sa mère avait si peu d'argent, elles se diraient au revoir à l'arrêt du bus, sa mère ne l'accompagnerait pas jusqu'à Værnes. Lotte lui avait assuré que ça irait, du moment qu'elle n'aurait pas à porter la lourde valise. Ça faisait toujours vingt couronnes d'économisées.

Lotte avait pressé le pas, elle s'en rendit compte tout à coup, sans doute parce que sa mère lui avait dit qu'elles étaient bientôt arrivées. Il fallait qu'elle fasse attention. Si sa mère jetait un seul regard à son visage, elle comprendrait tout. Ou si elle voyait son bras qui se balançait joyeusement. Dans l'autre main, elle faisait danser un petit panier. Dedans, il y avait une pomme verte, dix couronnes dans un porte-monnaie bleu clair en plastique, et aussi son billet d'avion. C'était dommage que sa mère ne voyage pas avec elle. De tous ceux qui n'allaient pas chez sa mamie, c'était pour sa mère que c'était le plus triste. Mais, même sans ça, elle pleurait déjà telle-ment qu'il semblait presque impossible d'imaginer dans quel état elle allait se retrouver une fois toute seule à la maison, tandis que Lotte planerait haut dans le ciel en buvant de la limonade rouge. Sa mère lui avait dit qu'elle profiterait de la journée pour ranger les armoires à fond. Sa mère aimait bien ça, trier les vêtements. Mais elle ne le ferait pas. Elle resterait assise dans la cuisine, à regarder dehors.

Lotte passe la main de haut en bas sur sa robe en éponge, toute douce et chaude sous le bout de ses doigts. Elle dit tout haut, soudain, à sa mère :

— T'es vraiment gentille, maman. Quand je pense que tu m'as acheté une si jolie robe !

Sa mère appuie le coin de la valise sur le trottoir et tourne la tête. Ses boucles brunes s'agitent.

— Comment ça, Lotte… ? Pourquoi tu dis ça maintenant ?

— C'est juste que je la trouve si belle…

— Tu es une drôle de petite fille… Mais mainte-nant, il faut se dépêcher !

Tout le monde à l'école avait une robe comme ça, en tissu éponge, avec une fermeture Éclair de haut en bas sur le devant et un col avec des bouts pointus dans le cou. Lotte n'aurait jamais cru qu'elle pourrait en avoir une pareille, jusqu'à hier. Soudain, comme si ça pressait, elles étaient allées en ville et étaient entrées dans la boutique. L'étiquette lui avait chatouillé la nuque quand elle avait pris la pose, les bras le long du corps, pour être examinée des pieds à la tête par sa mère et la vendeuse.

— J'aurais pu en coudre une moi-même, mais ça n'aurait pas donné la même chose. Les enfants, de nos jours, ils savent exactement ce qu'ils veulent.

La vendeuse avait acquiescé :

— C'est vrai qu'ils ont déjà des avis bien tranchés, ces petits bouts de chou.

— Mais elle lui va bien, celle-ci… On la prend, avait dit sa mère.

Elle avait sorti de son portefeuille rose tout plat un billet de cent couronnes. Il crissait, il avait été tout seul dedans.

— Comme ça, ta grand-mère verra que j'ai au moins les moyens de t'acheter quelque chose de nouveau, avait-elle remarqué en se tournant vers Lotte.

— Je vais vite l'enlever. Je ne peux pas la porter tout de suite, sinon elle ne sera plus toute neuve !

— Tu ne veux pas la garder sur toi ? avait lancé sa mère alors que Lotte se précipitait déjà dans la cabine d'essayage.

— Non mais ça va pas ? Je ne peux pas porter ma nouvelle robe maintenant !

Avant, sa mère avait toujours dit « mamie » ou « ma belle-mère » ou « Eli ». Mais maintenant, seule Lotte disait « mamie ». Il y avait dans le cœur de sa mère de la colère, cachée derrière ces nouveaux mots. La colère pouvait à n'importe quel moment percer dans l'achat de la robe, abîmer sa belle couleur rouge, transformer cette robe en quelque chose d'autre, quelque chose en rapport avec sa mamie.

Son père aussi avait à présent d'autres mots. C'était « ton père », maintenant. Elle ne disait plus « mon mari » ou « Leif ». Les nouveaux mots avaient mis les anciens mots sous Cellophane.

Lotte avait eu le droit de porter le sac avec la robe. Elle brillait à travers le plastique transparent portant le nom de la boutique en lettres capitales dorées.

La dame du bureau de la compagnie d'aviation sourit à Lotte et à sa mère, qui put enfin déposer la valise sur la balance. La dame portait un chignon strict sur le haut de la tête, avec un tas d'épingles qui rebiquaient, on aurait dit un hérisson. C'étaient des épingles marron, comme celles qu'utilisait sa mère pour se nettoyer les oreilles. Toutes les épingles à cheveux de sa mère avaient de la cire marron sur l'arc de cercle, car elle avait beau les essuyer ensuite avec du papier toilette, il restait toujours un peu de cire au bout. Lotte l'avait goûtée, c'était un peu rance. Les épingles à cheveux de la dame, elles, étaient propres et brillaient.

Elle pesa la valise avec tous les vêtements, qu'elle emportait pour que sa mamie comprenne que sa mère avait les moyens de les lui acheter. Lotte fixa l'aiguille, qui indiquait douze kilos. Mais c'était sa mamie qui avait acheté le billet d'avion, elle avait envoyé l'argent. Sa mère n'avait rien dit, avait juste déchiré l'enveloppe, pris les billets et les avait mis dans l'armoire avec la photo de Jim Reeves collée à l'intérieur de la porte. La lettre, elle l'avait donnée à Lotte sans même la lire.

Lotte ne put détacher ses yeux du visage de la dame au beau sourire très poli. C'était un truc que savaient faire les adultes : sourire sans connaître les gens à qui ils s'adressaient et sans que ça veuille dire qu'ils étaient très contents. Elle resta à les regarder toutes les deux, sa mère et la dame. Sa mère faisait à présent le même genre de sourire que la dame, puis elle dit quelque chose comme quoi c'était un temps idéal pour prendre l'avion, mais Lotte voyait bien qu'elle était triste et se retenait de pleurer. Lotte essaya de chasser sa mamie de ses pensées et prépara son plus beau sourire, celui qui lui remontait du ventre jusqu'en haut. Elle sentit son menton devenir pointu et ses lèvres larges, sa bouche s'ouvrit pour montrer ses dents, ses yeux ne furent plus que deux fentes étroites, avec la peau toute plissée autour. Enfin prête, elle tourna son visage vers sa mère et la dame.

— Alors, c'est toi qui vas partir sur la côte ouest ! dit la dame en lui rendant son sourire.

À ces mots surgit l'autre sourire, le vrai, celui qui venait du plus profond d'elle-même dès qu'elle pensait à sa mamie et à Perlevik. Lotte croisa le regard de sa mère et vit que ses yeux devenaient encore plus tristes. Elle essaya de toutes ses forces d'empêcher ça. Le revêtement au sol devant la balance était gris, avec de fines rayures rouges. Il était sale.

— Oui, je vais à la ferme de Sinnstad, à Perlevik, chuchota-t-elle.

La dame se pencha de nouveau au-dessus de son billet.

— Sinnstad, dis-tu ? Mais je vois que Sinnstad est ton nom de famille, tu viens de là-bas ?

Lotte allait répondre mais sa mère la devança :

— Non, c'est SON PÈRE qui vient de là.

La dame hocha la tête, arracha des feuilles du billet et tendit le reste à la mère qui, à son tour, le donna à Lotte. Elle le glissa soigneusement dans son petit panier, à côté du porte-monnaie en plastique bleu clair.

Le chauffeur du bus consultait un gros classeur posé ouvert sur le volant. Le moteur tournait à vide et secouait la grosse carcasse du bus. Lotte sauta sur les marches comme si elle était pressée. Sa mère la suivit et paya pour elle avant de s'avancer dans l'allée centrale et de s'arrêter là où Lotte s'était installée, son panier sur le siège d'à côté.

— Dépêche-toi de descendre, maman ! Sinon tu seras obligée de payer, chuchota Lotte.

Elle tendit les bras dans l'allée et les agita :

— Au revoir, maman !

— T'es si pressée que ça de me voir partir ? Tu ne rateras pas l'avion, si c'est ça que tu crains.

— Non, ce n'est pas ce que je voulais dire… C'est pas ça, maman !

Sa mère la serra, la pressa contre elle. Une fois le bus parti, elle se retrouverait toute seule. Son manteau était froid et lisse contre la joue de Lotte, ses boucles chaudes et en sueur. Le vrombissement du moteur changea de nature.

— Au revoir, maman ! cria-t-elle dans l'oreille de sa mère avant de se dégager de son étreinte.

Le chauffeur poussa le levier de vitesse à gauche et jeta un regard en arrière.

— Au revoir, mon trésor !

Le dos de sa mère remplit l'allée centrale avant qu'elle ne descende. Lotte ne vit plus qu'un bras levé qui s'agitait, la manche du manteau retombant jusqu'au coude. La porte émit un souffle et se ferma. Lotte agita la main à son tour. Elle pouvait sentir l'odeur de la pomme dans son panier. Le bras nu disparut.

Ça y est, elle était en route. Elle envoya un sourire radieux à une vieille dame qui levait les yeux quand le bus s'engagea dans Olav Tryggvasons gate. La vieille dame s'étonna et fit un timide sourire en retour. Lotte imaginait sa mère baissant le bras dans la rue vide, devant le bureau de la compagnie d'aviation. Elle devait serrer ses doigts très fort.

Le commandant de bord annonça qu'ils étaient bientôt arrivés. Il y avait du soleil à Bergen, dix-neuf degrés, il fallait éteindre ses cigarettes. L'homme à côté d'elle s'était réveillé, il respirait avec difficulté, comme s'il avait le nez bouché, et il regardait par la fenêtre sans tenir compte de Lotte. À croire qu'elle était invisible. Elle se tourna, essaya de croiser son regard, mais impossible. Elle était comme transparente pour lui qui regardait défiler à toute allure les toits des maisons, les lacs sombres et les cimes des arbres.

Sa grand-mère, qui l'attendait derrière la paroi en verre, lui fit de grands signes, formant avec les lèvres des sons inaudibles, lorsque Lotte arriva au terminal de Flesland. Lotte lui cria sa joie aussi, même si elle savait que sa mamie ne pouvait pas l'entendre. Après avoir passé des portes noires et un petit couloir, elle la retrouva enfin. Des bras chauds se penchèrent au-dessus d'elle, la soulevèrent et la serrèrent.

Les dix couronnes dans son porte-monnaie en plastique devaient servir pour le téléphone. C'était d'habitude mamie qui appelait pour dire que Lotte était bien arrivée et pour demander si tout allait bien à Trondheim, mais sa grand-mère n'avait pas l'air de vouloir se diriger vers les cabines téléphoniques ; elle n'arrêtait pas de caresser les joues de Lotte en lui disant qu'il fallait attendre le bus pendant une heure et qu'elles avaient largement le temps de prendre une crêpe de pomme de terre et une limonade à la cafétéria.

— Il faut d'abord que je téléphone, dit Lotte en arrangeant ses chaussures dont un lacet n'était pas à sa place.

— Ah oui, s'écria sa grand-mère. C'est vrai. Tu es assez grande pour atteindre le téléphone ?

— Bien sûr... Enfin, je crois.

Elle sortit le bout de papier avec le numéro de téléphone de Mme Sybersen que sa mère avait fourré dans la poche de sa robe. Sa grand-mère resta un peu plus loin, avec la valise. Le vacarme du hall de l'aéroport couvrait sa voix, mais Lotte parla tout bas, prétendant que sa mère l'entendait mal à cause du bruit.

— Le voyage s'est très bien passé, maman ! J'ai eu de la limonade rouge et des gaufres. Si tu savais comme il faisait beau au-dessus des nuages ! Ici aussi il y a du soleil... Mmm... oui... La robe ? Mais oui, je le dirai à mamie. Au revoir, maman !

Elle entendait que sa mère avait pleuré. Par chance, elle était chez Mme Sybersen, qui savait faire les bons gestes pour la consoler : elle lui préparait du café et lui offrait des macarons sur un petit plateau d'argent. Lotte entendait même Pepito, la perruche de Mme Sybersen, qui poussait des cris en arrière-plan, sans doute en train de s'admirer dans le miroir.

— Au revoir, mon trésor ! Amuse-toi bien à Perlevik !

Lotte raccrocha le combiné avant que sa mère ajoutât autre chose. Voilà qui était fait.

Les conversations téléphoniques avaient toujours quelque chose de pénible. C'était devenu comme ça, au fil du temps. Lotte rassembla les pièces de cinq couronnes qu'il lui restait. Elle se rappelait la fois, en automne, juste après que son père eut quitté la maison, où sa mère avait voulu appeler grand-mère depuis l'appartement de Mme Sybersen. Lotte l'accompagnait, c'est elle qui allait avoir l'honneur de parler la première et de faire à sa grand-mère la surprise de recevoir un coup de fil d'aussi loin que Trondheim. Elle avait sauté de joie pendant que sa mère composait le numéro ; rien que de penser à Perlevik, elle croyait déjà sentir l'été…

Mais très vite, au beau milieu d'une phrase, sa mère lui avait arraché le téléphone des mains. Elle n'avait dit que quelques phrases, ses yeux écarquillés fixés sur le mur du salon de sa voisine. Ensuite, elle avait pleuré, et Mme Sybersen avait préparé du café et sorti de ses placards sucreries et gâteaux. Mais sa mère n'avait pas arrêté de pleurer, se mouchant dans du papier toilette bleu pâle en gémissant :

— Elle m'a parlé d'une voix si froide… si froide. Oh, mon Dieu, comment peut-elle tirer un trait sur tout, simplement parce que Leif et moi, nous ne sommes plus… Ce n'est pas possible de réagir comme ça… Oh mon Dieu, Ingrid, elle avait une voix si froide, c'est tout juste si elle voulait me parler.

— Oui, mais tu sais, Bente… C'est sans doute un grand choc, pour elle. Il s'agit de son fils, ne l'oublie pas. Alors c'est normal qu'elle prenne son parti et pense qu'elle doit couper les ponts avec toi, puisque Leif a fait la même chose.

— Mais elle n'a pas à prendre parti ! Ou tu crois que Leif le lui a demandé ? Non, il ne ferait pas ça, il n'est pas descendu si bas... Quand il sait combien je suis attachée à Eli, elle a été comme une mère pour moi, puisque je n'ai plus mes parents. Je n'arrive pas à croire qu'elle ait pu être aussi froide... C'était comme de parler à une étrangère. Oh mon Dieu...

— Allez, bois un peu de café, Bente, ça va te remonter, tu vas voir. Regarde, je t'ai apporté de la vraie crème pour mettre dedans. Ce n'est pas sûr que Leif lui ait demandé de prendre parti, mais elle doit se dire qu'elle n'a pas le choix. Un divorce dans la famille... Il est clair que c'est terrible, pour eux, Bente. Ils connaissent leur fils et le chérissent, alors il faut bien rejeter la faute sur quelqu'un. Et c'est toi qui prends tout, Bente. C'est toi qui es responsable. Peu importe, je crois, ce que Leif peut leur dire.

— Je veux bien dire que c'est de ma faute, si ça peut leur faire plaisir... Oui, c'est de ma faute si je n'ai pas réussi à le retenir à la maison, s'il a toujours envie de sortir avec ses copains, s'il s'ennuie avec moi et qu'on finit toujours par se disputer... Je veux bien dire que c'est de ma faute, mais on était DEUX... Il faut être DEUX pour se disputer...

— Vous êtes si jeunes, et Leif est quelqu'un d'un peu immature...

— Et moi, alors ? Pourquoi lui aurait le droit de s'amuser et pas moi ? Moi aussi, j'aimerais bien sortir au lieu d'être coincée à la maison avec la petite...

Les deux femmes l'avaient alors longuement regardée, se rappelant soudain qu'elle était là ; elles avaient échangé un regard – les yeux rougis de la mère et ceux, compatissants, de Mme Sybersen – puis avaient siroté leur café, fixé le fond de leurs tasses et gardé le silence un bon moment. Puis Mme Sybersen était allée chercher ses lunettes, son ouvrage au crochet, et avait enroulé le fil de coton très serré autour des doigts de sa main gauche. Lotte avait senti le poids des yeux âgés, derrière les lunettes, quand Mme Sybersen l'avait regardée. Elle n'avait pas d'enfant, rien qu'un mari qui était mort il y a longtemps. Il était tombé d'un échafaudage et s'était brisé le dos. Lotte se l'imaginait toujours coupé en deux, par terre, dans la boue.

— Je ne sais pas ce que j'aurais fait sans toi, Ingrid... Si je n'avais personne chez qui aller pour raconter mes problèmes et me plaindre, dit sa mère en reniflant dans le papier toilette.

— Oh, je ne suis qu'une vieille dame. Mais j'en ai vu, des choses, et je sais qu'il ne faut pas toujours se fier aux apparences... Mais au-dessus des nuages, le ciel est toujours bleu, ça, c'est vrai. Je l'ai vu de mes propres yeux, Bente. Il est vraiment bleu !

Mme Sybersen eut un petit rire et observa la mère de Lotte par-dessus le bord de ses lunettes, qui avaient un peu glissé sur son nez. Lotte suivit son regard. La mère répondit par un sourire, les yeux mouillés.

— Vraiment ? Si tu le dis... Hein, Lotte, qu'est-ce qu'on ferait sans Ingrid Sybersen ? Tu te rends compte, on a même droit à de la crème dans le café !

C'était passé. Lotte avait mâché et remâché son biscuit, s'imaginant encore entendre la voix gaie de sa grand-mère, qu'elle avait reconnue depuis le fin fond de Trondheim. Elle avait été si surprise ! Sa voix n'était pas froide du tout, sa mère avait dû mal entendre. Grand-mère lui avait demandé si Lotte se réjouissait de savoir que c'était bientôt Noël, lui avait dit qu'elle lui enverrait un beau cadeau, oh oui, que

Lotte devrait se montrer patiente et qu'elle ne serait pas déçue – mais chut, c'était un secret !

Mme Sybersen se leva, ramassa les reliefs des gâteaux sur le plat et les mit dans la cage de Pepito. Le petit oiseau jaune prit un morceau de biscuit dans son bec, sautilla jusqu'à son miroir sur les marches en plastique et tendit le morceau à l'oiseau dans la glace. Il le lâcha quand son bec heurta la surface du miroir. Le biscuit tomba sur le sol de la cage. La perruche battit des ailes pour aller le rechercher et essaya de nouveau de donner à manger à son reflet. Cette scène se répéta plusieurs fois, et Lotte ne se lassait pas de ce petit manège. L'oiseau, épuisé, finit par rester sur son perchoir à fixer le miroir, avant d'avaler lui-même la miette de biscuit en renversant la tête en arrière, puis de blottir sa tête sous son aile.

Grand-mère lui sourit et prit sa valise.

— Oh, dis donc, elle est lourde ! Qu'est-ce que tu as encore apporté ?

— Oh, plein de choses…

Elle ne voulait pas lui dire que, bien sûr, sa mère avait les moyens de lui acheter des vêtements ! D'ailleurs, mamie ne lui avait pas demandé comment ça allait à la maison, à Trondheim, et si Lotte était chargée de dire bonjour de la part de… Maintenant, il n'y avait que Perlevik qui comptait, Perlevik avec grand-mère, grand-père, l'oncle et la chienne. Sa mère pleurait, loin, là-bas, à la maison, dans un autre monde, un monde hivernal qui n'avait rien à voir avec celui-ci. Elle avait terminé sa conversation au téléphone et le bus ne partait que dans une heure. Elles avaient tout le temps.

3

Huit semaines, pensa-t-elle, deux mois, je vais rester ici deux mois. Mais elle sait déjà que huit semaines, en réalité, ça n'en fait que quatre, car après quatre semaines, elle sera déjà arrivée à la moitié, et alors elle sera plus près de Trondheim que de Perlevik.

L'herbe reste fraîche, sous elle, là où le soleil ne l'atteint pas. Il monte lentement à la surface du ciel, il la brûle, brûle sa robe, brûle ses socquettes blanches pleines de taches vertes après sa roulade en bas du talus.

Les autres petits nuages ont commencé à décrire de grands arcs de cercle autour du soleil, en restant bien à distance. Le soleil reste seul, tout-puissant, dans la mer bleue du ciel. La lumière ruisselle sur sa tête, devenant rouge, verte et blanche tels des cercles de flammes qui ne disparaissent pas, même si elle ferme les yeux très fort. Ça la gratte dans le dos et la nuque, et elle a dû salir sa robe.

Sa robe. Grand-mère sera obligée de la laver.

Les seules recommandations que sa mère lui a faites, cette fois, concernaient cette robe. Le tissu éponge rouge allait déteindre et il fallait la laver à part si on ne voulait pas que tout devienne rouge. Que Lotte n'oublie surtout pas de le dire à grand-mère !

Lotte se redresse dans l'herbe humide aux reflets gris, s'assied en tailleur, se balance d'avant en arrière, réfléchit longtemps. Elle n'a qu'à dire que sa robe est toute neuve ! Alors grand-mère comprendra qu'il faut la laver à part. D'un bond, elle se relève, remonte à toute allure la pente pour aller rejoindre les adultes et se laisse tomber dans les tas d'herbe chaude fraîchement coupée, bras et jambes écartées, et tant pis pour sa robe.

— Je crois qu'il est temps de rentrer manger quelque chose, entend-elle sa grand-mère dire.

Le mouvement des faux aux lames acérées s'arrête net. Tout devient calme et se repose : l'air, les sons, le bleu du ciel au-dessus d'elle avec la couronne de montagnes qui encadre son champ de vision.

— On rentre, on rentre chez grand-mère, ici à Perlevik, chuchote Lotte aux brins verts.

Puis elle perçoit un froissement dans l'herbe, un halètement tout excité.

— Tiens, c'est Betsi qui arrive ! crie l'oncle.

— Elle doit être épuisée, elle n'a pas arrêté de courir dans tous les sens depuis que Lotte est arrivée, ajoute grand-père.

Il rit et crache un jet de salive brunâtre.

— Elle ne va pas aller par là-bas, t'es sûr ? s'inquiète grand-mère. Il y a des moutons qui passent, là-haut.

— Oh non, elle n'ira nulle part, maintenant que Lotte est là pour jouer avec elle !

La petite fille entend la respiration saccadée de la chienne et elle fait la morte, attendant que l'animal se rapproche, une ombre qui bientôt lui cachera le soleil. Ça y est, la tête de la chienne est là, sa langue humide et brillante qui lui lèche tout le visage, ses pattes qui trépignent sur sa robe rouge. La frange de Lotte est trempée. Elle pince la bouche et ferme les yeux, elle rit avec sa langue contre le palais, respire uniquement par le nez, sent l'haleine douce et chaude de Betsi.

L'herbe en dessous. La chienne au-dessus. Le soleil au-dessus de la chienne. Et sa grand-mère si proche qu'elle pourrait lui sauter dans les bras, si elle le voulait.

— Bon, on va rentrer, prends Betsi avec toi, Lotte, dit grand-mère en se penchant pour les caresser toutes les deux sur la tête.

La chienne fait des bonds de joie autour d'elle, elle tourne et tourne en poussant de petits aboiements.

— T'as vu comme elle est contente ! Ah, elle est tellement contente de pouvoir courir librement ! s'écrie Lotte.

— Mmm. Tu sais quoi ? chuchote sa grand-mère. Je crois qu'on a un gâteau à la crème dans le garde-manger. Ça te dit ?

— Avec des fraises ? murmure Lotte.

— Avec des fraises, répond sa grand-mère.

Elle prend la main de l'enfant pour la mettre debout et la garde dans la sienne.

4

Elles avaient mangé un gâteau à la crème, les dames de l'immeuble, le jour où son père avait quitté la maison.

Sa mère ne l'avait appris que plus tard et, après ça, elle n'avait plus voulu leur parler. Elle l'évoquait souvent, et à chaque fois elle se mettait à pleurer. Elle imaginait ces femmes assises à la fenêtre, avec vue plongeante sur le camion de déménagement… Lotte essayait de comprendre ce qu'elle disait entre deux sanglots, deux gorgées d'eau et le chiffon froid avec lequel elle s'essuyait le front.

Avec le temps, Lotte connut toute l'histoire – que les voisines avaient dû apprendre le jour et l'heure du déménagement par le président de la copropriété qui avait prêté le camion au père ; qu'elles avaient fait semblant de fêter un gain aux courses quand quelqu'un leur avait posé la question ; qu'elles s'étaient serrées derrière les fenêtres de la cuisine de Siri Utstein, celle située le plus près de l'escalier de Lotte ; qu'elles étaient ensuite capables de dire exactement ce que le père avait emporté – et par conséquent ce qui restait dans l'appartement pour sa mère et elle, puisqu'elles y étaient venues bien des fois.

Lotte se les représentait parfaitement quand sa mère parlait d'elles. Elle les voyait, assises, suivre du regard les allées et venues entre la porte d'entrée et le camion, les yeux écarquillés, la bouche pleine de gâteau à la crème, cuillère dans une main et tasse de café dans l'autre, leurs têtes se pressant pour mieux voir, si l'une d'elles cachait la vue. Et les rires, les éclats de voix, les commentaires sur tout ce qui était transporté avant d'être emballé et fixé au chargement avec des cordes.

Lotte apprit plus tard qu'elles avaient réellement · gagné en jouant aux courses ; elle le raconta à sa mère, qui répliqua :

— Peuh ! Il se peut qu'elles aient gagné quelques couronnes, mais ce n'était pas une raison pour s'entasser chez Siri ! Hein, pourquoi elles ont fait ça, sinon pour ne pas en perdre une miette ! Oui, elles ne voulaient surtout pas rater le SPECTACLE, qu'est-ce que tu crois ! C'est trop bon de se réjouir du malheur des autres…

— Mais c'est peut-être elle toute seule, Siri, qui a acheté le gâteau ? hasarda Lotte.

Mais sa mère poursuivit :

— Elles ont fait la fête, voilà ce qu'elles ont fait, alors qu'elles sont mortes de trouille que leurs maris fassent la même chose… qu'ils foutent le camp eux aussi avec une belle jeune femme. Oh, maintenant qu'elles ont vu ton père faire ça, crois-moi, elles n'en mènent pas large.

Et sa mère se mit à rire, mais c'était un rire qui n'allait pas jusqu'à ses yeux. Lotte avait demandé qui était la belle jeune femme en question, mais n'avait pas obtenu de réponse.

Il y avait un attroupement d'enfants autour du camion de déménagement quand Lotte rentra de l'école. Elle aurait voulu disparaître sous terre. Elle avait cru qu'ils en auraient terminé avant qu'elle ne revienne, que tout serait vide, une page de tournée, qu'elle saurait enfin pourquoi sa mère pleurait tant. Elle s'était même représenté la scène : elle et sa mère, toutes deux en pleurs, dans la cuisine. La veille, son père s'était levé et avait dit qu'il allait commencer.

— Commencer quoi ? avait demandé Lotte.

Il n'avait pas répondu, s'était contenté de regarder la mère et avait disparu dans son bureau. Lotte l'avait entendu faire tomber des choses lourdes avec un bruit sourd, ça touchait quelque chose de dur.

— Il fait ses cartons, il va déménager, avait dit sa mère en enfouissant son visage entre les mains.

Lotte était restée assise à écouter les bruits venant de la pièce d'à côté, tout en mâchant distraitement une tranche de pain avec du fromage dur. Le lait était devenu tiède, mais elle ne dit rien. Les sons se mélangeaient, des livres et des tableaux qu'on déplaçait et fourrait dans des caisses profondes en carton rigide, les sanglots de la mère entrecoupés, çà et là, d'un mot incompréhensible.

— Comment ça, déménager ?

— Il va déménager, voilà. T'as bien vu comme on se disputait, gémit la mère, sans croiser le regard de l'enfant.

— Vous vous êtes disputés tant que ça ? demanda Lotte. Mais tous les adultes se disputent. La mère et le père de Nina, et…

Sa mère ne répondit pas, continuant simplement de pleurer. Lotte se rappela les visages blancs et tendus, certains matins, quand son père n'était pas rentré la veille au soir ; les chuchotements dans le salon qui l'empêchaient de comprendre de quoi ils parlaient ; son père qui venait enlacer la mère par-derrière quand elle lavait les tasses et la mère qui faisait un mouvement d'épaule pour le repousser, sans se retourner ; son père qui, de plus en plus souvent, était parti en plein petit déjeuner pour aller au travail, laissant la moitié de sa tartine dans son assiette, touchant à peine sa tasse de café ; sa mère qui pleurait toujours après le départ précipité du père ; le téléphone qui sonnait, c'étaient toujours des hommes inconnus, et son père retrouvait une voix enjouée, plaisantait et demandait le lieu du rendez-vous, la mère qui posait le plat si brutalement devant lui que ça faisait trembler la table et que les petits pois bondissaient sur la nappe. C'était peut-être ça que la mère appelait « se disputer » ?

— Et c'est pour ça qu'il s'en va ? Parce que vous vous disputez ? Pourquoi il est obligé de s'en aller ?

— Il n'est pas obligé. C'est lui qui veut partir.

— Il va partir loin ?

— Non, il va s'installer ailleurs. Dans un studio, pour commencer. Mais ça ne durera pas longtemps avant qu'il… avant qu'il…

— Avant qu'il rentre à la maison ?

— Non, avant qu'il aille s'installer ailleurs, chez… quelqu'un d'autre…

Et elle avait de nouveau éclaté en sanglots. Lotte avait observé sa mère, ses boucles brunes qui disparaissaient dans une énorme serviette, ses épaules toutes secouées, sa poitrine qui se levait et se crispait à chaque inspiration. Elle ne pouvait rien faire pour l'aider. Elle avait déjà essayé, elle s'était approchée de sa mère en larmes, l'avait caressée tout doucement et lui avait murmuré de petits mots comme ceux qu'elle-même lui disait quand Lotte se cognait ou se faisait frapper par des garçons. Mais chaque fois, sa mère se recroquevillait encore davantage, ses pleurs redoublaient, et Lotte avait vite retiré sa main, comme si elle s'était brûlée. Mieux valait ne rien faire et attendre que ça passe.

— Pauvre Lotte… ma pauvre petite… avec un père pareil…

— Comment ça, maman ?

— Abandonner sa petite fille comme ça… ma pauvre petite… t'as vraiment pas de chance…

— Il ne va plus être mon papa ?

— Oh, lui, il croit que si ! Mais il se met le doigt dans l'œil, s'il s'imagine qu'il peut foutre le camp et débarquer pour jouer les pères comme bon lui semble.

— Mais comment ça, maman, je ne comprends pas ce que tu veux dire, je…

Elle regarda fixement sa mère, qui avait levé la tête et retrouvé des couleurs.

— Non, là, il se met le doigt dans l'œil ! dit sa mère en lui lançant un regard de furie.

Lotte écouta les sons provoqués par son père. Il continuait à faire du bruit dans son bureau, on l'entendait jusqu'ici, même s'il y avait toute l'entrée et la cuisine entre eux.

Elle se pencha vers sa mère.

— Il est bête, papa, s'il croit ça… chuchota-t-elle, mais peut-être que je peux avoir ma chambre à moi. Si papa s'en va, est-ce que je pourrai avoir son bureau ?

Et elle sourit à sa mère, qui sourit en retour. Lotte redressa le dos et laissa ce sourire s'imprimer dans son visage pour l'éternité.

— Bien sûr que tu auras ta chambre, Lotte, répondit sa mère, qui tendit une main par-dessus la table, se souleva un peu de sa chaise et se pencha pour caresser la joue de Lotte.

— Mon lait est tout chaud, je peux pas en avoir un autre verre ?

— Mais bien sûr, mon trésor… Tu vas voir, on va s'en sortir, toutes les deux…

Et voilà qu'elle était là, avec son cartable qui soudain pesait une tonne sur son dos. Les autres enfants remarquèrent sa présence et accoururent vers elle en poussant des cris et en l'assaillant de questions.

— Il va où ? Il va où, ton père ?

— Il va déménager.

— Et toi et ta mère, vous n'allez pas déménager ?

— Non.

— Mais alors… il s'en va ?

— Non, il déménage.

— Ta mère, elle sait conduire ?

— Conduire ? Pourquoi ça ?

— Si ta mère ne sait pas conduire, alors vous n'aurez plus de voiture !

Elle n'avait pas pensé à ça. Elle n'avait pas du tout pensé à toutes les choses qu'elle perdait. Elle n'avait pensé qu'à la chambre qu'elle allait avoir, comme ça serait bien ; elle y avait jeté un coup d'œil en douce pendant que son père faisait ses bagages, pris mentalement les mesures de la pièce, et s'était imaginé comment elle la meublerait. Mais ils avaient raison : il n'y aurait plus de balades en voiture. À moins que son père vienne quand même la chercher. Ça dépendrait de sa mère, si c'était ce qu'elle appelait « débarquer comme bon lui semble ».

— Eh bien, dans ce cas, on n'aura plus de voiture, maman et moi.

Elle se fraya un chemin parmi tous ces enfants, déséquilibrée par son lourd cartable, et s'arrêta devant le chargement. Il était aussi haut qu'une montagne pour faire du ski. Toutes ces choses qu'elle connaissait dans le moindre détail étaient entassées, empilées les unes sur les autres sans la moindre logique – un appareil téléphonique sur un carton, un abat-jour sur un bureau, des caisses ouvertes avec des livres qui en sortaient, elle reconnut même l'atlas dont elle se servait pour voir où était Perlevik sur la carte. Et plein de valises, toutes bourrées. Sa propre valise blanche ne s'y trouvait pas, même si elle avait l'impression que tout ce qu'ils possédaient était là sur le trottoir. Mais son lit ? Non, ça ils ne pouvaient pas l'emporter, sa mère dormait dedans ! Ce n'était qu'un seul grand lit double, mais avec deux matelas ; sa mère n'allait quand même pas rester avec juste un matelas ? Apparemment si, car Lotte vit son père et un inconnu transporter le lit double, qu'ils avaient démonté en plusieurs morceaux.

— Mais pourquoi il déménage ? demanda Morten, un garçon de sa classe qui, d'habitude, n'adressait jamais la parole aux filles.

De temps en temps, il lui arrivait de soulever sa jupe quand elle montait l'escalier devant lui, à l'école, en criant « Le journal quotidien ! ». À part ça, il ne lui parlait jamais. Elle se retourna et le fixa, il soutint son regard. Elle regarda alors les autres enfants. Nina et Eva Lise, ses meilleures amies, étaient là, elles aussi. Tous la dévisageaient, elle était le centre de l'attention. Non pas à cause d'une chose qu'elle avait dite ou faite, mais parce qu'ils avaient pitié d'elle. Sa mère avait raison. Elle dut s'accroupir un instant.

— Qu'est-ce qui t'arrive ? Pourquoi tu restes comme ça ? reprit Morten.

— Je ne sais pas, j'ai mal au ventre… et mon cartable est trop lourd.

— Mais pourquoi il déménage ? insista Morten.

Lotte se releva lentement et le regarda droit dans les yeux. Il avait l'air de ricaner. Il lui manquait deux dents de devant.

— Il va déménager pour que je puisse avoir ma chambre à moi !

— Hein ?

— Oui, il avait son bureau à la maison, mon papa, tu sais, et on commençait à être à l'étroit, mais maintenant je vais avoir ma chambre à moi toute seule !

— Tu vas avoir ta chambre à toi ?

— Mmm. Et je serai la seule d'entre vous à avoir ça !

Ça leur cloua le bec. Certaines filles se mirent à chuchoter.

— La mère et le père de Lotte vont se séparer, entendit-elle Nina dire à l'oreille d'Eva Lise.

— Se séparer ? demanda Eva Lise. Ça veut dire quoi ?

— D'abord on se sépare, puis on DIVORCE. C'est maman qui me l'a dit.

Lotte les regarda. Elles riaient en mettant la main devant leur bouche. Sa mère lui avait simplement dit qu'il déménageait, rien d'autre. Les parents de Marit, une fillette de sa classe, avaient divorcé. Les autres se moquaient d'elle, souvent. Quand on dessinait une carte pour la fête des pères, ou quand la maîtresse disait quelque chose comme « ton père », tous les cous se tendaient vers Marit. Lotte aussi avait ri avec les autres. Pourtant, sa mère lui avait simplement dit qu'il déménageait !

Lotte se mit à courir, laissant loin derrière elle Morten, Nina, Eva Lise et tous les autres enfants. Elle poussa la porte d'entrée et commença à monter l'escalier, mais elle dut se plaquer contre le mur pour laisser passer son papa et l'inconnu qui descendaient une étagère. Son père lui adressa à peine un sourire, son regard était fuyant, sa mèche d'habitude si soignée tombait n'importe comment. Lotte monta le reste des marches en courant.

Sa mère était assise dans la cuisine, les coudes posés sur la table, le visage tourné vers la fenêtre. Elle tenait une serviette éponge entre les mains, ses doigts la serraient si fort que ses articulations étaient blanches, elle la pressait contre son menton. Il flottait une odeur de larmes, une odeur de peau, de chaleur, de mouillé. Les épaules de la mère bougeaient, elles tressaillaient, tremblaient ; un son plaintif sortait de sa gorge.

Il fallait que Lotte le sache aujourd'hui, qu'elle ait le temps de se préparer avant l'école le lendemain matin. Et si la réponse était oui, il faudrait qu'elle devienne copine avec Marit, peut-être dès le soir même ; elle savait où sa camarade habitait.

Elle posa doucement son cartable sur le sol de l'entrée. Par la porte entrouverte, elle vit le bureau tout vide, dont émanait une sorte de lumière blanche. Demain, quand tout serait silencieux, elle entrerait dans la pièce. Pas aujourd'hui. Elle alla dans le salon, où des rectangles blancs apparaissaient sur le papier peint des murs. Elle dut tousser pour entendre la manière dont ça résonnait dans la pièce. Son toussotement lui revint sous la forme d'un écho froid. Tous les tableaux… Lotte essaya de se rappeler comment ils étaient. Il y avait une dame avec une boucle d'oreille en or qui lançait un regard rieur par-dessus son épaule ; plusieurs dessins étranges de vases et de fleurs sur fond de velours noir ; un tableau chinois que Lotte n'avait jamais aimé, parce que les hommes représentés dessus avaient l'air en colère, même s'ils souriaient ; et… non, lui était encore là. Le tableau qui la représentait, elle, dans sa salopette rouge, brandissant une petite pelle blanche au-dessus de sa tête, avec deux petites dents toutes neuves en haut. Lotte s'approcha tout près du tableau ; le cadre était joli, on aurait dit de l'or, peut-être le plus beau cadre de tous les tableaux qui avaient été dans le salon. Elle entendit son père remonter l'escalier et courut vers lui.

— T'as emporté tout ce que tu voulais, dans le salon, papa ? demanda-t-elle.

— Oui, j'en ai fini avec cette pièce, d'ailleurs j'ai presque tout fini.

— Et le tableau où je suis ? Tu ne l'emportes pas ?

— Ta mère a refusé.

— Ma mère… ? Tu veux dire, maman ?

— Oui, dit-il en lui tournant le dos. Ta… ta mère a refusé que je l'emporte. Elle voulait le garder.

Lotte attendit que le camion de déménagement s'éloigne, que les enfants se dirigent en criant vers le terrain de foot, que ses mâchoires lui fassent mal. Elle alla aux toilettes. C'était tout liquide. Lorsqu'elle revint dans la cuisine, sa mère avait la tête plongée dans la serviette. Lotte respira par la bouche pour ne pas sentir l'odeur des larmes et évita de regarder les boucles qui se balançaient au rythme des sanglots. Se plaçant à côté de sa mère, elle lui demanda à haute voix :

— Pourquoi tu as refusé que papa prenne le tableau où je suis ?

Sa mère leva la tête, ses yeux étaient rouges et écarquillés, des larmes transparentes pendaient à ses cils.

— Le tableau où t'es ? Quel tableau ?

— Celui où je suis avec ma salopette rouge et ma pelle… celui qui est dans le salon.

— Mais il ne peut quand même pas emporter toute la maison ! Et moi, alors ? Pourquoi je n'aurais pas le droit…

— Quoi ? Il avait envie de m'emporter… et tu as refusé !

Sa mère enfouit à nouveau le visage dans la serviette, son dos fut de nouveau secoué par des sanglots étouffés. Sa nuque était blanche, avec des plis que l'humidité rendait luisants. Lotte ne bougea pas, s'appliqua à respirer par la bouche.

— Pourquoi tu as refusé, je veux savoir !

— Mais parce que je veux t'avoir, moi… parce que tu es la seule chose… qui me reste. Oh, qu'est-ce que j'ai fait au bon Dieu pour mériter cela ?

— Oui, mais maman, moi, j'aurais bien aimé qu'il emporte le tableau de moi… Toi, tu m'as pour de vrai ! Alors papa, il aurait au moins pu avoir le tableau !

— Oh, Lotte, tu ne peux pas comprendre… Si tu savais comme les adultes foutent leur vie en l'air… Non, tu ne peux pas comprendre…

— Il voulait avoir le tableau et il ne l'a pas eu… Est-ce que… Est-ce que vous allez divorcer ?

— Tu vas avoir ta chambre à toi, maintenant, Lotte, tu verras comme ça va être bien.

— Est-ce que vous allez divorcer, je t'ai demandé !

Sa mère tourna le visage vers la fenêtre et ses boucles se balancèrent lorsqu'elle opina tout douce-ment, pour dire « oui ». Puis elle baissa la tête très bas, l'enfouit à nouveau dans la serviette, et tendit en aveugle la main droite vers Lotte. La petite fille s'enfuit en courant. La mère voulut lui attraper le bras mais entendit déjà la porte d'entrée se refermer en claquant. La cage d'escalier était plongée dans une semi-pénombre et les marches étaient glissantes. Lotte dévala l'escalier, sortit et prit la route. Il fallait qu'elle aille chez Marit.

5

Lotte lâche la main de sa grand-mère pour sautiller et la devancer.

— Allez, on rentre à la maison, on rentre chez grand-mère, chuchote-t-elle à Betsi, qui lui répond en lui sautant au visage.

La chienne sort une langue rose, haletante. Ça fait rire Lotte.

— Betsi, Betsi, mais qu'est-ce qui te prend… Grand-mère, Betsi est folle !

— Oui, elle est folle de joie, parce que notre petite-fille est rentrée à la maison, répond sa grand-mère qui marche derrière elle.

Ses pas sont pesants dans l'herbe fraîchement coupée, sa faux se balance en rythme et brille. Le grand-père et l'oncle parlent de la météo, du beau temps qui va durer, ils auront largement le temps de rentrer les foins.

Et pendant toute cette période, elle restera chez eux. Elle entend tout à coup qu'on prononce le nom de son père et elle s'arrête net, caressant la tête de la chienne excitée.

— … faut pas compter sur Leif, père. Pourquoi tu ne veux pas admettre que…

— Mais je ne compte pas sur lui. Seulement, voilà, je pensais que cette année, juste cette année, puisque nous avons obtenu ce nouveau terrain... À deux, ça va faire beaucoup de travail, il faut moissonner, rentrer le foin dans le silo. Je trouve seulement qu'il aurait pu venir nous donner un coup de main.

— Per Inge peut nous aider, le plus jeune des enfants d'Inga. Il donne un coup de main à toutes les fermes des environs.

— Oui, je sais bien qu'il viendra nous donner un coup de main, si nous le lui demandons, répond le grand-père d'une voix forte.

D'habitude, grand-père marmonne. Lotte se retourne pour le regarder. Il agite sa faux, les commissures de ses lèvres sont noires. Il renverse la tête en arrière, plisse des yeux vers les montagnes et poursuit, d'une voix plus basse :

— Je sais bien que Per Inge peut travailler pour nous, mais je pensais que Leif, pour une fois, pourrait venir. Rien qu'une semaine. Le temps de rentrer les foins dans le silo.

— Oublie, père. Laisse tomber. Il ne veut pas. C'est drôle qu'après toutes ces années, tu n'aies toujours pas compris...

— Toutes ces années, c'est vite dit. Ça va faire neuf ans. Il en a peut-être fait le tour, de la vie en ville... et va revenir...

— Mais père, tu n'as toujours pas compris ? Il n'en veut pas, de la ferme !

Le filet de voix de l'oncle est un peu strident, on dirait une voix de jeune garçon. La chienne lui lèche le poignet, sa langue a deux rainures de bave sur les côtés. Grand-père doit comprendre ça : le père de Lotte n'a rien à faire ici.

— Maintenant, ça suffit, tous les deux !

Grand-mère s'est tournée vers eux.

— Ça suffit, j'ai dit. Je ne veux plus en entendre parler, maintenant.

Elle avait presque chuchoté ces mots, d'une petite voix pointue.

La petite fille les entend parler de choses dont ils ne parlaient jamais avant, en sa présence, du moins – et avec une intonation qui vient d'ailleurs, qui appartient à l'hiver et aux grands froids, quand le thermomètre descend sous zéro, et non à l'été qui bat son plein autour d'eux. Elle se détourne.

— Viens, on rentre, chuchote-t-elle à la chienne. On va chez grand-mère.

— Mais si on n'en parle jamais, mère… moi, je fais quoi, hein ? Je continue à donner gratuitement un coup de main et c'est l'autre qui hérite ? Je donne de ma personne et c'est le vrai héritier qui rafle tout ? C'est… pas juste !

La voix de l'oncle est aiguë et geint faiblement, on dirait qu'il va se mettre à pleurer.

— C'est l'heure d'aller manger quelque chose, et il y aura une part de gâteau à la crème pour chacun. Lotte est arrivée, nous allons passer de bons moments ensemble, tout doit être comme d'habitude. N'en parlons plus.

Grand-mère se retourne et suit Lotte, qui gambade et rit avec la chienne.

Elle est assise contre le mur, face au grand côté de la table de la cuisine. Elle passe la main sur le mur derrière elle, ses doigts caressent les lattes de bois peintes et brillantes, emboîtées les unes dans les autres. Elle regarde la cuisine pour la première fois cette année. Rien n'a changé. Au loin, elle entend les voix du grand-père et de l'oncle dans la remise, les entend aller dans la salle de bains, se laver les mains – de vrais poings –, épaule contre épaule, en se passant le savon. Ils reparlent du temps qu'il fait. Lotte contemple la grande table, devant elle. Elle la connaît par cœur, avec toutes ses marques, ses blessures gravées dans le bois, parfois très profond. La table est couverte de visages familiers qui se mêlent les uns aux autres, des yeux, des nez, des bouches. Des visages nés de son imagination, qu'elle seule peut voir – ça fait longtemps qu'elle a renoncé à les montrer aux autres. Grand-mère ne voit qu'un bout de chandelier qui bascule ou un plat qui glisse, alors que c'est une bouche qui sourit sous un nez crochu. Il y en a partout, et c'est même la seule chose qui change d'une fois sur l'autre. Nouvelles entailles, nouveaux visages. Ça commence toujours par la bouche, puis elle cherche le nez et les yeux, qui finissent toujours par apparaître. Les yeux ne la fixent jamais, ils regardent toujours ailleurs, vers le haut ou vers le bas. Les oreilles, elle n'arrive jamais à les voir. Elles doivent être cachées derrière les cheveux, pense-t-elle. Les bouches sourient ou se tordent comme si elles étaient en train de prononcer un mot ou de raconter quelque chose qui vient d'arriver. Lotte écoute et regarde ; elle aussi a fait des marques dans le bois quand elle s'est servie de ciseaux ou de couteaux pour découper des magazines, quand il faisait trop froid pour jouer dehors. Et quand elle a appris à tricoter ! Oh, elle s'en souvient bien, il fallait qu'elle ait le dos droit, ça lui faisait mal aux épaules, et elle devait poser les coudes sur la table ; les aiguilles à tricoter avaient fait plein de rayures plus claires. Elles n'ont pas disparu, sont devenues les cheveux lisses, couleur jaune blé, d'une jeune femme qui baisse les yeux vers le bord de la table. Elle n'avait que cinq ans, à l'époque, et sa grand-mère avait trouvé qu'elle se débrouillait bien, la qualifiant de « vraie tricoteuse » ; elle se fichait pas mal des marques sur la table.

Grand-mère va et vient dans la cuisine, sort des placards des petites assiettes et des tasses tandis que ses yeux voguent déjà vers l'endroit où ses mains feront leur prochain arrêt. Ses doigts sont constamment en mouvement, comme agissant de leur propre chef ; ils saisissent, posent des choses sur le plan de travail. Personne ne parle.

Lotte suit ses moindres mouvements. Le dos bleu de grand-mère virevolte devant les placards. C'est toujours comme ça qu'elle l'imagine, quand elle presse ses mains contre ses yeux pour tout rendre noir derrière ses paupières. Plus c'est noir, plus les couleurs de Perlevik sont éclatantes. Et au milieu de la cuisine… non, elle n'est pas pressée. Elle va rester huit semaines ici.

Tout doucement, son regard glisse vers le couvercle rutilant de la cuisinière – elle a gardé le meilleur pour la fin. On dirait qu'une demi-lune aplatie se repose sur la plus grande plaque de cuisson ; c'est une cuisinière noire avec des pois blancs dans l'émail. Le couvercle a une petite poignée sur l'avant, grand-mère le soulève quand elle veut faire cuire quelque chose sur la grande plaque. Quand elle a terminé, elle éteint la plaque et rabaisse le couvercle. Il devient brûlant, et grand-mère pose dessus des chiffons et des torchons les uns à côté des autres, ça dégage de la vapeur et fait comme un grésillement quand l'humidité s'en échappe.

L'hiver, grand-mère pose ses moufles trempées dessus, mais Lotte ne l'a jamais vu elle-même, c'est sa grand-mère qui le lui a raconté. Le couvercle est toujours brillant, il étincelle de propreté, personne à Trondheim n'a une cuisinière comme ça.

— C'est la clé des rêves, chuchote-t-elle.

Elle a vu ce mot dans une revue. C'était avant qu'elle sache lire. Il y avait peut-être un autre mot d'écrit, mais elle avait vite tourné la page, elle avait envie de le garder tel quel. Le couvercle de la plaque est la clé des rêves. Quand elle pense à Perlevik en hiver, elle commence par là, et cela entraîne toutes les autres images dans son sillage, un vrai déluge.

Elle saute du plan de travail.

— Est-ce que le couvercle est chaud, grand-mère ?

— Non, pas maintenant. Il fait déjà assez chaud dehors, on n'a pas besoin d'allumer le four.

Lotte passe la main sur le couvercle, c'est vrai qu'il est froid. Elle approche sa tête tout près du métal, qui lui renvoie une image difforme de son visage : un nez colossal, des yeux qui sortent de leurs orbites. Sa bouche n'est plus qu'un trait mince, tout en bas, sa frange une boule brune. S'il y a des gens sur la Lune, voilà à quoi ils doivent ressembler ; ça la fait rire tout haut.

Grand-mère va dans le garde-manger, se penche au-dessus du puits et en remonte une bouteille de lait. Lotte grimpe sur la margelle et suit des yeux les mouvements de ses mains. Tout au fond du puits, de l'eau fraîche coule comme un film transparent et brillant sur des pierres noires.

Elle pense à Marit, à sa réaction quand elle lui avait parlé du puits à l'intérieur de la maison, dans le garde-manger. Marit ne l'avait pas crue.

— Mais c'est vrai, je t'assure. C'est un puits gigantesque, presque de la taille d'une baignoire, il est dans le garde-manger, et il y a de l'eau qui coule tout au fond. Ça vient du ruisseau qui est dehors. Et l'eau est froide, tu sais, même en été quand il fait chaud, car l'eau vient des montagnes et de la neige qui fond. Tu te rends compte, ça vient d'un glacier ! Grand-mère met en bas la nourriture et le lait, comme ça, tout reste au froid !

— Ils n'ont pas de frigo ? s'était étonnée Marit.

— Mais on n'a pas besoin de frigo ! On a ce puits… Tu ne peux pas savoir comme le lait est bon et frais !

Lotte lui avait aussi raconté comment sa grand-mère trayait les vaches matin et soir, comme ça ils n'avaient jamais besoin d'aller acheter du lait au magasin. Mais Marit avait simplement éclaté de rire.

— Arrête de raconter n'importe quoi, Lotte ! Tout le monde sait que le lait, ça doit d'abord être dans une bouteille !

Grand-mère pose le lait et le gâteau à la crème sur la table. Lotte remonte sur le banc. Bientôt, sa tasse va arriver. Grand-mère met une dernière fois la main dans le placard, et la voici.

— Et voilà la tasse de ma petite chérie ! dit-elle avec un large sourire en posant la tasse blanche devant Lotte, qui se penche et la saisit des deux mains.

Elle sent le poids de la porcelaine et, sous le bout de ses doigts, le relief du motif. Smørbukk, le personnage du conte, est gros et souriant dans son pantalon en toile bleue, avec ses bretelles et sa blouse rouge traditionnelle. Il traîne au bout d'une corde un cochon, lui aussi gros et gras, qui refuse d'avancer. Lotte tient bien l'anse quand grand-mère remplit la tasse du lait frais sorti du puits.

Voici qu'arrivent à présent grand-père et l'oncle. Tous deux se répandent en compliments devant le magnifique gâteau décoré de fraises et de chocolat râpé. Lotte s'appuie contre le mur en tenant sa tasse à bout de bras ; dos au mur, elle peut embrasser du regard toute la cuisine. Comment imaginer qu'il y ait eu l'hiver, ici ? On lui a bien souvent raconté ce qui se passe ici en hiver, surtout à Noël, mais seules des images d'été lui reviennent. Grand-mère jette un coup d'œil à sa tasse.

— Je l'ai lavée hier, je ne m'en suis pas servie depuis la Noël, tu sais, déclare la grand-mère, tout sourires, en découpant le gâteau et en en déposant une part, qui tombe sur le côté, dans chacune des assiettes.

Oui, Lotte le sait. Elle sait que personne d'autre n'a le droit de boire dans cette tasse mais qu'à Noël, grand-mère la remplit de morceaux de sucre, pour mettre dans le café. Grand-mère pense alors à Lotte chaque fois qu'elle en prend un, et elle se réjouit de la revoir au mois de juin.

Lotte se goinfre de gâteau à la crème. À cet instant, le monde entier tient dans cette pièce. Sa mère n'est rattachée à rien, pour l'heure. Elle ne lave pas le sol bleu, elle ne fait pas les courses, elle ne pleure pas non plus – elle n'existe pas. Quand Lotte rentre chez elle à Trondheim après un long été, il y a toujours des changements, là-bas : une nappe que Lotte n'avait jamais vue, des rideaux qui ont changé de pièce ou des meubles déplacés. Ou bien sa mère s'est coupé les cheveux, ou des gens ont disparu d'un appartement voisin et d'autres se sont installés à leur place. Ou encore il y a sur le lit de Lotte des vêtements que sa mère lui a cousus, ou son père a accroché un tableau qui…

Le gâteau à la crème est fourré de rondelles de bananes et de morceaux de fraises, elle se penche au-dessus de son assiette, sent les morceaux de fruit dans sa bouche, peut mordre dedans. Mais grand-père n'est pas satisfait.

— Il faut que je mange autre chose. Un gâteau à la crème, ce n'est pas vraiment ce que j'appelle de la nourriture. J'ai besoin de salé, quand je sue autant.

Grand-mère se lève et va chercher des morceaux de pain sec dans le tiroir d'en bas. Elle les passe sous l'eau du robinet et les pose sur une assiette, sort le beurre et le saucisson. Au bout d'un moment, le pain devient aussi tendre que de la brioche. Du pain sec aussi tendre que ça, il n'y en a nulle part ailleurs. Lotte appuie les paumes contre le mur derrière elle et attend que le pain soit mou, jusqu'à l'intérieur.

— Mon Dieu, comme tu as grandi, ma petite Lotte ! s'écrie tout à coup sa grand-mère.

Lotte lève les yeux. Grand-mère a la tête penchée sous la table.

— Tu as vu ? Bientôt, tu toucheras le sol avec tes pieds !

Lotte se cale encore plus près du mur bleu ciel.

— Non, je n'ai pas grandi. Regarde ! Regarde mes pieds. Ils ne touchent pas le sol. Je suis encore toute petite, moi !

Elle triche, pliant un peu les genoux pour faire remonter encore ses pieds.

— Toi, ma petite Lotte, t'es un drôle de numéro, marmonne son grand-père.

Personne ne regarde plus sous la table.

— Ah, ça fait du bien de t'avoir de nouveau à la maison, notre petite Lotte à nous, celle qui chaque été prend l'avion pour voir sa vieille grand-mère et qui voyage toute seule, comme une grande…

— Mais t'es pas vieille ! proteste Lotte.

Elle a le nez dans la tasse et sa frange, raidie par les coups de langue de la chienne, en touche le bord. Les adultes ont bientôt terminé leur café. Grand-mère veut qu'elle aille changer de robe. Son grand-père et l'oncle vont s'allonger un moment, sa grand-mère débarrasse la table.

— Mais regarde-toi, Lotte ! T'as vu dans quel état tu es ? T'es pleine de taches vertes. On va défaire ta valise et voir ce que tu as d'autre à te mettre.

— La robe est toute neuve.

— C'est une belle robe.

— Elle est NEUVE.

— Oui, tu l'as dit. Et elle est très belle.

— … elle peut… déteindre !

— Oh, ça, je m'en doute.

Grand-mère rit et le soleil fait pénétrer son flot de rayons, jaunes comme du beurre, par les fenêtres.

— Je vais d'abord la laver à part plusieurs fois, pour être sûre que grand-père ne se promène pas en caleçons longs tout roses !

Lotte éclate de rire et renverse un peu de lait sur les visages gravés dans la surface de la table quand elle saute du banc pour faire le tour de la table et se blottir contre sa grand-mère.

— Oh, je t'aime si fort, grand-mère ! Je t'aime si fort !

— Bon… Si on montait déballer ta valise ?

Ici, le moindre son lui est familier : le bruit de pas de grand-mère sur les marches devant elle, le craque-ment du bois au milieu de l'escalier, le frottement des mains de grand-mère qui glissent et s'agrippent à la rampe, à intervalles réguliers, le grincement de la poignée et la porte qui s'ouvre en faisant un léger chuintement…

C'est sa chambre, avec sa valise que grand-père a posée au milieu, sur le sol. Ça sent bon les draps propres et le savon noir. Quand elle s'est couchée, hier soir, elle était si fatiguée qu'elle n'a rien vu, rien senti, et ce matin elle a vite enfilé ses vêtements pour courir dehors et rejoindre les adultes. La fenêtre est ouverte, les rideaux blancs flottent au gré de la brise et lui renvoient des odeurs de terre, de feuillage vert, de pommes sures. C'était la chambre de l'oncle quand il était petit ; maintenant, il en a une plus grande et celle-ci est devenue celle de Lotte. Les murs sont vert pâle, les plinthes au plancher et au plafond sont d'un blanc brillant. Le linoleum est vieux et raide, avec des taches brunes, il fait des bosses ici et là sur les lattes du plancher. L'année dernière, à la fin des vacances, elle était restée debout au beau milieu de la pièce, avec une grosse boule dans la gorge qu'elle essayait d'avaler parce qu'elle n'arrivait plus à respirer. Elle attendait que l'oncle vienne descendre sa valise.

Au-dessus du lit, il y a une étagère avec tous les livres sur le capitaine Biggles. Grand-mère les lui a lus plusieurs fois à haute voix, ça parle de la guerre, des raids de bombardements... Ce sont des livres que son père et son oncle ont lus quand ils étaient petits. Lotte aime entendre les aventures du capitaine Biggles, mais en réalité, elle ne comprend pas grand-chose à l'action. Elle préfère quand grand-mère lui parle, simplement, de quand elle était petite et travaillait comme servante chez un vieux monsieur jamais content, de la fois où elle était restée enfermée toute une soirée et toute une nuit dans la cave à pommes de terre, sans qu'on s'aperçoive de sa disparition, jusqu'à ce que le vieillard l'appelle pour avoir son café, le matin.

Grand-mère ouvre grand la valise et ses deux moitiés reposent alors sur le sol, les vêtements retenus par des courroies en diagonale. Hier, c'était sa mère qui avait serré ces liens ; Lotte, debout derrière son dos, l'avait regardée faire. Elle s'était imaginé ce que cela ferait d'ouvrir à nouveau la valise, sur le linoleum avec des marques brunes, à Sinnstad. Elle voyait déjà les mains de sa grand-mère qui allaient défaire ces courroies.

Maintenant, cela se produit pour de bon.

Ses vêtements font tache, ici. Mais en apercevant le short jaune qu'elle avait déjà l'année passée et qui lui va toujours, elle s'écrie :

— Je peux mettre ça !

Grand-mère suspend les vêtements dans l'armoire et remplit les tiroirs de la commode.

— Tu en as emporté, des vêtements, dis donc !

— Oui, plein ! J'ai plein de nouvelles choses !

— Je vais laver ta robe rouge. Tu la garderas pour les grandes occasions. Quand nous irons à Langegarden, par exemple.

Grand-mère passe en revue chaque vêtement. Soudain elle s'arrête, une chaussette à la main. Assise sur le bord du lit, Lotte regarde, elle aussi. Il y a un trou à l'orteil. Grand-mère a glissé un doigt à travers et fixe le bout de son index. Lotte retient sa respiration. Puis grand-mère secoue la tête, l'air contrarié. Le bord du lit lui cisaille les cuisses. Elle devrait dire quelque chose, dire que sa mère est débordée et n'a pas eu le temps de la raccommoder, ou qu'elle n'a pas vu le trou parce que Lotte a lavé elle-même ses chaussettes, ou dire autre chose, peu importe. Mais sa grand-mère retire sa main de la chaussette et la pose, sans un mot, sur la table de nuit. Vite, Lotte se penche et prend un tee-shirt en coton dans le tiroir, l'enfile, sort de la chambre en courant et dévale l'escalier peint en gris. Une fois en bas, elle crie :

— Je vais un peu dehors, grand-mère !

Sa voix est plus assurée quand elle peut crier. Plusieurs fois déjà, elle a crié « Bonne nuit » à sa mère de cette voix forte et claire.

Elle passe sous le porche, longe les pierres et arrive dans la cour. Grand-mère va raccommoder la chaussette, elle refermera la couture. Betsi, attachée, se dresse sur ses pattes arrière, fait des bonds en tous sens et pousse de petits aboiements quand elle aperçoit Lotte. Elle tire tellement sur sa laisse que ça chante.

— Pas maintenant, Betsi. Je vais juste faire un petit tour. Toi, tu restes là !

Elle veut passer la propriété en revue, voir les maisons, les arbres, les cordes à linge, les vieux seuils usés, les vaches dans l'étable, le cheval dans l'écurie, le chat qui rôde toujours quelque part autour de la maison, affamé, sa progéniture cachée entre des rochers, à l'abri des regards – c'est l'oncle qui le lui a dit –, les toilettes à l'extérieur et les visages entre les espaces des branches. Elle entend sa grand-mère descendre l'escalier et aller dans l'annexe, elle entend l'eau qui coule sur le sol en pierre, elle entend le son du jet se transformer quand une bassine est placée dessous. Grand-mère va mettre sa robe rouge à tremper.

Lotte se regarde. Son short jaune est tout propre et ressort bien sur ses jambes bronzées et sur l'herbe verte. La ferme l'entoure de tous côtés, elle s'y sent en sécurité, il y fait bon, avec son mur d'enceinte gris. Tous les coins des bâtiments sont faits de rondins de bois qui se croisent et s'emboîtent parfaitement, grâce à des encoches profondes. Seule l'annexe et l'étable, un peu plus bas, sont construites en pierre. Lotte court vers la grange et passe le bout des doigts sur les motifs sculptés autour de la porte. Le trou de la serrure est immense et noir comme du charbon, et la clé, qui pend dans la cuisine, est plus grande que la main de Lotte. Il faut la tourner d'une certaine façon, seule grand-mère sait comment faire.

Quand elle pense à cette clé, elle croit voir la porte s'entrouvrir, croit sentir les odeurs de saucisses et de gigot de mouton séché qui se mêlent au parfum sec de farine blanche des étagères, où s'empilent les galettes et le pain azyme, et à l'odeur poussiéreuse des pots de confiture et des bouteilles de sirop de groseille. Mais elle passe son chemin, court jusqu'à la remise à outils puis jusqu'au fumoir, et quand elle arrive au moulin, elle entre pour regarder la meule et le ruisseau qui coule en dessous. Elle caresse des doigts la meule, qui est sèche.

Elle aime regarder son grand-père aiguiser les lames des faux ou de la hache, tôt le matin, après le petit déjeuner, avant de partir aux champs, loin de la ferme, ou simplement pour faucher l'herbe autour des maisons. L'eau fait des bruits de gargouillis, tout tourbillonne dans le jet, et le métal crisse au contact de la pierre. Il devient d'un blanc bleuté, aussi coupant qu'une lame de rasoir, tandis que grand-père souffle et crache et appuie fort sur la meule qui tourne. Le moulin est toujours plongé dans la pénombre, seul le ruisseau scintille dans la lumière du jour, sous les piliers qui tiennent le plancher. Ces sons et ces mouvements excluent tout le reste. On est ici comme dans une bulle.

Elle voudrait aussi entrer dans la forge, mais la porte est fermée. Des pissenlits et des digitales pourpres ont envahi les marches de pierre, trois bourdons foncent à tour de rôle dans les fleurs roses puis s'immobilisent en l'air avec leurs ailes invisibles. Ils ne sont pas dangereux quand ils sont occupés à travailler. Elle s'assied sur une marche chauffée par le soleil et pose le menton dans ses mains.

L'oncle pourrait lui ouvrir la porte, maintenant, et lui raconter l'histoire du petit lutin de la ferme, celui qui lui tire le bas du pantalon chaque fois qu'il franchit le seuil.

— J'aurais pu partir, tu sais, Lotte, aller à l'école ailleurs, trouver un travail autre que celui de la ferme, comme l'a fait ton père. Mais chaque fois que je viens chercher quelque chose ici, que j'entre dans cette pénombre traversée par les rayons du soleil... quand je vois tous ces vieux outils, ces murs noircis par le temps, ce sol en terre battue qu'ont piétiné des générations avant moi... alors le petit lutin surgit et me tient à sa merci. Car c'est ici qu'il habite, dans la plus ancienne maison de la ferme.

— Je ne le vois pas ! réplique Lotte à chaque fois.

— Non, toi, tu ne peux pas le voir... mais moi, je sais qu'il est là. Il agrippe le bas de mon pantalon, il me dit avec une vieille voix geignarde et fêlée que je n'ai pas le droit de m'en aller. Si je m'en vais, eh bien... non, je ne sais pas ce qui... Mais le lutin, lui, il sait, tu comprends...

— Pourquoi il habite dans cette maison, le lutin ?

— Parce que la forge est le bâtiment le plus ancien, le premier qui a été construit quand on a décidé de bâtir la ferme. Ils avaient besoin d'une forge pour fabriquer leurs outils et les réparer pendant qu'ils construisaient le reste. Ils dormaient dehors, à l'époque.

— Ça fait longtemps ? demande-t-elle à défaut de trouver autre chose à dire.

— Oh oui ! Ça remonte au XVIe siècle. Je crois même que c'est la plus ancienne maison au bord du fjord ! Oui, Sinnstad a été la toute première ferme, par ici.

Quand il dit ça, la voix de l'oncle monte dans les aigus et se met à trembler. Lotte lève alors les yeux vers lui, respire la poussière qui danse dans la lumière, sent la terre battue tassée et dure sous ses pieds.

C'est un drôle de sol, il ne fait aucun bruit quand on marche dessus. Tous les pas vont directement dans la terre et disparaissent pour toujours. Il doit y en avoir, des sons, cachés là-dessous ! Rien que d'y penser, ça lui donne sommeil. Dire que tous ces sons, ces bruits, appartiennent à sa famille depuis des générations…

C'est autre chose qu'un immeuble où les gens n'arrêtent pas de déménager, sans même former de famille. Ici, c'est le contraire, la ferme est remplie de choses qui ont vécu : des bols et des écuelles peints avec des motifs de roses, aux bords usés, le rouet de grand-mère dont le bois a foncé avec l'âge, la malle du salon remplie des bijoux d'argent et des broderies qui accompagnent le costume traditionnel des femmes, de rubans pour les pantalons en laine noire de petits garçons. Quand grand-mère ouvre la malle, elle répand une piquante odeur de naphtaline, qui imprègne tout ce qu'elle soulève et montre à sa petite-fille. La plus jolie broderie sera sur le tablier du costume traditionnel que portera Lotte quand elle sera grande et se mariera. Grand-mère lui a promis de lui en offrir un pour sa confirmation, et tout ce qui va avec.

Elle entend quelqu'un tousser et se retourne. Son grand-père sort de la cour, la faux à la main. Il lance un crachat brun dans l'herbe sans regarder Lotte. Le soleil touche le sommet de la montagne Håkanfjell, bientôt il disparaîtra derrière les collines verdoyantes et étendra son ombre dans toute la vallée, même si on n'est qu'en début d'après-midi.

— Tu vas à la forge ? demande-t-elle en se relevant vite.

— Non, je vais monter par là-bas faucher l'herbe autour des pommiers.

Il a des jambes qui n'en finissent pas, et le cou qui sort de sa chemise en coton est bronzé. La couleur marron s'arrête là où commence la chemise. En dessous, grand-père est blanc comme du lait, et des veines bleues, telles des rivières, parcourent tout son thorax. Sur ses bras, le blanc commence au niveau des coudes, comme si quelqu'un avait tranché net la couleur brune. Les tendons et les muscles jouent sous sa fine peau blanche et la soulèvent.

L'été dernier, elle lui avait demandé pourquoi il ne se mettait pas à bronzer, un jour qu'elle avait vu ce contraste entre le blanc laiteux et le brun – entre le creux des coudes et sa nuque. Ça les avait fait rire, lui et grand-mère, et ils n'avaient pas vraiment compris ce qu'elle voulait dire. Elle expliqua que sa mère, à la maison, s'allongeait sur un transat et regardait chaque soir la « marque du bronzage » dans la glace. Sa grand-mère avait éclaté de rire, levant le menton, les épaules toutes secouées.

Il n'y a pas un seul transat à Sinnstad. Elle le sait, maintenant.

En s'approchant de la fenêtre de la cuisine, elle entend grand-mère s'activer avec les casseroles et les assiettes en fredonnant tout bas. Dans la cour, la chienne aboie, le cou tendu, ses pattes avant raides se soulevant légèrement à chaque cri ; c'est sa manière de répondre à un autre chien, loin, très loin là-bas. Le soleil a disparu derrière le sommet du Håkanfjell et des ombres vert foncé surgissent entre les murs des maisons. Lotte s'enfonce dans ces ombres, perçoit leur chaleur contre sa peau.

— Betsi... Tais-toi, maintenant ! crie-t-elle à l'animal.

La chienne se retourne, étonnée, les yeux excités, la gueule entrouverte, la langue recourbée par les muscles entre ses dents toutes blanches – on dirait des dents d'ours. Betsi lui rappelle quelque chose, mais quoi ? Le temps de se précipiter sous le porche puis dans la cuisine pour retrouver sa grand-mère, le souvenir qui lui tendait presque les bras s'est enfui avant qu'elle ait pu l'attraper.

6

Des flammes orange, jaunes et noires encer-
claient un tigre gigantesque dont les yeux la fixaient
intensément.

— Ce qu'il est beau, ce tableau, Marit ! Le tigre
est magnifique. Lui, au moins, il est sûr que personne
ne lui fera de mal !

— Tu ne trouves pas qu'il fait un peu peur ?

— Peur ? Non. On dirait que quelqu'un a peint
les rayures sur lui. Tu crois que quelqu'un a fait
ça ? avait-elle demandé à Marit, qui avait seulement
répondu par un rire.

Quand Marit lui avait ouvert la porte, elle n'avait
montré que son visage dans l'embrasure de la porte.

— On ne veut pas de billets de loterie, avait-elle
dit.

Mais Lotte ne voulait rien lui vendre, elle voulait
seulement lui parler. Elle lui demanda si elle pouvait
entrer. Marit avait tout de suite commencé à lui parler
des nouveaux vêtements qu'elle avait eus pour sa
poupée Barbie.

Lotte avait plié avec soin son manteau et l'avait posé
dans un coin, par terre. Marit portait des pantoufles
roses avec un pompon. Ça sentait les tapis en lirette
qu'on avait lavés dans la neige, l'huile pour bois de

teck et la vapeur d'une casserole de pommes de terre.
Chaque maison a une odeur différente, que les gens
transportent avec eux où qu'ils aillent. Accroupie
pour poser son bonnet, ses moufles et son écharpe,
elle voyait bouger les pantoufles roses de Marit. Elle
entendait, venant d'en haut, la voix de sa camarade lui
parler de sa mère, qui avait fabriqué un vrai manchon
pour sa Barbie avec de la fourrure de lapin récupé-
rée sur la capuche d'un anorak. Sous les manteaux
qui pendaient le long de l'étagère à chapeaux, Lotte
avait vu dans la pénombre des rangées de chaussures
et de bottes inconnues. Elles avaient l'air de se plaire,
là-dessous, d'être bien au chaud.

Le tableau du tigre prenait presque toute la place,
dans cette chambre, celle de Marit – rien qu'à elle.

— Moi aussi, je vais bientôt avoir ma chambre
à moi. Tu as eu cette chambre quand ta mère et ton
père… ils ont… divorcé ?

— Mmm.

Elle ne put en dire plus, car à cet instant la mère de
Marit passa la tête par l'embrasure de la porte pour
leur demander si elles avaient faim. Elles firent oui
de la tête, et la porte se referma.

Elles restèrent un instant à contempler le tigre.
Lotte pensait que Marit allait encore lui parler des
vêtements de sa poupée Barbie, mais elle se tut.

— Est-ce que ton père aussi avait son bureau à la
maison ? demanda Lotte au bout d'un moment.

— On n'appelait pas ça son bureau, mais son
fumoir.

— C'est bien, d'avoir sa chambre à soi !

— Toi aussi, t'as ça ?

— Non, pas encore, mais…

La mère était revenue, portant un plateau avec des tartines beurrées et deux tasses de cacao. Elle les pria de ne pas faire de miettes ni de renverser de cacao par terre, car le tapis était presque neuf. Elle sourit à Lotte et allait sortir quand celle-ci lui dit, très vite :

— Attendez, je veux que vous le sachiez, vous aussi !

Elle poursuivit d'une voix forte :

— Mon papa a DÉMÉNAGÉ aujourd'hui.

Et elle leur fit un grand sourire à toutes les deux. La mère de Marit baissa les yeux sur les tartines et les arrangea, visiblement mal à l'aise. Elle finit par disposer les triangles beurrés les uns derrière les autres, et Lotte trouva que ça ressemblait à une trace de tracteur, avec des pointes ressortant de chaque côté.

— Ah, c'est donc pour ça que tu es venue, finit par murmurer la mère en jetant un rapide regard à Marit, et non à Lotte.

La petite fille attendit que la porte se fût refermée avant de tourner la tête vers Marit, qui avait détaché une tartine de la trace du tracteur et s'était mise à mâcher lentement. Lotte déglutit et fixa un vague point entre ses genoux, puis par terre.

Le nouveau tapis était bleu et gris, comme des ouvertures entre des nuages d'orage, dans un ciel bas sur l'horizon. Un tapis précieux, ça en avait tout l'air. Demain, elle irait à l'école. Elle emplit ses poumons d'air et rencontra le regard furieux du tigre tandis qu'elle empilait les mots dans sa gorge. Une fois la pile terminée, elle regarda Marit et lui dit :

— Ils vont divorcer ! Comme ta mère et ton père. Alors on peut être amies, maintenant. Nina et Eva Lise ont été si méchantes avec moi, aujourd'hui, que… Je ne veux plus jamais être amie avec elles.

Marit ne répondit rien. Elle mâchait et regardait fixement sa tasse de chocolat. Pourquoi ne disait-elle rien ? Lotte prit une tartine, elle aussi ; ça avait un goût de bois, comme le bout des crayons de papier qu'elle mâchonnait en classe sans s'en rendre compte, jusqu'à ce que la maîtresse lui ordonne d'arrêter, car les crayons appartenaient à l'école. Le cacao était beaucoup trop chaud, ses yeux commencèrent à la piquer, elle renifla fort pour ravaler ses larmes. Marit leva la tête vers elle :

— Ce n'est pas si terrible, tu sais. C'est juste une question d'habitude, dit-elle tout bas.

— Je ne voulais pas me moquer de toi ! Je ne voulais pas, tu entends ? C'est les autres qui m'ont poussée à le faire !

— Ça ne fait rien.

— Je ne me moquerai plus jamais de toi. Est-ce qu'on pourrait pas être amies ?

— Si.

La tartine eut soudain meilleur goût, le chocolat chaud la bonne température et juste ce qu'il fallait de sucre. Lotte but et mangea de bon cœur puis regarda à nouveau le tigre.

— Comment t'as eu ce tableau ? Je n'ai jamais vu de tableau de tigre aussi beau. Moi, j'ai seulement un chromo avec un tigre, j'en ai aussi d'autres avec un zèbre, un raton laveur et un homme sur un éléphant.

— On fait un échange ?

— De chromos ?

— Oui.

— D'accord, on fera ça demain, après l'école. Tu fais aussi la collection de serviettes en papier ?

— Oui, tu veux les voir ?

Les chromos et les serviettes en papier étaient bien rangés dans de vieilles boîtes de chocolat et dans des pochettes en plastique qui avaient contenu des bas en

Nylon. Marit sortit une boîte après l'autre, puis des tas de pochettes en plastique. Lotte feuilleta doucement les magnifiques chromos, dont des paillettes tombaient, et les serviettes au papier ultrafin portant les noms de restaurants de villes étrangères.

— Mon oncle me rapporte des serviettes quand il revient de l'étranger, il est marin, dit Marit.

— Le frère de ton père ?

— Non, le frère de maman.

Lotte sortit un visage d'ange rose reposant sur un nuage bleu pâle, avec des ailes qui se déployaient sur le ciel en arrière-plan. Il y avait même des paillettes roses collées sur le nuage, qui brillaient et s'effritaient sous les doigts.

— Je n'ai jamais vu un ange aussi grand ! Moi, j'ai seulement des petites images d'anges.

— Je te le donne, si tu veux, annonça Marit.

— Tu me le donnes ? Mais je croyais qu'on allait faire un échange, moi ! Tu peux avoir mon tigre, en échange de cet ange, ça te dit ? Il est très beau, mais il n'a pas de paillettes…

— Bien sûr qu'on va faire des échanges ! Mais cet ange, tu peux l'avoir… en plus… puisque ton père a déménagé aujourd'hui !

Et Marit commença à rire en ouvrant la bouche, où traînait un morceau de pain à moitié mâché ; elle en sortit un cheveu avec sa langue. Lotte la contemplait. Le regard de Marit était gentil et elle plissait les yeux en riant. Cela rendait son hilarité communicative, et Lotte fut prise d'un véritable fou rire qui lui firent monter des larmes. Ses yeux piquaient et elle tenait toujours l'ange dans sa main. Des paillettes tombèrent du nuage sur le nouveau tapis.

Sa mère avait lavé par terre. Lotte sentit l'odeur du savoir noir dès qu'elle ouvrit la porte d'entrée. Mme Sybersen était là et buvait du café avec elle. Mme Sybersen remplissait le verre de sa mère, un verre minuscule avec un pied tout fin, elle le remplissait sans arrêt d'un liquide marron foncé qu'elle versait d'une carafe bleue au fur et à mesure que sa mère le vidait. Mme Sybersen, quant à elle, se contentait de tremper les lèvres dans sa boisson. Elle avait sur les genoux son crochet et ses pelotes de coton. Son vieux corps informe cachait la chaise sur laquelle elle était assise. À ses côtés, sa mère, jeune et mince, les coudes posés sur la table, avait la nuque et le dos courbés.

Le seau était resté dans l'entrée, vide. La serpillière, soigneusement pliée, pendait sur le bord, à côté des gants en caoutchouc. On aurait dit des mains mortes.

Lotte se faufila dans la salle de bains. Il s'agissait d'aller vite au lit, en profitant de la présence de Mme Sybersen. Si sa mère avait quelqu'un à qui parler, elle ne pleurerait pas, seule dans son coin, à fendre l'âme. Les deux femmes tournèrent à peine la tête vers elle quand, en chemise de nuit, elle vint leur dire bonne nuit.

— Dors bien, petite Lotte ! lança Mme Sybersen avec un sourire en lui faisant un signe avec son crochet.

— Oui, bonne nuit, Lotte, dit sa mère sans la regarder.

— Bonne nuit, maman !

Lotte se sauva dans ce qui était désormais sa chambre et éteignit la lumière avant d'avoir le temps d'examiner la pièce et de voir tout ce qui y manquait. Elle aperçut vaguement quelque chose de bas et de plat sur le sol, le long de l'autre mur ; ce devait être le matelas de sa mère. Elle ne voulut pas l'étudier de plus près.

Son propre lit était bien le même, avec de larges barreaux qu'elle pouvait serrer avant que l'obscurité l'emporte et l'entraîne à l'abri. Elle toussa une seule fois, c'était suffisant. Sa toux résonna bizarrement dans la pièce, produisant un son qu'elle n'avait jamais entendu. Elle était couchée dans une boîte en fer-blanc dont les parois lui renvoyaient l'écho de sa toux. Il faisait froid. L'odeur du savon noir était si forte que sa gorge se nouait ; sa mère avait dû aérer et laver ici pendant des heures. Est-ce que c'était vraiment si sale que ça ? Elle entendit les voix des deux femmes dans la cuisine et laissa ce bourdonnement remplir sa tête. C'était difficile de comprendre le sens de leurs paroles, même si elles ne chuchotaient pas.

— … Tu vois bien, Bente, finalement c'est une bonne chose. Ah, ces hommes, ils sont toujours prêts à sauter sur la première occasion !

— Oui, mais ELLE, alors ? Elle n'a pas honte de ce qu'elle a fait ? Quand elle sait qu'il est marié ? Ah, je t'assure que si elle était devant moi, ça ne se passerait pas comme ça !

— Estime-toi contente, Bente. Il n'y a que ça à faire. Tu sais bien que ce serait arrivé tôt ou tard. Mais qu'il ait eu besoin de te le dire… et précisément aujourd'hui… il aurait au moins pu t'épargner ça.

— Il devait avoir besoin de se trouver des excuses, une fois qu'il a eu terminé son chargement. Ah, si tu avais vu sa tête ! Il avait le visage tout rouge. S'il a cru qu'en disant ça il arrangerait les choses ! Me dire que quelqu'un l'ATTENDAIT ? Ah non, trop c'est trop, je ne comprendrai jamais les hommes !

Sa mère se mit à glousser. Lotte écouta son rire perlé, se glissa sous les mots, derrière leur contenu. À quoi bon essayer de les comprendre ? Quoi, se réjouir parce que son père était parti ? Elle se cramponna à un barreau du lit, froid et lisse ; ça lui faisait du bien de le tenir ainsi.

— Allez, une dernière goutte, Bente. N'oublie pas qu'il y a plein d'hommes dans le monde !

— Plein d'hommes, ah ! Et c'est TOI qui me dis ça, alors que tu es restée cloîtrée pendant trente ans après la mort de ton Petter !

— C'est toujours plus facile de donner des conseils que de les suivre, tu le sais bien. Mais il faut que je te montre le beau tissu que j'ai acheté aujourd'hui pour faire des rideaux.

Il y eut un bruit de sac plastique froissé.

— Regarde, hein ! Qu'est-ce que tu dirais de ça dans le salon ?

— Des rideaux… ? Oh… Je ne crois pas que j'aie la force de penser à des rideaux en ce moment.

— Bien sûr que si, tu as la force… Tu as toujours eu du goût et le sens des couleurs… Regarde, tu ne trouves pas que ça ferait joli ?

— Si… encore que… des rideaux VERTS ? Alors que ton canapé est ROUGE ? Non, ça ne va pas.

— Ce n'est pas pour aller avec le canapé, Bente, mais pour aller avec les plantes vertes à la fenêtre.

— Je comprends, mais ça n'ira pas. Ton canapé est rouge. Si les rideaux doivent être verts, il faudrait au moins qu'il y ait un peu de rouge dedans, pas forcément beaucoup, mais un peu, et tu pourrais acheter plus de tissu pour faire des coussins. Ça donnerait un ensemble. Mais vert uni, non… J'espère que tu as seulement versé des arrhes.

— Oui, ne t'inquiète pas.

— Alors retourne demain au magasin et choisis un autre tissu !

— Tu ne veux pas m'accompagner ?

— Oh… Je ne sais pas si j'ai la force…

— ARRÊTE de dire sans arrêt « si j'ai la force »,
ce n'est pas comme ça que tu vas t'en sortir ! Tu
vas venir avec moi demain, pendant que Lotte sera
à l'école. Je t'offrirai un café et un millefeuille chez
Erichsen, après. Peut-être qu'on pourra prendre aussi
un petit verre de sherry, qu'est-ce que tu en dis ?

— Du sherry ? En pleine journée ! Mais enfin,
qu'est-ce qui te prend, Ingrid !

— Tu as raison, je m'emballe. Le sherry et
le crochet, ça ne fait pas bon ménage, j'ai perdu
plusieurs mailles…

Toutes deux éclatèrent de rire. Lotte serra encore
plus fort le barreau de son lit et s'endormit doucement dans ce rire.

Lotte et Marit entrèrent dans la cour de l'école
main dans la main. Les autres filles, en petits
groupes, chuchotèrent entre elles, leur lançant des
regards à la dérobée, se coupant la parole mutuelle-
ment. Les garçons couraient au milieu des filles, à la
poursuite d'un ballon de foot, entendant parfois un
mot au passage.

Tout le monde était au courant, Lotte le vit aussitôt. Elle serra fort la main de Marit qui avançait à ses
côtés, la tête droite et un sourire pincé aux lèvres.
Avant, Marit avait toujours été seule, traînant sur le
bord de la cour en serrant son bonnet, son écharpe
et son cartable chaque fois qu'un garçon fonçait près
d'elle. Lotte revoyait parfaitement Marit, il n'y avait
pas si longtemps – de fait, la veille –, qui marchait,
le regard baissé, attendant la sonnerie pour entrer
en classe. Maintenant, Marit se tenait là avec elle,
sa main dans la sienne, au milieu de la cour. Après
la classe, elles échangeraient des images et des
serviettes en papier.

— Elles n'ont qu'à essayer de s'en prendre à nous… et elles verront ! chuchota Lotte à Marit.

Les mots « divorcer » et « Lotte » voletaient comme des mouches parmi les groupes de filles. Lotte et Marit s'arrêtèrent au beau milieu de la cour, posèrent leurs cartables entre les jambes, se penchèrent l'une vers l'autre et se mirent elles aussi à faire des messes basses, leurs visages se touchant presque.

— Il fait assez beau, aujourd'hui, chuchota Marit.

— Oui, le temps est magnifique, répondit Lotte en jetant un regard oblique sur les groupes de filles, puis elle haussa les épaules et mit la main devant sa bouche. C'est bien qu'on soit amies, toutes les deux…

Marit acquiesça.

— Ce qu'elles peuvent être BÊTES, ces filles ! renchérit-elle.

Une fois dans la salle de classe, Lotte leva la main dès que le bruit des chaises eut cessé. La maîtresse disposait des piles de livres sur le bureau, feuilletait le cahier de textes, plaçait des crayons sur la table, à gauche. Lotte agita le bras.

— Maîtresse ?

— Oui ? dit celle-ci sans lever la tête. Qu'y a-t-il ? Tu veux déjà aller aux toilettes ?

— Est-ce que je peux changer de place avec Georg ? J'aimerais bien être assise à côté de Marit.

— De Marit ?

La maîtresse leva les yeux vers Marit, qui confirma plusieurs fois de la tête.

— Mais pourquoi ça, Lotte ?

Lotte fixa son pupitre à la peinture grise écaillée. Là où le bois était mis à nu, ça sentait encore le savon noir de la femme de ménage. Elle venait chaque matin et le sol, pendant la première heure de cours, était toujours mouillé. Le silence régnait autour d'elle. Le trou destiné à l'encrier, au coin du pupitre, était vide. Quelqu'un toussa. Lotte tourna la tête vers le rebord de la fenêtre où était posé le plateau avec vingt-cinq encriers. Sigmund en était responsable, cette semaine, mais les encriers étaient à moitié vides, il avait oublié de les remplir.

— Pourquoi ça, Lotte ? répéta la maîtresse.

Lotte inspira. Elle entendait comme une cascade dans ses oreilles.

— Mais, maîtresse, c'est toi-même qui as dit qu'on devait être gentils avec Marit et qu'on devait arrêter de l'embêter, bredouilla-t-elle.

— Lotte, je ne comprends pas… Qu'est-ce qui te prend tout à coup d'être si…

Mais Nina leva soudain la main.

— Oui, Nina ?

— La mère et le père de Lotte sont séparés et ils vont DIVORCER, c'est pour ça que Lotte est amie avec Marit, maintenant.

Lotte se tourna vers elle. Il y a deux jours encore, elle et Nina avaient fait des échanges de serviettes en papier… La salle de classe se mit à bruire de chuchotements, les visages se penchaient les uns vers les autres. La maîtresse fixa un instant Nina, puis regarda toute la classe. Le silence revint. Elle déplaça légèrement les crayons.

— Non, Lotte. Tu vas rester où tu es. Maintenant, ouvrez votre livre page 16.

Le cours sembla interminable, au début, mais il finit par ressembler à une journée de classe normale. Lotte pensa à sa mère, à la maison, qui n'avait même pas tourné la tête quand elle était partie pour l'école, son cartable sur le dos. Sa mère encore en robe de chambre, toutes les affaires du petit déjeuner traînant sur la table, n'importe comment. Les épaules crispées, elle avait seulement fait un léger mouvement de la tête quand Lotte lui avait dit « Au revoir ! ». La carafe bleue de Mme Sybersen était toujours sur la table.

Lotte se tourna vers Eva Lise, assise juste derrière elle. Elle riait sous cape tout en gribouillant quelque chose sur un bout de papier.

— Eva Lise… ? chuchota Lotte.

Eva Lise leva la tête. Lotte voulait lui demander pourquoi elle était devenue si méchante, alors qu'elles étaient amies. Mais les yeux affolés d'Eva Lise firent jaillir d'autres mots de sa bouche.

— Espèce de lâche, souffla-t-elle. Qui te dit que ton père et ta mère ne vont pas divorcer, eux aussi ? Parce que, figure-toi, tu ne te doutes de RIEN avant de voir ton père prendre ses cliques et ses claques. Et ce jour-là, faut pas croire que tu pourras être notre amie, à Marit et à moi !

Eva Lise resta bouche bée. Son regard effrayé devint aussi brillant que celui d'une vache, avec un fond humide. Lotte lui fit un large sourire : le coup avait porté. Lentement, Eva Lise se tourna vers sa voisine pour lui répéter ce que Lotte venait de lui dire, mais elle se ravisa au dernier moment. Elle se pencha au-dessus de son livre de lecture. Ses tresses tremblaient. Elle froissa vite le bout de papier qu'elle avait gribouillé et le fourra dans sa trousse. Lorsque la maîtresse demanda à Lotte de lire à voix haute l'histoire d'Ola-Ola, page 17, sa voix résonna dans la salle de classe, claire et assurée.

7

La vache maîtresse avec la cloche arrive la première. C'est la vieille Movind, qui piétine dans la bouse avant d'atteindre l'étable et meugle quand elle aperçoit Lotte et sa grand-mère qui attendent à la porte.

— Tu peux refermer derrière elles, Lotte. Pendant ce temps, je vais tout préparer.

Lotte sourit aux vaches.

— Viens par ici, ma Movind, viens par ici… Allez, rentre dans l'étable, comme ça grand-mère pourra te traire… Allez, tout le monde rentre !

Et elles arrivent toutes, les pattes arrière larges, les mamelles chaudes et gonflées, luisantes, si lourdes qu'elles traînent presque dans la boue. Elles sont pressées, impatientes que les mains de grand-mère passent un torchon mouillé sur leurs pis et les libèrent de leur lait. Quand la dernière vache a franchi le seuil de l'étable, Lotte la referme soigneusement, en appuyant de tout son poids sur la barre en acier qui retient le loquet.

À l'intérieur, chaque vache a d'elle-même trouvé sa place. Cela étonne toujours Lotte. Ce qu'elles peuvent être intelligentes ! Presque autant que les chiens. Movind est sa préférée. Elle est un peu plus âgée que Lotte, et la petite fille connaît chaque rayure brune et blanche de son corps lisse et dur. Les mains dans le dos, elle se place devant l'étable et regarde sa grand-mère s'installer avec son trépied sous le gros ventre bombé, nettoyer soigneusement les pis un à un avec son chiffon et placer le seau sous l'animal. Bientôt, le jet de lait fait chanter le fond du seau, puis le son se transforme quand le jet suivant touche le lait chaud déjà trait.

Movind rumine lentement, la tête sur le côté, posant un regard vide sur Lotte ; des gouttes de salive lui tombent du museau. Des mouches bourdonnent sur son dos avant de s'envoler vers une fenêtre opaque de l'étable, envahie de toiles d'araignée.

Lotte sent un frisson sur sa peau nue, l'air est moite et étouffant. De la vapeur s'élève des bêtes, certaines lèvent la queue pour faire caca, de grosses saucisses marron qui s'écrasent sur le sol derrière elles. Elles tapent du sabot, impatientes, en attendant la mini-toilette, le trépied et les mains qui vont les libérer de leur trop-plein de lait. Ça sent bon, dans l'étable : les odeurs des vaches se mêlent à celles de l'été.

Le coin bergerie est vide, les moutons sont dans la montagne pour leur pâturage d'été, mais les porcs, eux, sont là. Lotte avance vers la porcherie et ils accourent vers elle, sur leurs sabots pointus, quand ils la voient.

— Vous croyez peut-être que je viens avec de la nourriture ? Oh, mes jolis petits cochons… Vous voulez que j'aille vous en chercher ?

Elle sort pour leur cueillir des feuilles de pissen-lit à pleines poignées, à s'en brûler les doigts ; elle saisit deux énormes touffes des feuilles robustes qui poussent devant la fosse à purin, et de la sève blanche sort des tiges.

— Voilà, c'est pour vous, mes cochons... Je sais que c'est ce que vous préférez !

Les cochons se jettent contre la barrière en bois, devant leur bauge, trépignent et halètent en tendant le cou pour saisir les touffes que Lotte leur tend. Ils saisissent des feuilles et, d'un coup de nuque, les lui arrachent des mains. Ça la fait rire tout haut, elle doit s'agripper à ces bouquets. Elle observe les yeux plissés des cochons et reste là jusqu'à ce que la dernière feuille ait disparu dans leur groin luisant. Puis elle se penche par-dessus la barrière.

— Mon Dieu, mais c'est une vraie porcherie, ici !

Croyant qu'elle a davantage de feuillage à leur donner, les animaux bondissent jusqu'à la hauteur de son visage et elle est obligée de s'accroupir pour les observer à travers les planches. Mais là aussi, ils la débusquent et pressent leur groin dans les trous. Quand ils comprennent qu'elle n'a plus rien pour eux, ils se retirent, baissent la tête et promènent autour d'eux leur regard bleu. Leurs cils incolores sont recourbés, la peau autour est rose. « Encore des pissenlits, encore ! » semblent-ils grogner.

Lotte rit tellement qu'elle manque de tomber à la renverse.

Sur ces entrefaites, son grand-père arrive avec un demi-seau d'eau et y prépare la pâtée. Les cochons, qui l'ont vu, couinent comme des fous et semblent même jouer à saute-mouton pour se rapprocher de lui ! Dans ses poches, grand-père trouve de vieilles pommes de terre qu'il ajoute dans le seau avant de verser le tout dans la mangeoire. Lotte se penche à nouveau au-dessus de la barrière et voit la nourriture tomber sur la nuque de ceux qui avaient déjà plongé la tête au fond, pour se servir les premiers. Il y en a même un qui patauge dedans.

— T'as vu, grand-père ? Il s'est mis dans la mangeoire !

— Oui, il faut s'attendre à tout, avec ces cochons, ils ne savent vraiment pas se tenir à table.

— Mais REGARDE, grand-père ! Maintenant, il FAIT PIPI là où les autres MANGENT !

Le grand-père doit se pencher pour regarder. Il secoue la tête en souriant et ébouriffe les cheveux de Lotte.

— Ils ne savent vraiment pas se tenir à table, répète-t-il avant de s'éloigner.

Lotte reste assise à écouter les bruits de la ferme : grand-mère s'affaire près des vaches avec ses seaux et ses bidons, les cochons se goinfrent, tout excités, en se poussant les uns les autres, et le cheval hennit en devinant tout ce qui se passe plus loin. Elle peut voir son arrière-train à travers une fente dans la porte de l'écurie, à côté : un derrière de cheval qui secoue énergiquement la queue, la frottant contre les murs en pierre où les rênes et le harnais sont suspendus à des crochets en fer. Il se fait vieux et s'énerve facilement, râle sans cesse et en veut à tout le monde, maintenant, lui a dit grand-mère. Grand-père a déclaré qu'il finirait en saucisses. Mais Lotte sait que grand-père dit parfois n'importe quoi, juste pour plaisanter.

Les sons se mélangent dans sa tête : chant des mouches, frottement des poitrines, bruit des mâchoires qui travaillent, reniflement des groins et museaux. Et ses bruits à elle : ses sandales qui font clic-clac quand elle marche, la sciure qui se colle à ses chaussettes. Grand-père nettoie les stalles des vaches, poussant dans un trou la bouse qui tombe directement dans la fosse à purin. Grand-mère remplit les bidons de lait, seau après seau. Ils ne parlent pas, chacun sait ce que fait l'autre et ce que lui-même a à faire. Maintenant, grand-père va chercher la carriole et la charge avec les bidons. Il va les déposer en contrebas de la route pour qu'on vienne les ramasser.

— Est-ce que je peux venir avec toi, grand-père ?

Ils rencontrent la chatte sur le pas de la porte. Elle rôde toujours, les moustaches vibrantes, au moment de la traite du soir. Sa queue remue par vagues rapides, ses yeux sont fuyants. Arrivée d'un bond près de son écuelle, elle ramasse son corps en ramenant ses pattes sous elle puis ferme les yeux et commence à laper de sa langue rose. Lotte voit que grand-mère lui a mis exprès beaucoup de lait, elle sait que, cachés parmi les pierres, des petits attendent de téter leur mère. Grand-père sort la carriole et le courant d'air fait se détacher les toiles d'araignée de la fenêtre de l'étable. Elles flottent, suspendues en l'air tels des fils de soie ténus. À l'extérieur, les pavés dégagent encore la chaleur du soleil de la journée.

Le noir de la nuit jaillit de tous les coins. La couette est lourde et froide. Lotte a les bras plaqués le long du corps, les poings fermés. Elle serre les dents et ferme les yeux si fort que sa tête tremble. Son ventre fait des gargouillis, on dirait un bruit d'animal.

Tout était comme d'habitude lorsque grand-mère l'avait accompagnée dans sa chambre et l'avait bordée. L'air qui entrait par la fenêtre sentait la nuit, l'obscurité était légèrement bleutée et brillait grâce aux étoiles dans le ciel. Grand-mère avait éteint le plafonnier, puis Lotte l'avait entendue redescendre l'escalier et aller dans la cuisine.

C'est le moment qu'ils avaient attendu pour surgir. Maintenant, ils sont là. Elle n'a plus la force de garder les yeux fermés, elle tourne la tête. La taie d'oreiller fraîchement repassée crisse contre son oreille. Bien sûr qu'ils sont là. Et ils savent parfaitement qu'elle n'osera rien leur faire, qu'ils ont l'avantage. Pourtant, ils gardent leurs distances, ils ne grimperont pas dans son lit. Ils se contenteront de se faufiler le long des murs en décrivant des cercles enchevêtrés, se glisseront tout près sur leurs pattes de velours, le museau au ras du sol, la tête entre les épaules. Leurs gueules jetteront un éclat humide dans le noir total.

Elle devine leur présence à leur odeur. Leur haleine évoque le relent âcre de grosses saucisses. La seule chose à faire, c'est de leur parler. Elle s'applique à desserrer les mâchoires, mâchonne un peu sa langue et se racle la gorge. Elle ne doit pas pleurer. Elle ne leur fera pas le plaisir de la voir pleurer.

— Je ne suis pas là, chuchote-t-elle. Il n'y a PERSONNE ici, pas de Lotte ni personne d'autre, alors allez-vous en !

Et ils s'en vont. Ils disparaissent avec leurs queues sournoises et rentrent dans le mur. L'obscurité redevient paisible, vide et silencieuse, l'étau se desserre. La chaleur se répand sous la couette. Est-ce qu'ils sont sortis de la valise ? C'est la seule explication possible, sinon comment auraient-ils su qu'elle était partie ?

À Trondheim, elle a presque fini par s'habituer à eux. Ils sont venus pour la première fois cet hiver, quand elle était dans sa nouvelle chambre. Ils sont venus, et ils ont pris l'obscurité. Avant, elle pouvait dormir sous la couette avec une chemise de nuit propre, elle pouvait envoyer dans le noir ses pensées qui lui revenaient telles quelles. Les ténèbres abritaient ses larmes, cette chaleur sombre dissimulait tout. Jusqu'à ce qu'ils arrivent.

Elle les avait repérés à l'odeur, à leur puanteur de fourrure négligée. Leur présence envahissait tout l'espace, la pressait comme dans un noyau, un centre. Elle collait ses bras le long de son corps et ne bougeait plus. Avec le temps, elle avait trouvé comment les chasser :

— Allez-vous en ! Je ne suis pas là, il n'y a PERSONNE ici, vous avez compris, allez-vous en, il n'y a personne qui s'appelle Lotte, chuchotait-elle.

Souvent, elle était obligée de répéter ces phrases plusieurs fois.

Maintenant, ils veulent s'en prendre à elle ici aussi. Lotte se glisse complètement sous la couette. Elle hoquette :

— Je ne suis pas là… je ne suis pas là…

Ils ont dû se cacher dans sa valise, prendre l'avion avec elle pour descendre sur la côte ouest. Ils sont arrivés à l'aéroport de Flesland et sont venus en bus jusqu'à Perlevik. Elle qui croyait qu'ils allaient surgir dans sa chambre à Trondheim, ce soir, et remarquer qu'elle disait la vérité quand elle leur répétait qu'elle n'était pas là. Ils l'auraient vu de leurs propres yeux, et alors, ils seraient peut-être partis pour toujours. Elle tremble, elle se recroqueville sous la chaleur humide de la couette.

Voilà ce qu'elle a cru pendant toute la journée.

8

Dès le début, la nouvelle pièce a été pleine d'ombres. Le lendemain du déménagement du père, alors qu'elle essayait de meubler mentalement la pièce, elle se rendit compte que la photographie d'un tigre rayé n'irait pas du tout là-dedans, sur aucun des murs.

La pièce n'est jamais devenue ce qu'elle aurait dû être, même si elle et sa mère y ont disposé toutes sortes de meubles et d'objets. Sa mère a cousu des rideaux à fleurs, chantonnant en prenant les mesures pour chaque couture. Lotte a même dû aller au magasin pour racheter du fil parce que la bobine rouge que sa mère avait déjà ne correspondait pas tout à fait à la couleur de fond du tissu.

— Il faut faire les choses correctement, je ne veux pas d'à peu près. Tu auras de beaux rideaux, tu vas voir, Lotte.

Et, tout comme elle avait conseillé à Mme Sybersen de le faire, elle avait elle aussi acheté du tissu supplémentaire pour en faire des coussins assortis, ainsi que des cordons en soie, à coudre à la main, pour cacher la couture. Ces cordons formèrent de petits glands brillants à chaque coin des coussins. Derrière l'un d'eux, elle cousit le tissu en double, créant une petite poche qu'elle termina avec une fermeture à glissière.

— Tu pourras y mettre ta chemise de nuit, Lotte, mais il faudra bien la plier si tu veux qu'elle puisse y entrer.

Lotte dut tenir le tissu pour que sa mère puisse se servir de ses deux mains afin de faire l'ourlet du côté long des rideaux. Les têtes d'épingle sortaient en éventail de sa bouche. Le tissu cousu ondulait sur la table, Lotte tirait sur l'étoffe à en avoir mal dans la nuque et des crampes à l'estomac. Mme Sybersen passa les voir en plein travail, un sac en plastique dans une main et un plateau dans l'autre.

— Des muffins, leur dit-elle, et son visage se plissa en un millier de rides alors qu'elle déposait le plat au milieu des vagues du tissu. Ils ont dégonflé juste quand je les ai sortis du four, mais ça ne change rien au goût. Ils sont au chocolat, avec du sucre glace… Vous n'auriez pas du café sur le feu, par hasard ?

— Tu auras ton café… et tes rideaux seront bientôt terminés, si c'est ça que tu voulais savoir, répondit la mère de Lotte en riant. Est-ce que tu as mis le tissu contre la fenêtre pour voir si la couleur va avec la pièce ?

— Mais oui, elle convient parfaitement ! T'as beau être jeune et bête, tu avais raison…

Mme Sybersen fit glisser hors de son sac plastique un tissu épais aux couleurs flamboyantes. Le motif était constitué de feuilles de diverses tonalités de vert entre lesquelles perçaient çà et là des boutons de fleurs rouge vif. Certains avaient éclos, découvrant un cœur jaune et des étamines. Lotte fut fascinée. Le tissu faisait penser à une jungle tropicale, un endroit où se cacher. Ses rideaux à elle, ceux que sa mère lui avait cousus, représentaient des fleurs d'été en plein jour, bref, tout ce qu'il y a de plus banal.

— Ça ressemble à une jungle, murmura-t-elle.

— Une jungle, on peut le dire, soupira Mme Sybersen en s'asseyant péniblement sur une chaise. Et tout le monde sait que dans la jungle, il y a des SERPENTS ! Espérons que je n'aurai pas ces hôtes indésirables dans mon salon !

Lotte prit un muffin pendant que sa mère et la voisine éclataient de rire. Le gâteau était compact et sombre, saturé de chocolat.

— Tu verras comme tu t'y sentiras BIEN ! s'écria sa mère, enthousiaste, quand elle tendit les bras vers les anneaux des rideaux et y accrocha le tissu, souriant à Lotte. Tu en as de la chance, d'avoir une chambre si belle. Je ne crois pas que beaucoup de tes amies en aient une aussi jolie.

Lotte répondit par un sourire et attendit le moment où les rideaux allaient se mettre à flotter dans la brise. Mais ils tombèrent tout droit et restèrent inertes.

Désormais, en rentrant de l'école, elle trouvait toujours sur sa table de nuit une petite chose, une pomme, un numéro du magazine *Donald* ou un vêtement que sa mère avait cousu pour sa Barbie. La garde-robe de sa poupée augmentait tous les jours.

Sur les murs, on voyait des traces verticales laissées par les livres et les classeurs du père, de hautes ombres que les petits livres de Lotte ne réussissaient pas à dissimuler. Et les diplômes du père, autrefois accrochés aux murs, n'étaient à présent plus que des rectangles clairs sans cadre autour. Elle parvenait encore à percevoir une faible odeur de tabac à pipe, à entendre l'écho de la musique, à la radio, à faible volume. Sa mère ne voulait pas ni retapisser ni repeindre la pièce.

— Il vaut mieux que je garde le peu d'argent que j'ai pour acheter de nouveaux meubles pour toi et un nouveau lit pour moi. Les traces finiront par disparaître, avec le temps, à la lumière du jour.

Lotte ne mentionna plus ces ombres. Elle savait parfaitement que sa mère avait du mal à joindre les deux bouts, était au courant des factures qui allaient tomber, savait ce que coûtaient le pain et le lait, et que le prix du magazine *Donald* avait augmenté. Elle savait aussi que sa mère ne pouvait plus faire partie du club de couture parce que c'était, entre les femmes, à qui aurait le plus beau service... Sa mère n'arrêtait pas de parler de ce club, les yeux tournés vers la fenêtre quand, chaque mercredi soir, les femmes se rendaient en hâte les unes chez les autres pour manger de bonnes choses en papotant. Cachée derrière les rideaux de la cuisine, en simple tablier et chaussons, sa mère observait leurs allées et venues sans en perdre une miette.

— Il n'y en a pas une qui pense à ma situation. Quand je leur ai dit que je n'avais plus le TEMPS de faire partie du club, elles ont fait semblant de me croire... alors qu'elles savent parfaitement que je n'ai rien à faire. Non, ces femmes-là, elles ignorent ce que c'est que de ne pas avoir d'argent...

Elle commentait les foulards en soie autour de leurs cous, leurs talons hauts, les boucles impeccables de leurs mises en plis, leurs bouches qui n'arrêtaient pas de parler.

— Et je sais bien de qui elles parlent, c'est facile à deviner.

— Ne t'occupe pas d'elles, maman... Elles sont si bêtes ! Quand je serai grande, je gagnerai plein d'argent et je t'achèterai un manteau de fourrure. Aucune d'elles n'en a un. Et tu auras tellement d'argent que tu pourras aller chez la coiffeuse CHAQUE semaine !

Sa mère ne répondit pas, ne sourit pas, ne la regarda pas. Quand la dernière femme fut entrée chez celle qui recevait cette semaine-là, elle se détourna de la fenêtre et son regard passa lentement la cuisine en revue, comme si elle cherchait quelque chose. Lotte glissa les mains sous ses cuisses jusqu'à ce que ses doigts portent les marques rouges des motifs de son pantalon, attendant que sa mère sèche ses larmes, se lève et dise quelque chose à propos du repas du soir ou de ses devoirs.

Lotte évitait de rester seule dans sa chambre. Si elle faisait des opérations de calcul à son bureau, elles étaient toujours fausses. Si elle lisait au lit, elle ne comprenait pas ce qu'elle lisait. Elle n'osait même pas laisser sa Barbie seule dans la pièce lorsqu'elle était à l'école, et apportait ses jouets et ses livres au salon les uns après les autres. Elle avait le droit de veiller plus longtemps, depuis que le père était parti.

— Heureusement que la petite me tient un peu compagnie, entendit-elle sa mère dire à Mme Sybersen.

Nina et Eva Lise lui rendirent visite une seule fois, pour voir sa chambre. Quand Lotte vint leur ouvrir, elles se tortillaient et mâchonnaient le bout de leurs tresses. Elle les fit entrer. Elles ne lui avaient quasiment pas adressé la parole depuis qu'elle était devenue amie avec Marit.

Elles se faufilèrent à l'intérieur de sa chambre et touchèrent tout avec précaution : la table de nuit, le couvre-lit, les étagères, les rideaux. Elles lui demandèrent en chuchotant quel effet ça faisait d'avoir sa chambre à soi, et Lotte dit que c'était super. Pour finir, elles s'assirent en silence sur le lit, posant leurs fesses tout au bord. Lotte parla à haute voix de sa Barbie et leur montra tous ses nouveaux vêtements. Mais Nina et Eva Lise continuèrent à chuchoter entre elles. Quand Lotte commença à sauter sur son lit, elles se levèrent et se plantèrent au milieu de la pièce, la regardant avec des yeux effarés, et lui demandèrent si elle avait vraiment le droit de faire ça. Elles ne revinrent pas.

C'est après que sa mère eut acheté un store épais pour empêcher le soleil bas du matin d'entrer que les monstres apparurent pour la première fois. Lotte fut soudain tirée de son sommeil par des grognements de bêtes montrant les crocs, qui venaient des quatre coins de la pièce. Les ombres prirent corps, tout en muscles tendus de prédateurs, et se précipitèrent sur elle tandis que la nuit s'étendait comme une pierre grise au-dessus de sa tête. Ils n'étaient jamais venus, avant : jamais ce genre de créatures n'aurait osé s'aventurer dans le bureau du père. Les yeux fermés, elle bondit hors de son lit et entra dans la chambre à coucher de sa mère, même si elle savait qu'il n'y avait pas vraiment de place pour deux dans son nouveau lit. Elle se blottit doucement contre le grand corps chaud et doux, sous les plis de l'étoffe en Nylon toute lisse. Mais sa mère se réveilla et marmonna que ce n'était qu'un rêve.

— Allez, c'est fini, Lotte. Ce n'était qu'un cauchemar, il faut que t'ailles dormir dans ton lit, maintenant que tu as ta chambre à toi.

Le sol était glacé quand elle fit en courant le trajet dans l'autre sens, et sa chambre, silencieuse et noire. À peine se fut-elle glissée sous sa couette que les ombres envahirent de nouveau la pièce. Cette fois-ci, elle ne bougea pas.

— Mon père va venir vous mettre une raclée, chuchota-t-elle, mais cela n'eut l'air de leur faire ni chaud ni froid. Je ne suis pas là, il n'y a personne ici, allez-vous en ! leur dit-elle alors.

Cela eut plus d'effet. Les ombres redevinrent vides et grises, et Lotte s'enfonça profondément dans son lit. Ses yeux en larmes écarquillés sondant le noir, elle murmura dans sa housse de couette :

— Papa… Il y a des monstres méchants qui veulent s'en prendre à moi et me MORDRE, papa… Je serai si sage que grand-mère… Oh, Betsi… Maman… Je n'ai pas besoin d'avoir ma chambre à moi…

De l'autre côté du mur, sa mère toussa. Lotte serra les poings et les pressa contre sa bouche. Des fleurs d'été entrèrent doucement par la fenêtre, portées par la brise fraîche ; elles étaient incolores contre le store épais. Les fleurs devinrent des images qui l'entraînè-rent dans le monde des rêves, la soulevèrent très haut, pour l'asseoir sur de larges épaules.

Son père était grand et blond, avec des poils partout, même dans le dos. Lotte pouvait voir ses poils sortir de son maillot de corps chaque fois qu'il bougeait. Elle avait du mal à comprendre comment un tel maillot pouvait tenir chaud, il n'y avait que des fils et des trous. Le matin, sa mère beurrait d'abord les tartines de Lotte, alors que le café était sur le feu. Lotte restait donc toujours à les regarder, tous les deux, de l'extrémité de la table, dans le coin. Elle évitait ainsi d'avoir à s'habiller, pouvait rester en pyjama et sans chaussons – c'était interdit –, la tête tournée vers le poste de radio Kurér rouge pour ne pas rater le début du programme pour enfants. Elle avait le temps, même quand elle commença l'école, car la première heure de cours était tard dans la matinée.

Sa mère s'affairait en chemise de nuit et ses gros seins blancs se balançaient sous l'étoffe légère ; ses boucles formaient de sombres grappes dépeignées. Elle préparait les tartines du père pendant qu'il était dans la salle de bains. Quand il en sortait, Lotte oubliait un instant la radio. En costume, chemise blanche et cravate, les cheveux bouclés coiffés en arrière, il remplissait toute la cuisine, avec ses longues enjambées vers la table du petit déjeuner et son « Bonjour, Lotte ! » si chantant. Ses boucles paraissaient toujours mouillées et sentaient bon, une odeur sucrée. Elle lui faisait un large sourire tandis qu'il mangeait sa tartine et buvait de grandes gorgées de lait. Son père était toujours pressé. Il avait un travail très important, beaucoup de personnes l'attendaient. Il possédait une entreprise.

— Mon père, il a une ENTREPRISE, lui, disait Lotte si quelqu'un lui posait la question.

Et elle ajoutait qu'il avait un bureau à la maison, où il travaillait très tard le soir. Quand Lotte se levait au milieu de la nuit pour aller faire pipi, il y avait toujours de la lumière sous la porte de son bureau. Elle sentait l'odeur de sa pipe, entendait des voix parler bas, à la radio, des bruits de froissement de papier. Et le lendemain matin, il était tout beau et aussi frais qu'un gardon, jamais fatigué ou ronchon comme la mère – alors qu'elle n'avait pas d'entreprise, elle, et elle ne travaillait pas une partie de la nuit.

Parfois, Lotte avait le droit de l'accompagner quand il avait des réunions. Elle attendait dans la voiture, c'était des réunions importantes auxquelles les enfants n'étaient pas admis. Alors elle regardait les fenêtres pour essayer de deviner derrière laquelle il était. Elle pouvait attendre longtemps. Elle se mettait les doigts dans le nez, gigotait sur le siège en plastique et surveillait la porte du bâtiment où il était entré. Enfin, il arrivait. Les autres participants de la réunion l'accompagnaient dehors, ils se serraient la main en souriant. Lotte souriait aussi : il était clair que ces gens étaient tristes que son père les quitte. Mais sa fille l'attendait dans la voiture, avait-il dû leur dire. Ils devaient aussi être au courant qu'il avait son bureau à la maison.

Personne n'avait le droit d'y entrer en son absence. Ni quand il était là, à vrai dire. Le plus audacieux que Lotte ait jamais osé fut d'entrouvrir doucement la porte, une fois, pour que Nina puisse y jeter un coup d'œil alors que sa mère était partie faire les courses. Nina put voir toutes les étagères et les classeurs. Lotte expliqua que c'était toujours le bazar, dans le bureau, parce que son père était très occupé.

— C'est ICI qu'il a son entreprise ? chuchota Nina.

— Bien sûr que non, répondit Lotte en riant. Son entreprise est en ville… Là-bas, il y a des gens qui ont la permission de travailler pour lui, et il leur donne un salaire. Et à Noël, ils reçoivent une CORBEILLE.

— Une corbeille ?

— Oui, avec de la nourriture dedans.

— Et ils n'ont pas besoin de la payer ?

— Non, c'est un cadeau de papa.

Dès qu'elles entendirent la mère monter l'escalier, Nina s'éloigna de la porte, que Lotte referma.

— Toi non plus, tu n'as pas le droit d'entrer ? demanda Nina.

— Si, répondit Lotte. Mais uniquement quand je suis seule.

Nina la crut et ne posa pas d'autre question. Son père travaillait à l'usine de glace, c'est pourquoi ils avaient toujours des esquimaux dans le congélateur en haut de leur frigo.

— Et si on allait chez moi ? On pourrait demander à maman si on peut avoir une glace, qu'est-ce que t'en dis ?

Chaque dimanche, ils partaient en balade, mais sa mère ne les accompagnait jamais, elle devait préparer le repas tandis que Lotte et son père se promenaient. C'était des repas si longs à préparer qu'elle ne pouvait pas faire les deux, disait-elle. Un jour, cependant, elle avait confié à Lotte :

— Je déteste ça, aller me promener. Cette histoire de cuisine, c'est juste un prétexte pour éviter de sortir. Il ne comprend pas ça, lui, que je préfère rester à la maison… Mais surtout, ne lui dis pas, hein ! chuchota sa mère, soufflant son haleine chaude dans le visage de Lotte.

— Mais non ! la rassura Lotte en secouant la tête.

Elle n'en dirait pas un mot à son père, lui qui adorait prendre de nouveaux itinéraires dans la forêt et la montagne, avec une boussole et des knickers. Mais il appréciait aussi un bon repas dominical.

— Ah, tu as vraiment raté quelque chose ! s'écriait-il chaque fois qu'il rentrait et retrouvait les fenêtres de la cuisine embuées par la vapeur de la casserole de pommes de terre.

L'eau cuisait à si gros bouillons que ça frémissait sur la plaque de cuisson.

— Ah bon ? Tant pis, on ne peut pas tout faire. En tout cas, le REPAS est prêt !

La mère renversait le contenu de la casserole dans l'évier et disparaissait presque dans la vapeur d'eau qui s'en échappait et caressait son visage.

Et son père, la bouche pleine de viande hachée et de gratin aux petits pois, racontait où ils avaient randonné ce dimanche-là, lui donnant le nom de toutes les vallées, collines et montagnes. Sa mère, tout en mastiquant, hochait la tête et souriait à Lotte, puis elle faisait un commentaire sur les joues de sa fille rougies par le grand air. Au moment du café, il désignait sur la carte les lieux où ils s'étaient promenés. Elle hochait la tête en regardant l'endroit qu'il pointait du doigt, tout en tenant sa tasse de café en l'air devant elle, les jambes croisées, se dressant sur la pointe des pieds.

Lotte avait le droit de grimper sur les épaules de son père, c'était un jeu entre eux. Elle se cramponnait à son visage en lui mettant les mains sur les yeux. Il marchait alors en aveugle, riait en posant prudemment un pied devant l'autre, foulant les aiguilles de sapin de ses bottes en caoutchouc vertes. Elle soulevait légèrement les paumes quand le chemin était trop difficile. Il lui faisait confiance et ils marchaient ainsi, la forêt ondulant autour d'eux, les barbes grises des sapins bas leur effleurant les cheveux. Le corps de son père tanguait comme un bateau sur une mer déchaînée, jusqu'à ce que ses épaules soient fatiguées et qu'il la fasse redescendre en la laissant glisser sur le côté.

Ils ramassaient tout ce qu'ils trouvaient : des racines grises qui finissaient toujours par ressembler à quelque chose, si on cherchait bien – un nez, un pied ou un œil. Soudain le bout de bois devenait une vieille femme courbée, le nez coincé dans une souche d'arbre, ou un loup qui hurlait à la pleine lune, ou encore un troll avec de la mousse et du lichen qui lui poussaient sur la tête. Oui, le plus souvent, c'étaient des trolls qu'ils voyaient. À la maison, ils transformaient ces racines en chandeliers : fixant des clous sur toutes les surfaces planes, ils enfonçaient une grosse bougie sur chaque clou et l'allumait.

Parfois, lorsqu'ils se promenaient ainsi tous les deux, le père se mettait à parler dans le dialecte de Perlevik. Ces sons de la côte ouest étaient plus étroits et denses, les « r » roulaient comme des pastilles de réglisse à l'arrière de la gorge. C'était une voix étrangère, des échos d'un autre monde. Cela arrivait quand il trouvait quelque chose d'inattendu : une tanière de bête, un arbre brisé en deux, de haut en bas, par la foudre, des traces de griffes sur un tronc. Alors le père faisait des commentaires à la manière de Perlevik et Lotte hochait la tête en silence. Elle se rendait compte alors que, le reste du temps, il se forçait à parler normalement, en imitant les voix qu'il entendait à la radio. Oui, il parlait comme à la radio, quand il répondait au téléphone dans son bureau ou quand il lui parlait, à elle ou à la mère ou à tous les autres. Il avait dû s'entraîner très longtemps. Quand il s'accroupissait devant une tanière et se mettait à parler à toute allure dans son dialecte, Lotte observait surtout son visage, même si une tanière aussi récente était une belle découverte. Chaque partie de sa figure bougeait, ses joues et les coins de ses lèvres correspondaient parfaitement à l'expression de ses yeux, à l'éclat sombre et brûlant, au-dessus desquels ses sourcils sautaient et dansaient ; même ses cheveux lui tombaient sur le front et se balançaient au rythme de ses paroles. Ça la faisait rire. Il redevenait un petit garçon, il ne ressemblait pas du tout à un papa.

Un dimanche de la fin octobre, sa mère voulut les accompagner. Il y avait eu une fête chez eux, la veille au soir, avec un buffet froid. Lotte les fit rire en leur demandant si ça s'appelait « buffet froid » parce que toute la nourriture avait malheureusement refroidi. À présent, ils avaient plein de restes. Tout avait été joliment décoré avec de la mayonnaise, et maintenant tout était barbouillé, la sauce avait coulé sur les pruneaux et les touffes de persil, mais ils finiraient tout cela aujourd'hui.

Lotte avait les yeux fixés sur sa mère qui, dans sa chemise de nuit en flanelle rose, buvait son café du matin pendant que le père expliquait où ils iraient se balader pendant la journée. Ce serait une longue promenade, Lotte le comprenait même sans connaître l'itinéraire qu'il décrivait. Chaque dimanche, leur grande balade durait au moins quatre ou cinq heures. Son père expliquait à la mère ce qu'ils allaient faire avec force détails et en faisant de grands gestes, oh, elle serait si heureuse, elle verrait des choses magnifiques ! La mère hochait la tête, se tripotait les cheveux, buvait une gorgée de café, balançait sa pantoufle du bout du pied.

— Oui, mais Leif… Je n'ai rien à me mettre aux pieds !

— Mais tu as tes nouvelles bottes blanches ?

— Elles me font mal aux pieds, j'attrape une ampoule rien que d'aller faire les courses avec.

— C'est parce que tu ne portes pas de semelles, elles doivent être un peu trop grandes. Il ne faut pas que ça frotte au talon. Trouve-toi une paire de chaussettes et tu verras qu'elles seront parfaites pour marcher.

— Je n'ai pas non plus d'anorak, ni de pantalon qui irait.

— Tu n'as qu'à mettre une robe toute simple avec de gros collants, et puis ta cape.

Il parlait de la cape qu'elle utilisait tous les jours, celle qu'elle mettait pour aller au magasin. Déjà prête, dans ses vêtements de randonnée, Lotte observa sa mère s'habiller, un pli soucieux au front, même si elle souriait chaque fois que le père regardait dans sa direction.

— Toute la famille va se promener ! s'exclama le père en les précédant dans l'escalier, qu'il dévala.

La mère ne souhaitait pas aller loin : au bout d'une demi-heure, elle voulut déjà rentrer. Le père se retournait tous les dix mètres :

— Alors, tu VIENS, ou quoi ?

Lotte s'arrêta un peu pour la laisser passer. Maintenant, c'était elle qui fermait la marche, et elle ralentit l'allure. Son père s'écria de nouveau :

— Lotte ! Mais qu'est-ce que tu as, aujourd'hui ? D'habitude, tu n'as pas de plomb aux fesses ! Mon Dieu, Bente, si la petite réussit à marcher tous les dimanches, ne me dis pas que tu ne peux pas mettre un pied devant l'autre pour faire une vraie randonnée !

La mère avançait péniblement, à pas raides, les yeux rivés au sol, et ne répondit pas. Lotte ne demanda pas à grimper sur les épaules de son père. Il devait regarder où il mettait les pieds et, en plus, aider sa mère à passer les endroits les plus boueux ou pentus. Il finit par se radoucir lorsque la mère s'accrocha et arrêta de parler de faire demi-tour. Il commença à désigner du doigt les collines à l'horizon et à énoncer les noms qu'il avait déjà mentionnés avant de partir. Sa mère suivit un instant du regard la direction de son index avant de hocher distraitement la tête et de se remettre à marcher. Ils ne trouvèrent ni racine ni pomme de pin remarquable et ne découvrirent pas une seule tanière d'animal.

Aucun d'eux ne lui adressa la parole. Elle eut mal aux jambes, ce qui ne lui arrivait d'habitude jamais avant d'être rentrée à la maison. Elle s'était toujours sentie très grande et forte, lors de la balade du dimanche, et aujourd'hui, voilà que ses bras traînaient presque au sol, dans la mousse. Les voix de ses parents lui passaient au-dessus de la tête, pas un seul mot n'arrivait en bas, jusqu'à elle.

Quand ils étaient ainsi ensemble, tous les trois, l'air était empli de choses qu'elle ne comprenait pas, de mots non prononcés qui se transformaient en regards, en mouvements du visage dont ils croyaient qu'elle ne les voyait pas. Ou alors ils se mettaient à parler en anglais et leurs voix en colère exprimaient la peur, surtout celle de la mère, qui semblait à tout moment sur le point d'éclater en sanglots. Si le père n'avait pas été là la veille au soir, ils parlaient anglais au petit déjeuner, en chuchotant, tandis que Lotte regardait fixement la radio Kurér. Son père pouvait tout à coup quitter la table, sans presque toucher sa tasse de café. Lotte s'imaginait alors jeter quelque chose à la tête de sa mère – un verre de lait ou une assiette –, la blesser et lui ouvrir le front. Le haut-parleur de la radio était recouvert de fils de soie brillants qui vibraient quand les voix le traversaient. Lotte comptait les fils, les caressait du doigt. Le sang coulerait de la plaie ouverte. C'était sa mère qui faisait s'enfuir son père, avec ses mots en anglais. Quand Lotte entendait la porte d'entrée claquer, elle caressait longtemps les fils du doigt avant d'arriver à entendre de nouveau de quoi parlait le programme pour enfants, à la radio : des poissons, tout au fond de l'océan. Elle évitait de regarder la tasse pleine de café de son père ; dans un coin de son champ de vision, sa mère enlevait la tasse de la table et vidait le café dans l'évier. Puis elle restait souvent là un moment, appuyant ses doigts contre ses orbites et respirant fort par le nez.

Sa mère ne comprenait pas à quel point son père était gentil, voilà son erreur. Et elle le trouvait encore plus gentil depuis qu'ils avaient emménagé dans ce nouveau quartier. Elle l'avait compris quand, en commençant l'école primaire, elle avait vu les pères de tous les autres enfants. Les autres papas se mettaient en colère si on s'adressait à eux tard dans l'après-midi. Ils étaient gênés, fonçaient vers la porte d'entrée. Ils s'éloignaient de l'arrêt de bus d'un pas rapide, la nuque raide, la bouche pincée. Les autres papas ne parlaient jamais. Les autres papas faisaient toujours la sieste.

Son papa à elle, il venait la chercher en voiture, et il souriait quand on lui disait bonjour. Si le ballon des garçons lui arrivait dans les jambes, il le leur renvoyait d'un coup de pied.

Aucune des amies de Lotte n'avait le droit d'amener quelqu'un à la maison l'après-midi, alors que c'était le seul moment de la journée où ça valait le coup de rester à l'intérieur. Dans la journée, il y avait trop de choses à faire dehors dans la rue. D'ailleurs, toutes les mamans étaient occupées à faire le ménage et ne voulaient pas des enfants dans les pattes. Alors elles les chassaient d'une pièce à l'autre avec leur seau plein de savon. Comme les fenêtres étaient grandes ouvertes, tout le monde, à part les mères, grelottait de froid. Elles râlaient et criaient en expulsant les gosses d'un geste de leurs gants en caoutchouc rose ou jaune. Et quand elles se rendaient visite entre elles, par groupes de quatre ou cinq, et papotaient en buvant du café, elles s'écriaient tout à coup :

— Allez jouer dehors au lieu de rester là à nous ESPIONNER !

C'était pourtant agréable de jouer dans la même pièce que les adultes, près des rires et des conversations, de l'odeur du café et du plat de petits gâteaux, qu'on tendait parfois aussi à celles qui jouaient par terre. Mais l'après-midi, personne n'allait nulle part, si ce n'est chez soi.

Ou chez Lotte. Elle avait le droit d'inviter des enfants, même l'après-midi, même après que son père fut rentré à la maison. De toute façon, il restait toujours enfermé dans son bureau avec la radio allumée, donc ils n'étaient même pas obligés d'être silencieux comme des souris. La mère de Lotte ne disait jamais « Chut, papa fait la sieste ! », comme les autres mamans, elle leur demandait seulement de ne pas déranger les couvertures du grand lit et de ne pas sauter sur celui de Lotte, pour ne pas casser les planches du sommier.

Il arrivait même que son père entre dans la chambre à coucher quand elle avait des amies à la maison et leur demande ce qu'elles fabriquaient, mais il ne leur posait pas la question sur un ton de gardien, lui qui croyait toujours qu'elles venaient de faire des bêtises.

— Est-ce qu'on peut savoir ce que font ces demoiselles ? leur demandait-il en se penchant vers elles, les mains sur les genoux et le sourire aux lèvres.

Les fillettes se tortillaient, courbaient la nuque et levaient rapidement les yeux. Elles ne lui répondaient pas, mâchonnaient une mèche de cheveux, étouffaient de petits rires et se regardaient à la dérobée derrière la frange qui leur tombait sur les yeux.

— On s'amuse un peu, c'est tout, disait Lotte.

Les amies acquiesçaient et levaient les yeux vers son père. Il leur pinçait parfois la joue ou leur passait la main dans les cheveux. Alors elles rougissaient et fixaient la moquette.

Tard, un après-midi d'hiver, tandis que le chasse-neige du gardien faisait un bruit infernal, dehors, sous les fenêtres couvertes de givre, il était entré dans la chambre pendant que Nina, Eva Lise et Lotte jouaient à la marchande. Elles avaient posé de vieux emballages sur le rebord de la fenêtre, toutes sortes de boîtes, de cartons et de bocaux vides. Elles avaient aussi installé un comptoir et une caisse – un étui de peinture à l'eau vide.

— Mais il y a ici un magasin, à ce que je vois ! dit le père, qui tourna aussitôt les talons.

Il revint de son bureau avec un cahier vert foncé.

— Voici un livre de comptes, dit-il en feuilletant les pages blanches. Ici, vous allez écrire pour combien vous avez vendu aujourd'hui. Et si quelqu'un vous doit de l'argent, vous l'écrivez aussi, et si vous avez besoin de commander d'autres marchandises.

Il tendit le livre à Nina qui lui fit une profonde révérence, le regard toujours baissé. Une fois qu'il fut retourné dans son bureau, elles contemplèrent en silence le cahier que Nina tenait à la main.

— Ce qu'il est GENTIL, ton père, chuchota Eva Lise en effleurant le cahier du bout des doigts.

— Il est tout NEUF, renchérit Nina.

— On en a PLEIN, de cahiers comme ça, à la maison, déclara Lotte à haute voix.

Elle prit le livre de comptes, le posa sur le comptoir et se mit à écrire dedans.

Il lui arrivait aussi d'inviter d'autres enfants à faire une balade en voiture. Il passait les prendre devant chez eux tandis que Lotte attendait sur le siège arrière. Il était impossible de savoir à l'avance qui il allait inviter, ce pouvait être des enfants avec qui elle ne jouait jamais, ou des garçons. Tout le monde savait que c'était le père de Lotte qui les invitait, et pas Lotte elle-même. Ils se précipitaient vers la voiture et sautillaient autour tandis que le père choisissait trois d'entre eux. Les autres pressaient le visage contre les vitres quand les heureux élus montaient à l'arrière, à côté de Lotte, et à l'avant près de son père. C'est tout juste si les enfants invités daignaient lui sourire, tellement leur attention se portait sur son père.

— Alors, qu'est-ce que vous ferez plus tard, quand vous serez grands ? demandait-il.

Les filles répondaient qu'elles seraient infirmières ou marchandes. Les garçons voulaient avoir une entreprise.

— Et quel genre d'entreprise ? poursuivait le père, mais ils ne savaient pas quoi répondre.

Il était rare que les garçons la frappent, dans la rue ou à l'école. Si un groupe de garçons l'encerclait et devenait de plus en plus menaçant, il y avait toujours une voix, quelque part, qui s'écriait :

— Hé ! C'est LOTTE, celle qui a le père avec la voiture rouge !

Du coup, tous les visages changeaient d'expression, le cercle s'ouvrait, et ils la laissaient tranquille.

Un jour qu'elle jouait à la marelle avec Nina, elle vit son père, à la porte de l'école, en train de parler avec un voisin. Elle s'arrêta net, en équilibre sur un pied, et regarda son caillou.

— … Oh, c'est facile, pour vous qui avez une voiture, vous avez forcément la cote avec les gosses. Cela dit, je ne comprends pas comment vous supportez de les avoir autour de vous.

— J'aime ça, j'aime les enfants. C'est amusant de parler avec eux.

— Ma femme aimerait bien qu'on s'en achète une, mais moi, ça ne me dit rien. Je ne veux pas dépenser autant d'argent rien que pour épater les voisins…

— Oh… mais ce n'est pas POUR ÇA que j'ai une voiture ! Je m'en sers tous les jours pour mon travail, vous savez, rétorqua le père.

— Mais vous vous en servez aussi beaucoup pour autre chose, non ? Vraiment, je ne comprends pas que vous ayez le courage d'emmener tous ces gosses.

Lotte inspira silencieusement pour ne pas perdre une miette de ce que son père allait répondre. Elle n'avait toujours pas ramassé sa pierre blanche sur le macadam.

— Lotte ! Dépêche-toi. C'est à mon tour, maintenant ! cria Nina.

— Oui…

— C'est surtout pour Lotte que je fais ça, je crois que c'est important de lui montrer qu'il faut consacrer du temps aux enfants, dit le père.

Elle ramassa la pierre, prit son élan et réussit à faire un grand bond sans toucher les lignes blanches tracées à la craie, puis elle revint vers Nina en sautant sur une jambe. Ses jambes étaient aussi légères que du coton, le sol sous ses tennis avait le moelleux du velours.

Son père achetait de la glace pour tous les enfants, quand il les emmenait en voiture, et il leur expliquait plein de choses tout en conduisant. Elle-même gardait le silence, c'étaient les autres qui parlaient. De temps en temps, ils se tournaient vers elle et chuchotaient :

— Tu en as de la chance, Lotte ! Ah, si seulement MON père pouvait avoir une voiture…

Il leur faisait croire que Lotte et lui partaient aussi seuls pour ce genre de balades, qu'ils se lançaient comme ça, au hasard des routes, une glace à la main. Sa mère lui avait dit qu'on avait le droit de faire des mensonges blancs, seuls les mensonges noirs pouvaient être dangereux. Et ce que son père racontait là, c'était le plus blanc de tous les mensonges. Maintenant qu'il n'était plus là, il restait à Lotte tout ce blanc qui lui tenait chaud dans la tête, quelque chose de doux et de moelleux qu'elle pouvait caresser avant de s'endormir, un cocon dans lequel enfouir ses pleurs, qui devenait de plus en plus blanc à mesure qu'elle enfonçait son visage dans l'oreiller.

9

Elle ne se souvient plus de son rêve. C'était quelque chose avec des moutons, et il fallait patauger pour devenir si propre que les vêtements ne pourraient plus jamais se salir, en tout cas de l'intérieur. Elle est couchée, le dos de la main sur les yeux, elle sent le poids de la fatigue derrière ses paupières, elle sait qu'elle se trouve maintenant à Sinnstad et nulle part ailleurs. Les ombres le long des murs ont disparu. Elle regarde sa valise, grande et blanche, un peu sale aux coins. Elle est fermée.

Au loin résonne la voix de son grand-père, et au ton qu'il emploie, elle devine qu'il parle à sa grand-mère, même si elle n'a pas encore entendu la voix de celle-ci. Grand-père attend un peu à la fin de chaque phrase, comme s'il s'attendait à être contredit ; tous ses mots finissent en remontant, et pourtant il ne pose pas vraiment de question. Il explique à grand-mère où il va faucher aujourd'hui, mais grand-mère ne trouve rien à redire, et d'ailleurs elle ne dit rien. Il y a un silence, puis elle entend un bruit de tasses dans la cuisine, sous le plancher de la chambre à coucher. C'est alors comme si sa respiration se bloquait et que son corps se pliait en arc de cercle ; l'arc se brise et la projette hors du lit ; ses pieds dévalent l'escalier, courent dans le couloir, entrent dans la cuisine. Grand-mère est là, avec son tablier jaune dont on voit encore les plis du repassage, des plis bien marqués, anguleux, qui découpent l'espace en petits carrés. Lotte se jette sur eux.

— Bonjour, grand-mère !

Son tablier sent le vent et la pluie.

— Ça alors, Lotte, tu es déjà réveillée ? Allez, monte vite t'habiller.

— Tu as terminé dans l'étable ?

— Oh, Lotte… mais ça fait des heures que j'ai terminé !

Lotte court regarder par la fenêtre de la cuisine. Entre un mur de la grange et le cerisier, elle peut voir la prairie. Et, c'est vrai, les vaches sont là-bas, leurs longues nuques penchées en avant, leurs jambes en allumettes faisant des mouvements en zigzag sous leurs corps. Elles luisent, comme des taches marron au milieu de tout le vert. Elles mangent pour remplir à nouveau leurs pis. Lotte a l'impression de voir leurs mamelles gonfler et descendre plus bas à chaque touffe qu'elles arrachent de la terre. Elles ne coupent pas l'herbe en mordant dedans, Lotte le sait, mais forment un lasso autour avec la langue, le resserrent et tirent jusqu'à ce que l'herbe se détache, tout en regardant de leurs yeux vitreux la prochaine touffe qu'elles attraperont. Les vaches ont une langue étroite, épaisse et longue. Lotte avait pleuré la première fois qu'elle avait vu une langue comme ça, une langue de bœuf, au petit supermarché de Trondheim. Elle était grise. Cuite.

— C'est pour mettre sur le pain, dit sa mère. Mais c'est si cher, mon Dieu…

La langue se finissait par un gros morceau de viande qui devait venir de la gorge, se dit Lotte. Elle se mit à sangloter, tant et si bien que sa mère dut fourrer la liste des courses dans sa poche, cacher le chariot à moitié rempli derrière le rayon des fruits et la porter jusqu'à la maison. Lotte criait qu'elle voulait voir le reste. Qu'est-ce qu'ils avaient fait du reste du bœuf ? Si le magasin avait fait cuire tout le bœuf, il ne faudrait plus jamais faire les courses ici ! Pendant longtemps, elle ne mit que de la confiture et du chocolat sur son pain.

Sa grand-mère annonça qu'aujourd'hui, c'était jour de lessive, et posa sur la table de moelleuses galettes du Vestland, à déguster avec du beurre et du sucre. Puis elle remplit la tasse de Lotte avec du lait du puits.

La lumière sombre de la vieille annexe qui sert, entre autres, de buanderie, estompe les couleurs de la pile de vêtements ; le rouge tourne au gris, le bleu devient noir. Lotte, assise sur un tonneau de harengs, observe. L'eau coule à flots dans les baquets que grand-mère range sur le côté dès qu'ils sont remplis. Ce sera pour rincer. La grande machine à tambour peut laver et faire bouillir le linge, mais pas le rincer.

Grand-mère se penche au-dessus de la vapeur de la machine et en sort, à l'aide d'un bâton, de gros tas de linge ruisselant. Elle soulève le tout, l'eau bouillante grésille un court instant en tombant sur le sol de pierre, puis elle lâche le linge dans le premier baquet. L'eau devient blanche d'écume. Lotte saute de son perchoir pour jeter un coup d'œil dans le tambour. Les pales sont immobiles, elles ressemblent à une robe de bal. Quand elles lavent et font bouillir, elles se tordent comme pour mettre le monde entier la tête à l'envers, mais au moment même où cette pensée lui vient, elles s'arrêtent brusquement et repartent dans le sens contraire. Dans un coin sombre, une machine à laver presque identique est entreposée, avec une caisse dessus. Elle s'est cassée l'année dernière : les pales ne voulaient plus tourner, ni dans un sens ni dans l'autre. Grand-mère voulait l'utiliser pour faire de la bière, pour Noël, et Lotte lui demande si elle l'a fait, finalement.

— Oh oui, soupire sa grand-mère, penchée au-dessus d'un baquet d'eau pure, en y plongeant le linge. Ça a donné de la bonne bière ! Et on n'avait qu'à se servir directement au robinet.

— Mais ça n'avait pas un goût de SAVON ?

Grand-mère rit, s'essuie le front du bout des doigts.

— Non, mais ça faisait tellement de mousse qu'on aurait CRU qu'il y avait plein de savon !

Maintenant, le linge doit être essoré. Lotte saute à nouveau en bas du tonneau de harengs.

— Je veux t'aider, je veux t'aider ! crie-t-elle.

Grand-mère pousse l'essoreuse devant le dernier baquet, à côté d'un panier en osier vide avec une poignée de chaque côté. Lotte se tient prête, la main sur la manivelle.

— Vas-y, tu peux y aller ! lance-t-elle.

Grand-mère apporte les tas de linge vers les rouleaux. Le linge ne dégage plus de vapeur, à présent, et les couleurs, à travers l'eau, sont nettes et pures. Si la manivelle résiste, grand-mère appuie sa main mouillée sur celle, petite et sèche, de Lotte, et la fait tourner. Un paquet tout plat ressort de l'autre côté tandis que l'eau jaillit entre les rouleaux. Lotte rit aux éclats et avance la main pour recueillir le linge essoré et le faire tomber dans la corbeille, tel un serpent multicolore.

Quand la corbeille est pleine de linge essoré qui ondule, grand-mère vide l'eau des baquets. Elle est pieds nus, les jambes rougies, mais Lotte, elle, doit sauter sur le seuil surélevé de la porte pour ne pas avoir les pieds trempés. L'eau se déverse jusque dans les coins, avec des traînées de savon blanchâtres qui restent une fois que l'eau se retire et disparaît dans un trou creusé dans le sol. Les pierres, par terre, deviennent brillantes et lisses, ça sent la pluie et le savon. Au-dessus d'elles, les poutres sombres courent le long du toit, et l'une des lucarnes, ouverte, laisse voir le ciel. C'est par là que la fumée s'échappe quand grand-mère fait du pain ou des gâteaux. Il fait alors ici une chaleur à mourir, à cause du four dans le coin, mais à présent, un air frais monte du sol et les blocs de pierre le long des murs semblent avoir des plinthes sombres peintes par l'eau.

Grand-mère accroche le linge sur la corde qui longe la rivière. Elle secoue chaque tas de linge essoré pour que les affaires se détachent : serviettes, culottes, nappes, sets de table, mouchoirs blancs. Le tablier jaune que grand-mère porte a perdu ses plis de repassage, et Lotte peut voir à travers le tissu bleu de sa robe. Quand la corbeille est vide, grand-mère dénoue le cordon du tablier, dans son dos, le fait passer par-dessus sa tête et le suspend lui aussi à sécher. Assise dans l'herbe, Lotte observe la scène : c'est joli, ce tissu jaune tout au bout de la corde à linge, ça rassemble toutes les couleurs et fait comme un soleil qui éclaire tout le reste.

— Maintenant, ça va faire du bien de boire un peu de café, dit grand-mère en souriant, la corbeille à sa hanche.

Les vaches, dans le pré, se sont approchées de la rivière, nuques toujours courbées vers l'herbe ; à travers un trou bleu dans les nuages, le soleil illumine le pied du Håkanfjell ; un rond de soleil tombe là où ne se trouve ni homme ni maison.

— Brille ici, chuchote Lotte. C'est ici qu'on est.

Mais peut-être qu'il y a un animal, là-bas, au pied de la montagne, un lièvre ou un renard, qui peut alors regarder le soleil en plissant les yeux et en croyant qu'il brille au-dessus du monde entier – ou du moins au-dessus de tout Perlevik.

La chienne dort en boule, au milieu de l'herbe, et entrouvre des yeux humides sur leur passage. Elle est toujours fatiguée, en fin de matinée. L'oncle dit que c'est parce qu'elle rêve trop, car le soir, souvent, elle court dans son sommeil : ses pattes se contractent et elle pousse des gémissements.

— Allez, continue à dormir, Betsi… Aucune vilaine bête ne va venir te faire de mal, chuchote Lotte.

— Il va bientôt pleuvoir, murmure grand-mère en levant la tête.

Lotte regarde la couche grise de nuages qui flotte au-dessus de la ferme. Le lièvre et le renard ne comprennent vraiment pas grand-chose. Chacun sur son talus, ils se lovent dans les rayons du soleil, croyant que tout restera ainsi éternellement. Et pendant que le renard ferme les yeux et lèche avec soin une patte rousse, la première goutte de pluie froide l'atteint dans la nuque, au creux de sa fourrure.

L'oncle a été en ville à vélo pour acheter des lacets et du tabac pour le grand-père. Il donne à Lotte un paquet dans du papier rouge. À l'intérieur, une boîte en bois, vide. Dessus, quelqu'un a peint des fleurs roses reliées entre elles par des traits verts.

— Oh, merci beaucoup, mon oncle !

Grand-mère se penche pour regarder.

— Fais voir. Oh, mais c'est PEINT À LA MAIN, Lotte… Il faudra faire attention… C'est un très joli coffret. Tu en as de la chance d'avoir un oncle aussi gentil !

Elle monte lentement l'escalier tout en effleurant de l'ongle les fleurs peintes. Il faut qu'elle emporte ça à la maison, le sorte de sa valise et le montre à sa mère. Les marches sont hautes et le deviennent encore plus à chaque pas. Sa mère va certainement se mettre à pleurer et dire :

— Et moi qui n'ai pas les moyens de t'acheter quoi que ce soit…

Mais sa mère peut l'avoir, cette boîte ! Ce sera un cadeau. Elle dira que c'est de la part de grand-mère, d'Eli. Elle tire sa valise posée dans le coin. Il fait clair, dehors, mais elle préfère allumer le plafonnier – on ne sait jamais – avant de l'ouvrir en grand. La valise a sur les côtés des petites poches en tissu avec un élastique tout en haut. Elle remballe soigneusement le coffret dans son papier, en respectant les plis, et fourre le tout dans une des poches latérales de sa valise. Elle pourra s'acheter quelque chose plus tard, si quelqu'un lui donne de l'argent, peut-être Karen à Langegarden, quand ils iront là-bas. Un bijou. Oui, un bijou à mettre dans le joli coffret. Elle pourra demander à son oncle de l'acheter, lui dire qu'elle a toujours rêvé d'avoir un petit cœur rose en émail. Beaucoup dans sa classe en ont un, ce doit être le plus beau bijou du monde.

Les rideaux se balancent doucement, le ciel est d'un gris mat, la valise n'est qu'une valise posée dans un coin et les marches sont des mains aériennes qui la transportent en sécurité jusqu'au rez-de-chaussée de la maison.

Les toilettes extérieures forment comme une caisse autour d'elle, une caisse de pommes. Il y a trois trous dans la planche qui sert de siège. Lotte s'assied sur le plus petit. La lumière filtre à travers toutes les planches, qui courent en diagonale de haut en bas pour tenir la caisse. Elle a terminé depuis un moment, mais elle reste assise à observer tous les visages dans les nœuds du bois. Elle connaît chacun d'eux, et aucun n'a changé depuis l'été dernier. L'homme qui tourne un peu la tête sur le côté tandis que le vent fait voler ses cheveux en arrière ; la petite fille qui a perdu toutes ses dents de devant ; et le visage qu'elle préfère, celui du vieillard à barbe blanche qui ressemble à Dieu. Il y a beaucoup de cernes autour de ses yeux doux qui paraissent sourire, mais si elle s'approche davantage, il disparaît.

Ça sent bon, à l'intérieur, l'odeur de ces gros tas marron, plusieurs mètres en dessous, n'est pas du tout désagréable, elle est chaude et sucrée. Elle se mêle à la vieille odeur sèche de la charpente et à celle du bois de bouleau fraîchement coupé. Tout le bois de la ferme est entreposé juste derrière cette cloison, celle qui ne laisse passer aucune lumière. Il y a souvent des araignées, qui croient s'être installées au milieu des bûches mais sont entrées du mauvais côté.

Ça fait rire Lotte de voir ces petites araignées stupides confondre les toilettes avec la pièce où on rassemble les bûches. Ça sent aussi les journaux, une odeur de papier jauni et de caractères d'imprimerie ayant perdu leur couleur. Il y a peut-être aussi une minuscule odeur de caca qui vient du couvercle qu'elle a posé à côté d'elle. Elle le retourne vite, d'un doigt, et fronce le nez. Le dessous est recouvert de fils transparents autour de crottes séchées, mais ce ne sont pas vraiment des toiles d'araignées, on dirait plutôt un genre de mousseline fine, comme pour les voilages de grand-mère.

Elle arrache un morceau de journal du haut de la pile, le froisse dans sa main, comme grand-mère lui a appris à le faire, pour qu'il devienne plus doux, et s'essuie encore une fois. Ensuite, elle ouvre la main, se tourne légèrement pour voir tomber le papier dans le trou, et ça y est, il a disparu. Il ne fait aucun bruit en tombant. Une guêpe essaie d'entrer à travers une fente dans le bois, elle arrive sur le côté en rampant et bourdonne en faisant un son ressemblant à des vagues qui montent et descendent. Lotte envoie des ombres sur le mur opposé, des taches grises dans la lumière blanche. Elle se voit elle-même, assise dans une caisse de pommes, mais ce n'est pas encore l'automne alors il n'y aucune pomme ici, rien qu'une fillette avec des nattes brunes assise sur le plus petit trou des toilettes. Elle renifle l'air et jette un regard autour d'elle, sur le crochet, à l'intérieur de la porte, qui la protège de l'extérieur. Elle tambourine avec les talons contre le bois gris et sent les vibrations à l'intérieur de ses cuisses. Son short pend de travers autour de ses chevilles, ses coudes appuyés sur ses genoux forment deux marques rouges et humides sur sa peau. Elle peut rester assise ici. Elle pourrait rester assise ici pour toujours.

En simple chemise de nuit, grand-mère est penchée au-dessus des robinets de la salle de bains. Sa peau est blanche et douce, derrière ses cuisses ça fait de petits trous comme si sa peau était tirée vers l'intérieur par des fils invisibles. Grand-père et l'oncle parlent à voix basse dans la cuisine, ils discutent gaiement, en dînant, de ce qu'ils feraient avec l'argent s'ils gagnaient au loto.

Lotte est assise sur un escabeau et se cramponne à un bateau rouge en plastique. L'eau arrive en un jet large et plat, comme celui du robinet de la baignoire. Le fond de la baignoire, qui est posée sur des pieds d'animaux en fer forgé, a des craquelures jaunes.

— Maintenant, c'est au tour de ma petite chérie d'être toute propre ! Moi, ça y est, je me suis lavée.

Lotte regarde le corps imposant de sa grand-mère. Quand elle sera grande, elle n'aura jamais le courage de laver autant de surface de peau, et elle sera si sale que les autres trouveront qu'elle sent mauvais.

Le miroir au-dessus du lavabo est blanc comme du lait, et le blaireau de grand-père fait penser à la queue d'un écureuil qui n'arriverait pas à se regarder dans tout ce blanc, il n'est qu'une ombre sans contour. Bientôt elle entrera dans l'eau puis en ressortira, s'enveloppera dans une grande serviette et s'assiéra sur les genoux de grand-mère, qui la frottera jusqu'à ce que sa peau soit bien sèche et toute rouge. Grand-mère utilise toujours du talc qui sent le savon de beauté rose Lux. Maintenant, Lotte a le même flacon à la maison, à Trondheim, c'est un cadeau de Noël que grand-mère lui avait envoyé « de la part de Betsi ». Lorsque sa mère l'a talquée avec, le lendemain de Noël, elle a tant pleuré la nuit d'après qu'elle put à peine avaler son petit déjeuner. Mais aujourd'hui, c'est grand-mère qui va lui mettre du talc, elle peut lui en mettre de la tête aux pieds si elle veut, et même dans les cheveux. Le bateau rouge a des bords un peu tranchants ; c'est le seul jouet qui lui est venu à l'esprit quand Marit lui a demandé quels jouets elle avait à Perlevik.

— Dis, grand-mère, est-ce que j'ai d'autres jouets ici ? Je veux dire, en plus du bateau ?

— Le bateau… ? Ah, celui-là ? Mais pour quoi faire, quand tu as toute la ferme pour toi ?

C'est exactement la réponse qu'elle avait donnée à Marit. Lotte comprend ce que sa grand-mère veut dire, mais Marit, non ; elle lui avait répondu : « Mais tu peux jouer huit semaines avec une ferme ? T'as pas autre chose pour jouer ? »

— Le bain est prêt, mon trésor, dit grand-mère.

Elle l'aide à monter dans la baignoire en chantant :

— La petite Lotte est si jolie quand elle va à l'école, elle a les mains toutes propres, et son visage est comme un soleil…

— L'eau est si CHAUDE, grand-mère…

En claquant des dents, Lotte s'enfonce dans l'eau qui l'enveloppe complètement.

La voix de grand-mère se mêle à celles de grand-père et de l'oncle. De la buée s'est formée sur l'intérieur de la porte, les gouttes d'eau qui coulent quand elles n'arrivent plus à rester en haut font des traînées brillantes. Ses jambes flottent, ses bras aussi. Seules ses fesses touchent le fond lisse. Elle fait un prout. Les bulles remontent à la surface telles des perles d'argent sur un fil, elles éclatent au contact de l'air en dégageant une odeur sucrée qu'elle connaît bien. Le bateau rouge tangue quand elle remue les pieds, puis elle fait des vagues et l'envoie par le fond. Elle n'a pas besoin de lui, elle n'a pas besoin d'avoir de jouet, ici. Puis elle se souvient de sa Barbie.

Elle n'a pas sorti une seule fois sa poupée depuis son arrivée. Sa Barbie est toujours dans son sac, en haut dans la chambre, avec ses habits, ceux que Lotte a choisis avec soin à Trondheim. Barbie a l'air d'une star de cinéma, mais ses chaussures dorées ne vont pas, ici. Peut-être que grand-mère peut lui tricoter ou crocheter quelque chose qu'elle pourrait lui mettre ici.

Elle laisse pendre son bras par-dessus le bord de la baignoire et pose sa joue contre son épaule. La serviette l'attend, posée sur l'escabeau. Le sol est constitué d'un carrelage tout blanc, sans aucun carreau noir. Ses doigts font tomber des billes d'eau sur le sol. Quand elle appuie dessus, ça fait des petites taches mouillées.

— Grand-mère !

— Oui, qu'y a-t-il ? demande celle-ci, le visage tout doux à travers la vapeur d'eau.

— Tu peux me faire des vêtements pour ma Barbie ?

— Je pense que oui. Mais il faudrait d'abord que je la voie pour prendre ses mesures… Quel genre de vêtements tu voudrais ?

— Quelque chose de chaud, même si je sais qu'on est en été. Elle a toujours froid.

— Eh bien, je vais lui tricoter quelque chose.

— Je voudrais sortir du bain, maintenant.

Ses orteils nus touchent le carrelage. Elle grelotte et voudrait retourner dans l'eau chaude, mais grand-mère l'enroule dans une serviette éponge chaude et l'assied sur ses genoux, larges et solides. Dans la baignoire flottent des bulles de savon qui ressemblent à de petits gâteaux. Le bateau navigue seul parmi ces bouts de savon, on dirait des plaques de glace sur une rivière. La vitre de la fenêtre est noire, à cause de la nuit, dehors. Grand-mère la frotte si fort que ça brûle un peu.

— Tu as envie d'un bon chocolat chaud ? lui chuchote-t-elle dans l'oreille gauche.

— Mmm…

La sonorité dans sa gorge bat au rythme des mains de grand-mère qui la frottent. Cette mélodie qui résonne au fond de sa poitrine devient un beau son grave dans les oreilles et la tête. Elle s'accroche à cette sonorité jusqu'à ce que son corps soit tout chaud et qu'elle n'ait plus d'air dans les poumons. Dans la cuisine, l'oncle rit tout haut.

10

Son père devait poser du carrelage dans l'entrée. Ses parents s'y tenaient tous les deux, Lotte était dans le salon avec sa Barbie.

— Je veux seulement avoir quelques carreaux noirs ICI ET LÀ ! Et tout le reste sera BLANC ! C'est quand même pas difficile à comprendre, bon sang ! criait la mère, énervée.

— Non, Bente. Ce n'est pas possible. J'ai acheté autant de carreaux blancs que de noirs. Ça fera forcément comme un damier.

— Mais je l'ai vu sur une photo ! Ça sera beaucoup plus joli si on fait comme j'ai dit.

— Ça fera comme un damier. Tu aurais dû me dire avant ce que tu voulais exactement. Tu m'as juste dit : « des carreaux noirs et blancs ».

La voix du père était calme, comme lorsqu'il expliquait à Lotte une opération à faire en calcul, pour l'école.

— Te le dire AVANT ? Je ne pouvais pas savoir que tu avais l'intention de faire ça CE SOIR ! Et que tu allais acheter les carreaux AUJOURD'HUI !

— Ça fait un bout de temps qu'on en parle…

— Oui, mais je croyais que je pourrais venir avec toi quand tu irais les ACHETER !

— Comment veux-tu que je devine que tu avais déjà ta petite idée pour les carreaux ?

— Mon Dieu, ce n'est pas possible d'être bête à ce point. Mais je n'ai JAMAIS mon mot à dire, dans cette maison…

— Mais si… Tu verras, ça fera très joli. Un damier au sol. Aide-moi à tendre ces cordes pour que les carreaux soient bien alignés à partir du milieu.

— NON. T'as qu'à le faire tout seul.

Lotte chuchota pour elle-même :

— Je peux t'aider, moi, papa… avec ces cordes…

Mais sa mère restait là. Ils ne se parlaient plus, on entendait seulement le bruit de cartons qu'on déchire. Sa poupée Barbie avait une minirobe jaune avec une encolure brillante, sa mère l'avait cousue le jour même. Les paillettes provenaient d'un ruban pour les cheveux que Lotte n'utilisait plus. Le tissu jaune était une nappe abîmée par des taches de café. Les points de couture au fil de soie de sa mère étaient petits et réguliers, ils scintillaient le long de l'ourlet de la robe, elle y avait passé plusieurs heures.

On ouvrit un nouveau carton. Lotte n'avait toujours pas entendu les pas de sa mère se diriger vers la cuisine. Son père coupait quelque chose, on aurait dit de la ficelle. Tenant sa Barbie par la taille, elle la fit avancer par terre d'un pas raide ; les pieds pointus de la poupée s'emmêlaient dans le tapis et raclaient le sol. Lotte la tint plus fermement, la faisant sautiller comme un kangourou. Les cheveux synthétiques presque blancs se balançaient sur les poignets de la petite fille. Dans l'entrée, une paire de ciseaux tomba par terre. Sa Barbie n'était pas belle, sa robe était moche. Lotte la cogna violemment contre le sol mais ses jambes ne se cassèrent pas, elles se plièrent seulement vers l'avant. Maintenant, Barbie était assise, les jambes en l'air droit devant elle, comme des bâtons, son éternel sourire aux lèvres, les bras tendus en avant comme pour attraper quelque chose qu'on allait lui lancer d'un moment à l'autre. Son père avait eu un grand sourire en rentrant avec les carreaux, tout content, après ses heures de travail.

— Le vendeur a dit que ça prenait une soirée à poser, après il ne restera plus qu'à s'occuper des plinthes. On va enfin avoir du CARRELAGE ! avait-il lancé, le menton calé sur la pile de cartons, la colle et le mode d'emploi dans un sac plastique accroché à son coude.

— Allez, donne-moi un coup de main, tu m'as dit ce que tu pensais, c'est bon, maintenant. Tu ne veux vraiment pas m'aider ? Tu ne vois pas qu'il faut être DEUX pour faire ça correctement ?

Aucune réponse. Lotte jeta sa Barbie sous le canapé avec une telle rage qu'elle heurta le mur de l'autre côté. Elle resta là, son indéfectible sourire aux lèvres, les bras toujours tendus en avant.

— T'as qu'à rester là à regarder, sale bêcheuse ! Va surtout pas T'IMAGINER que tu es belle dans cette robe. Arrête de prendre ces grands airs ! Ta robe, elle est moche, MOCHE !

— À qui parles-tu, Lotte ?

Sa mère se tenait à la porte du salon, les mains sur les hanches.

Lotte ne répondit pas, et la mère ne répéta pas sa question. Elle alla vers un abat-jour et l'épousseta un peu. Puis elle souffla dessus, le visage tout près de la lumière jaune. Elle se redressa et regarda Lotte en plissant les yeux. Lotte rampa sous le canapé.

— Je cherche ma Barbie, lança-t-elle.

L'ombre profonde, tout contre le mur, était chaude et moelleuse comme de la fourrure. Quand elle réapparut, sa mère l'observa. Elle avait sur le visage la même expression que lorsqu'elle faisait des mots croisés, avec son drôle de regard qui disparaissait dans un cercle dans l'air, et son menton relevé. Lotte tint sa poupée par la taille et rabaissa ses jambes.

— Et si j'allais aider papa ? murmura-t-elle.

Sa mère se retourna et souffla de nouveau si fort que l'abat-jour se retrouva de travers. Elle se passa la langue sur les lèvres et fixa Lotte.

— Non. Tu viens avec moi dans la cuisine, on va faire du chocolat chaud.

Au même moment, elles entendirent un bruit dans l'entrée, comme un gros prout.

— C'est seulement le tube de colle de papa, chuchota Lotte en levant les yeux vers sa mère, qui tourna les talons et se dirigea vers la cuisine en martelant :

— Oui, je SAIS, j'ai entendu. Allez, viens, on va faire du cacao.

Lotte resta assise par terre, sa Barbie à la main. Ses omoplates étaient si serrées qu'elle pouvait à peine respirer. L'air n'avait plus de place pour passer. D'habitude, quand elles préparaient du chocolat chaud, Lotte sautillait d'impatience tandis que sa mère mélangeait la poudre de cacao, le sucre et l'eau dans le fond de la casserole. Il lui arrivait même de chantonner la dernière chanson qu'elle avait apprise, et elle finissait toujours en disant « Et je veux du fromage de chèvre sur ma tar… tine ! » sur le même air que le reste de la chanson. Les mots ne correspondaient pas toujours au rythme initial, mais sa mère trouvait toujours ça drôle et elle répondait que, bien sûr, Lotte pouvait avoir du fromage de chèvre sur sa tartine.

Elle entendait à présent sa mère prendre une casserole dans le placard ; la grille en métal résonna longtemps après que la casserole eut heurté la plaque de cuisson.

— Tu VIENS, ou quoi, Lotte ? J'ai dit que j'allais faire du chocolat chaud !

— Oui, j'arrive…

Maintenant, elle mélangeait avec un fouet. Un nouveau prout résonna dans l'entrée. Un vrai, cette fois. Son père traîna des cartons sur le sol. La mère alluma la radio et une musique entraînante d'accordéon couvrit les bruits du fouet. Lotte dit doucement en direction de l'entrée :

— Papa… ? T'y arrives ?

— Faut bien. Reste avec maman, c'est ce qu'elle veut.

— Le chocolat chaud est presque prêt, Lotte !

— Oui, mais est-ce que je pourrais le boire dans le salon, maman ?

— Non. J'ai déjà mis les tasses sur la table. Qu'est-ce que tu veux sur ta tartine ?

— Je sais pas trop…

— Alors, tu VIENS ou pas ?

— Je dois d'abord aller aux toilettes.

Le visage du père était concentré sur ce que faisaient ses mains. Il était agenouillé, penché au-dessus de carreaux en linoleum mat. Ses pantoufles avaient glissé.

— Où sont les cordes ? chuchota Lotte.

— Je les ai enlevées, maintenant, c'était seulement pour le début.

La mère surgit à la porte de la cuisine.

— Je croyais que tu devais aller aux toilettes.

Le père tourna la tête pour lever les yeux vers la mère, mais abandonna. Il avait avancé les lèvres et faisait la moue.

— Oui, répondit Lotte, qui ajouta vite : Ce sera super, papa !

Et elle courut s'enfermer dans les toilettes. Le sol était magnifique avant même d'être terminé. Personne ne pourrait dire que c'était un sol moche, personne. Lotte essaya de faire sortir quelques gouttes de pipi, se força au point de gémir tout bas, mais rien ne sortit.

— Ça va être FROID, Lotte !

Elle tira la chasse. L'eau déferla du réservoir et la violence du bruit la fit reculer d'un pas. La musique de l'accordéon était à peine audible, d'ici. Un courant d'air remonta des toilettes, un orage, comme ce jour où le vent s'était soudain levé alors qu'elle échangeait des images avec Nina, sur la pelouse. Lotte n'avait pas emporté le couvercle de sa boîte et les images étaient à l'air libre, les unes sur les autres, avec leurs coins qui rebiquaient, ne demandant qu'à se soulever et s'envoler. Elle avait posé son mouchoir sur le tout, avait appuyé pour les aplatir le plus possible, mais le vent se faufilait dans tous les endroits que ses doigts n'arrivaient pas à recouvrir. Elle avait déplacé ses mains jusqu'à ne plus savoir que faire, et alors tout s'était envolé. Les images s'étaient échappées. Elle en avait perdu beaucoup, ce jour-là.

Elle s'essuya encore une fois, fit du bruit avec le dérouleur de papier et tira de nouveau la chasse d'eau. Le cacao serait froid. Elle remonta son pantalon et ouvrit la porte des toilettes. Son père passait la main sur un carreau noir. Il ne leva pas les yeux.

Sa mère était attablée dans la cuisine. Un pot de chocolat était posé sur le plan de travail, et non sur la table comme sa mère l'avait dit, à côté d'une assiette avec une tartine. Aucune tasse n'était sortie, elles étaient dans le placard, au-dessus. Elle devrait grimper sur une chaise pour en prendre une toute seule. Sa mère ne lui adressa pas un regard. Elle fixait les fenêtres noires qui ne lui renvoyaient que son reflet, fit un geste pour éteindre la radio. Lotte entendit, dans l'entrée, le bruit d'un couteau qui découpait quelque chose de mou, un son régulier qui glissait longtemps, suivi d'un jet de colle. Sa mère s'éclaircit la voix. Son père marmonna quelque chose, mais elle ne put saisir quoi, ses mots furent repoussés par le son du vent qui hurlait à travers l'appartement, bousculait l'abat-jour et les boîtes avec les carreaux et balayait Barbie sur le sol nu du salon, avant de se précipiter dans la cuisine et de pousser le pot de chocolat vers le bord du plan de travail.

Cela ne fit pas mal tout de suite, ça faisait juste une sensation de mouillé, un peu bizarre. Ce n'était pas froid comme sa mère l'avait dit. Et tout s'arrêta. Le vent s'engouffra dans tous les coins, la nuque se retourna pour contempler dans le reflet de la vitre une nuque identique, le couteau cessa de couper. Ils la portèrent dans la salle de bains, ouvrirent en grand le robinet d'eau froide, et sa mère la tint sous le jet. Elle était courbée en deux sur le sol de la salle de bains et pleurait, le père poussait des jurons. Tous deux la tenaient. Lotte ferma les yeux et sentit doucement la douleur. Intacte. L'eau n'avait rien fait disparaître.

Lotte eut le droit de rester allongée sur le lit de camp, sur le pas de la porte du salon, pour regarder son père poser les derniers carreaux, ceux contre le mur. On baissa le volume de la radio, un homme chantait une chanson sur l'océan. Sa mère refit du cacao et posa délicatement trois tasses sur un carreau blanc à côté du père. Elle aussi se mit à genoux et gratta la colle qui dépassait des carreaux déjà posés.

— Oh, en voilà une fille courageuse, dit son père en souriant. Se brûler les deux jambes avec du chocolat chaud et ne pas pleurer du tout. Une dure à la douleur, comme son père !

Lotte sourit à son tour. Dans l'obscurité, sous la couverture, sur les deux genoux, du liquide salé jaillit sous des ampoules luisantes. Elle serrait sa Barbie très fort. La poupée avait toujours les bras tendus en avant, doigts écartés, ongles vernis impeccables, comme si elle attendait de recevoir une grande surprise.

11

Grand-mère verse le jus de viande, de couleur jaune, dans le long pétrin en bois, au-dessus des grumeaux de farine grise. Ils frémissent, grésillent, le jus coule autour de la pâte, la forte odeur de levure monte aux narines de Lotte.

— Mmm, ça va être bon, et même très bon..., souffle grand-mère, et ses bras tremblent tandis qu'elle pétrit. On ne peut quand même pas arriver les mains vides...

Assise sur le banc près du mur, Lotte tient dans sa main sa Barbie, mal fagotée dans une robe verte assez grossière et d'épaisses chaussettes de laine grise. Autour des cheveux, elle porte un fil de laine de la même couleur que la robe. Cela fait presque deux semaines qu'elle est arrivée, et demain elles iront en visite chez Karen, à la ferme de Langegarden.

— Mais Karen a du pain, chez elle ? s'étonne l'enfant.

— Oui, Lotte, mais on ne peut pas venir les mains vides, répète grand-mère. Et puis, c'est du pain avec du jus de viande dedans. J'ai fait bouillir des os de mouton... ça donnera un très bon goût. Ce sera un pain de seigle plus moelleux que d'habitude, et plus salé. Je ne pense pas que Karen ait un pain comme ça chez elle… en tout cas, pas encore.

Elle doit faire des pauses entre les mots car elle emploie toutes ses forces à pétrir la pâte et à bien faire entrer le jus de viande dans la farine, jusqu'à ce qu'on n'en voie plus une goutte. Elle a posé le long pétrin sur deux escabeaux, avec un torchon mouillé en dessous pour qu'il ne glisse pas. Bientôt, une grosse masse jaune se forme, sans une ride : elle ressemble à un animal tué et couché sur le flanc. Grand-mère va chercher un autre torchon et en recouvre la pâte.

— On va la laisser lever tranquillement et, pendant ce temps, je vais aller à l'étable. Tu viens avec moi, Lotte ?

Elles entendent la cloche de Movind tinter au loin. Grand-père, en bas, fait rentrer les vaches pour la nuit.

La chatte arrive en même temps qu'elles, plus maigre que jamais, les yeux fiévreux. Lotte se penche pour la caresser, mais la bête esquive sa main et se faufile le long du mur. Suivant grand-mère, elle saute sur ses pattes pour essayer d'atterrir dans le seau vide que porte celle-ci.

— Oh… pauvre chatte, tes petits te prennent tout ton lait… tu n'as plus que la peau sur les os, ma parole ! Il faut que tu les sortes des rochers où tu les as cachés, comme ça je pourrai les nourrir, moi.

Elle donnera à la chatte les premiers décilitres du lait de Movind. La vache penche sa lourde tête en arrière et regarde grand-mère, étonnée de la voir déjà se relever alors qu'elle a à peine commencé à la traire, à la soulager. La vache tend la nuque et sa tête décrit un arc de cercle vers l'arrière, puis elle ferme les yeux et pousse un long mugissement qui emplit toute l'étable, si chaude et pleine de vapeur.

Les autres vaches trépignent en jetant des regards inquiets autour d'elles. Lotte fait le tour de l'animal pour caresser les muscles de son cou :

— Attends un peu, il faut d'abord que la chatte mange, elle meurt de faim, tu comprends ?

— Ce n'est pas normal, murmure grand-mère en se rasseyant sur son trépied et en évitant que la queue de Movind ne lui fouette le visage. Ce n'est pas normal qu'elle ne soit pas encore sortie avec ses petits. Il y a quelque chose qui cloche, il faut que nous trouvions où ils sont.

Lotte observe la chatte qui lape goulûment le lait dans le bol. Elle tremble, ses moustaches vibrent tandis qu'elle boit. Les cols de ses fémurs ressortent sous la fourrure terne et négligée.

— Regarde comme elle est sale, grand-mère !

— Oui, ce n'est pas normal… pas normal du tout, même… Ne bouge pas, Movind, je suis là, maintenant.

Le jet de lait éclabousse les parois du seau. Lotte ne veut plus regarder la chatte, elle préfère aller voir les cochons. Mais grand-père leur a déjà donné à manger, alors ils ne font pas du tout attention à elle, leur bauge est pleine de gros derrières qui frétillent. Elle se penche pour en gratter un sur le dos, mais il n'a aucune réaction. Dehors, la pluie frappe les dalles de la cour. Elle s'aperçoit tout à coup que le box d'à côté est vide et froid.

— Il est parti, maintenant, dit grand-père qui range des outils dans un coin.

— Quelqu'un est venu le chercher ? Quand ça ? veut savoir Lotte.

— Tôt ce matin, pendant que tu dormais… Une voiture est passée pour l'emmener à l'abattoir.

— Il a fallu l'abattre parce qu'il était tellement en colère ?

— Non… enfin, si… mais ce n'est pas pour ça.

— Mais il était VRAIMENT en colère. C'est même TOI qui me l'as dit !

— Il était sacrément en colère, tu peux le dire. L'important, c'est d'être toujours content et de bonne humeur, hein, ma petite Lotte ?

Il sourit, puis il jette un coup d'œil dans le box vide et son sourire s'évanouit aussitôt.

— Oui, répond Lotte en hochant la tête.

Langegarden est situé en hauteur, sur le flanc d'une colline, plus à l'intérieur du fjord. Il pousse là-bas, au milieu des pierres et des éboulis, des groseilliers et des fraisiers sauvages. De vieux bâtiments gris sont alignés, protégés par des murets irréguliers.

Tout est en pente ou de travers, à Langegarden : les poutres des maisons, les murets en pierre, les bouleaux, les gens. Toute la ferme semble accrochée entre le ciel et la montagne. C'est là qu'habite Karen, avec son mari, son fils, ses petits-enfants, ses chats et ses moutons, et le chemin pour y arriver est si raide que grand-mère peine à le gravir. Elle appuie ses poings sur ses genoux à chaque pas. Ce chemin est le seul pour y accéder, ça prend deux heures aux gens qui habitent là-haut. Grand-mère et Lotte en mettent trois. Lotte marche derrière et ne regarde ni en bas ni en l'air, fixant seulement les talons de sa grand-mère. Si elle se retourne, elle n'arrivera jamais à repartir. Sa robe éponge rouge ressort bien sur l'herbe alentour. Juste avant de partir, elle avait demandé à sa grand-mère :

— Est-ce que je ne pourrais pas me mettre en short ?

— En short ? Mais tu es si belle, dans cette robe, avait répondu grand-mère.

— C'est une robe de ville, elle ne va pas bien, ici, je trouve…

— Arrête de faire des histoires. Allez, on y va.

Lorsqu'elles sont presque arrivées, Lotte trébuche et tombe dans de vieilles crottes de mouton qui traînent entre des boucles de coton. On ne peut pas les enlever tout à fait. Elle regarde les taches noires. Ça sent bon.

— Oh, quel dommage ! s'exclame grand-mère, qui essaie de les faire partir en les frottant avec son mouchoir.

— Ça ne fait rien, dit Lotte en s'échappant des mains de sa grand-mère.

Lotte fait une profonde révérence devant Karen, comme doivent le faire les petites filles bien élevées, tandis que sa grand-mère s'assied sur le sol en pente et s'éponge le front avec son tablier. Karen se cramponne à son bâton de bouleau, les doigts déformés par les rhumatismes. Elle a serré son fichu sur sa tête, pas un seul cheveu ne dépasse. Elle parle d'une voix perçante, ses dents s'entrechoquent quand sa bouche remue. Lotte lève les yeux vers Karen, qui a toujours l'air d'être en colère, même quand elle rit ou passe rapidement la main dans les cheveux d'un de ses petits-enfants. En chemin, grand-mère lui a confié que Karen n'était pas descendue dans la vallée depuis bientôt dix ans et qu'elle ne quitterait sa ferme que les pieds devant…

À présent, Karen crie à tous les enfants de venir dire bonjour à Lotte. Quatre d'entre eux dévalent la colline en se poussant et s'arrêtent net devant elles. Lotte se blottit près de sa grand-mère et glisse sa main dans sa large paume.

— Je veux rester avec toi, grand-mère, chuchote-t-elle.

Ils sont plus âgés qu'elle. Pour aller à l'école, en bas, à Perlevik, ils descendent et grimpent ce chemin

chaque jour, été comme hiver. Grand-mère la pousse
vers eux :

— Allez, va jouer avec eux, Lotte.

La fillette ne répond pas, même si sa grand-mère
l'incite à avancer. Elle reste muette et empotée, alors
les enfants s'en vont.

— Elle vous rejoindra plus tard ! leur crie sa
grand-mère.

— Non, chuchote Lotte, je veux rester avec toi et
Karen, moi…

Karen s'affaire en boitant dans la cuisine et sort
des placards tout ce qui est comestible. La porte du
garde-manger est grande ouverte, tout doit être mis
sur la table.

— Si seulement j'avais su que tu venais, j'aurais
naturellement…

— Nous ne venons pas pour la nourriture, mais
pour te voir.

Grand-mère pose deux pains sur la table, et Karen
les approche de son nez avant de les envelopper dans
un tissu et de les ranger dans un tiroir. Elle leur sert
d'abord des galettes du Vestland avec du fromage de
chèvre, accompagnées de café et de jus de groseilles.
Pendant qu'elles mangent, elle met une cuillerée de
crème fraîche dans une casserole et commence à
préparer une bouillie.

— Hier, à la ferme, ils ont fait du pain azyme,
raconte-t-elle. Et tu ne PEUX pas le goûter sans un
peu de bouillie à la crème à côté.

Lotte mâche, son regard va d'un visage à l'autre.
Elle observe sa grand-mère dire « non » et Karen
« mais si » ; sa grand-mère qui fourre la nourriture
dans sa bouche alors qu'elle vient de dire à Karen
de ne pas se donner tout ce mal ; Karen qui sourit à

chaque nouveau plat qu'elle dépose sur la table, même si son corps lui fait tellement mal qu'elle doit constamment s'appuyer sur sa canne pour touiller la bouillie de l'autre main. Le jus de groseilles est sucré et frais.

Il n'existe aucune cuisine pareille à celle-ci dans le monde entier. Toutes les surfaces sont grises, pas un seul coup de peinture nulle part, ni sur les tiroirs ni sur les placards. Autour des poignées, le bois luit comme s'il avait été frotté d'huile. De larges plans de travail courent sur presque tous les murs. La cuisinière en fonte brillante ressemble à celle de Sinnstad. Grand-mère lui a raconté que lorsqu'on a fait venir l'électricité jusqu'ici, un hélicoptère a dû tirer les câbles depuis le fjord pour les apporter à presque neuf cents mètres. Cela ne fait pas si longtemps, c'était peu avant la naissance de Lotte. Alors pourquoi Karen a-t-elle gardé un si vieux fourneau au lieu de s'en acheter un tout neuf ?

Maintenant, elles parlent du vieil homme chez qui elles ont servi, autrefois. Du temps où grand-mère travaillait là-bas, l'homme était le fermier, mais lorsque Karen est venue, il s'était installé pour de bon. Il avait toujours été quelqu'un de revêche, mais cela ne fit qu'empirer ; il tapait sur les murs autour de lui avec sa canne quand il était mécontent. Karen et grand-mère l'appelaient seulement « le vieux ».

Lotte boit son jus de fruits à petites gorgées ; elle ne veut pas vider son verre, sinon Karen risque de se rappeler sa présence et de l'envoyer jouer dehors avec les autres enfants.

Lotte est déjà allée dans la ferme où elles ont travaillé : c'est un musée en plein air, maintenant. Aucun touriste n'arrive à comprendre comment on faisait pour vivre là, autrefois. Les murs sont couverts de tapisseries, des bols en bois sont suspendus aux poutres sous le toit, il y a un foyer ouvert avec une marmite reliée à une chaîne, des lits qui croulent sous de lourdes couvertures aux motifs en zigzag et sous de beaux coussins avec des roses brodées. La cuisine n'était à l'époque qu'un réduit sombre tout près de la porte d'entrée, derrière l'âtre. Il y avait une large fente sur le seuil, et Lotte avait demandé à sa grand-mère si les hivers étaient rudes. Oh, oui, il fallait mettre d'épaisses culottes et des jupes en laine si on ne voulait pas mourir de froid ! On avait bien chaud sur le haut du corps, là où montait la vapeur des marmites, mais c'était glacial plus bas. Un peu à l'écart de la ferme, se trouvait le chalet des filles de ferme. On aurait dit une grosse niche. C'est là que grand-mère avait dormi pendant cinq ans.

Karen a mis sur la table les bols contenant la bouillie. Le beurre fond et se transforme en liquide sucré sur la membrane jaune de la crème. Lotte a le droit d'en goûter, sur une petite assiette.

— Je ne crois pas qu'elle aime la bouillie à la crème, déclare grand-mère.

— Si ! J'aime ça ! Raconte le mariage, grand-mère ! répond Lotte.

Le regard de sa grand-mère passe de l'enfant à Karen.

— Mais cette histoire-là, tu l'as déjà entendue plusieurs fois, proteste-t-elle.

— Ça ne fait rien, raconte-la encore une fois, s'il te plaît, grand-mère ! insiste Lotte.

Karen approuve de la tête en léchant le dos de la cuillère de service.

— Bon, cède grand-mère. Tu peux dire que tu as eu de la chance, toi, de ne pas avoir été là ! Oh, que Dieu me vienne en aide !

Lotte se voit elle-même de l'extérieur : sa robe rouge dans la cuisine grise ; l'histoire qui va venir.

Ça lui serre la poitrine, elle en a presque le hoquet. Lorsque grand-mère la regarde, elle toussote. Elle doit fermer son visage, remplir sa cuillère à ras bord et se concentrer sur la bouillie grasse et jaune. Tout est comme elle se l'est imaginé pendant l'hiver, et il y aura un nouvel hiver, et cette image se superposera à toutes les autres. C'est déjà un souvenir alors qu'elle est en train de le vivre. Mais cette année, elle porte une nouvelle robe rouge. Elle jette un coup d'œil sous la table. Les pointes de ses chaussures touchent à peine les lames grises du plancher. La bouillie a un goût rance à cause de la crème.

— Oui, je crois que je l'ai échappé belle, ce jour-là ! renchérit Karen.

Et grand-mère raconte, parle de la fille de la ferme, promise à Sogne-Per, le fils du pasteur. C'était un honneur d'épouser un membre d'une famille de pasteur, toute la ferme en profitait, de diverses manières. Grand-mère pouvait compter sur l'aide de huit filles venues d'ailleurs pour l'occasion. Elle commença par les sermonner jusqu'à mettre la paresse à la porte, comme elle disait. Il y aurait trois longues tablées dans la cour, et même si tous les invités apportaient de la nourriture, le plus difficile restait à faire : les pommes de terre, qu'on mangeait d'habitude froides et avec la peau, devaient être épluchées et servies brûlantes avec du beurre tout frais, pour accompagner le gigot de mouton, le gratin au fromage, le pain azyme et la bière. Elles épluchèrent les pommes de terre en se coupant les doigts, puis les mirent à bouillir dans d'énormes chaudrons sur des feux de racines de bouleaux.

Les marmites étaient noircies par les flammes qui les léchaient de leur langue pointue. Bientôt, tout le monde arriverait de l'église, une longue procession avec le violoniste en tête, cent vingt-cinq personnes à table, oh, que Dieu nous vienne en aide ! s'écria grand-mère. Mais personne ne vint, ni musicien, ni jeunes mariés, ni invités. Les jeunes filles laissèrent les flammes à peine frôler les chaudrons, mais si on ne vidait pas l'eau bientôt, les patates tomberaient en morceaux.

Alors arriva un gamin, courant, le visage tout rouge, à cause de la chaleur de l'été mais aussi des nouvelles qu'il apportait. Le prêtre était tombé raide mort sur le sol de l'église, juste devant l'autel où était agenouillé le couple de mariés – ils venaient de recevoir sa bénédiction, encore heureux ! Mais les pommes de terre ?

— Qu'est-ce qu'on va faire des pommes de terre ? crièrent les jeunes filles au gamin.

Ils allaient tout de même manger le repas de noces, avait décidé le vieux, ils allaient se consoler et avoir une pensée pour le pasteur, mais personne ne serait là avant une heure : il fallait d'abord étendre le pasteur sur une civière de paille, dans le presby-tère. Les jeunes filles levèrent les yeux au ciel et se lamentèrent. Servies avec la peau, les pommes de terre pouvaient toujours se manger froides, mais pas maintenant qu'elles étaient déjà épluchées ! Froides, elles deviendraient blanches, peut-être même avec une pellicule dure tout autour !

— Oh, Dieu tout-puissant, s'était exclamée grand-mère vers le ciel d'été, tandis que les jeunes filles embauchées en renfort attendaient, désemparées, les unes à côté des autres, le dos rond.

Alors, grand-mère avait eu une idée de génie. Les couvertures et les édredons ! Il fallait vider les chaudrons de leur eau et les fourrer dans les lits ! L'eau frémissante des pommes de terre écumait en s'écoulant par terre, la vapeur ruisselait sur les fronts et les mains, brûlant les avant-bras qui devenaient tout rouges.

Mais les pommes de terre étaient encore chaudes quand le cortège nuptial arriva enfin. Et les lits aussi ! Le vieux voulut se reposer un peu avant le repas, après tout ce cirque, et il se brûla presque en se glissant sous les couvertures. Il lança une bordée d'injures, tout le monde y eut droit, et agita sa canne pour rosser les servantes. Ah, ces hommes n'y comprenaient vraiment rien !

Et Karen rit, joignant les mains en l'air, puis invite grand-mère à se resservir de bouillie à la crème. Lotte imagine la scène, encore et encore : les jeunes filles qui courent dans tous les sens parmi les invités de la noce en costumes traditionnels de fête, l'eau des pommes de terre qui se déverse comme une cascade et disparaît dans la terre, le vieux qui mouline l'air de sa canne en pestant, la niche où grand-mère va passer la nuit, épuisée, pour sûr, même si elle était encore toute jeune à l'époque, sans une ride au visage. Comment croire qu'elle ait pu avoir huit ans un jour, elle aussi ?

— Il est temps de manger quelque chose de plus consistant, les enfants dehors ont faim, déclare Karen en sortant harengs saurs, pommes de terre froides et lait caillé.

Elles rassemblent d'abord des chaises et quelques cageots de pommes pour poser la nourriture dessus, au milieu de cette cour qui semble pouvoir glisser à tout moment dans le fjord. L'air sent la mer.

Assise sur une petite chaise grise, Lotte se balance sur les pierres en mâchonnant un hareng saur. À plusieurs centaines de mètres en contrebas, le fjord a des reflets d'argent. De grandes surfaces irisées s'avancent vers son embouchure qui scintille au gré du soleil et de la brise. La paroi rocheuse d'en face est à l'ombre, d'un vert tirant vers le noir, tandis que le reste de la montagne resplendit de soleil, avec ses bouleaux rabougris qui se cramponnent de leur mieux. Derrière, elle peut voir d'autres pics, et d'autres encore plus loin. Assise au sommet de tout ça, elle prend une profonde inspiration. Le hareng a un visage tout ridé, ses yeux morts enfoncés dans la tête. Il est salé et sec, presque noir. Elle en arrache de petits morceaux tout en prenant un morceau de la pomme de terre froide posée sur ses genoux, et ses yeux se perdent dans le fjord et à l'horizon.

— Non... Il faut qu'on songe à redescendre, il est tard, Karen, je veux partir avant qu'il fasse nuit.

— Oui, je comprends...

— Tu ne viendras sans doute pas nous rendre visite à Sinnstad, Karen... ?

Karen éclate de rire, sa bouche fait comme un cliquetis :

— Ça non, je ne descendrai pas avant qu'on m'ait rabattu le caquet !

— Oh, Karen, ne dis pas ça... Bon, je crois qu'il est temps qu'on s'en aille. Merci pour ton accueil.

À l'endroit où commence le sentier, on est à pic du fjord, mais Lotte sait qu'elle a la place de poser un pied à plat, puis l'autre, et ainsi de suite. Elle fixe la nuque de sa grand-mère. Le tout, c'est de ne pas regarder en bas, dans les profondeurs du fjord.

Karen crie derrière elle :

— T'as de la chance d'avoir Lotte à la maison, c'est rare, une petite fille aussi gentille qui préfère rester avec les vieux et écouter leurs histoires !

Puis un des enfants les rattrape en courant et glisse un billet de cinquante couronnes dans la main de Lotte. Elle fait une révérence dans le sentier escarpé.

— Merci beaucouuuup, Karen ! crie-t-elle, mais elle n'obtient pas de réponse.

En bas, l'oncle les attend avec son tracteur et la remorque. Lotte s'assied sur un des coussins de la remorque, à bout de souffle, les genoux tremblants.

— Lotte, il y a une lettre pour toi, de ta mère, dit l'oncle.

Elle ne répond pas. Grand-mère se laisse tomber lourdement sur l'autre coussin. La plage est plongée dans l'obscurité. Lotte regarde les pissenlits sur le bord du chemin. Ils défilent comme des traits jaunes, et l'odeur des gaz d'échappement forme un voile bleuté entre elle et ce jaune.

À peine sont-elles rentrées qu'elles vont à l'étable. Lotte observe sa grand-mère traire les vaches avec des gestes rapides et vigoureux. La chatte se frotte au seau, renifle les pis gonflés. Grand-mère se lève et verse du lait dans son écuelle, puis lui caresse doucement le dos.

— Oh... je suis épuisée, lâche-t-elle. J'ai hâte d'aller me coucher, dès que j'en aurai terminé ici...

Lotte n'accompagne pas grand-père jusqu'au lieu de dépôt des bidons de lait. Elle reste derrière la robe de sa grand-mère qui flotte au vent, la suit dans la cour et rentre avec elle dans la maison.

L'enveloppe est rose, avec une petite fleur imprimée dans un coin. C'est le papier à lettres de Lotte. L'enveloppe envoie de la lumière sur la table de la cuisine où elle est posée, à côté d'un grand bol de rhubarbe destiné au repas de l'oncle et du grand-père. Lotte tourne la cuillère dans le bol, grand-mère pousse l'enveloppe vers elle.

— Ta lettre, Lotte…

— Hum.

Elle continue de remuer la rhubarbe rouge et épaisse. Avant, sa mère lui passait régulièrement un coup de téléphone.

— T'es assez grande pour lire TOUTE SEULE, maintenant, je pense.

— Hum.

Elle lève les yeux, examine le visage de grand-mère. Mais celle-ci a sorti une assiette et met une bonne portion de rhubarbe dedans avant de verser du lait froid par-dessus. Son regard est porté sur la cuillère, ni son front ni l'espace entre ses yeux n'est plissé. L'enveloppe a de petites lettres rondes. Grand-mère a dû voir cette écriture de nombreuses fois, du temps où elle recevait des lettres de la mère de Lotte. On peut lire « Lotte Sinnstad. Ferme de Sinnstad. Perlevik ».

— Je la lirai plus tard… je suis si fatiguée, maintenant, bredouille-t-elle en prenant l'enveloppe et en la fourrant dans la poche de sa robe.

— Oui, pauvre petite. Mais pense à ces enfants qui descendent et montent CHAQUE JOUR ! répond grand-mère en emportant le reste de la rhubarbe dans le garde-manger.

Il fait sombre, dans les toilettes, dehors. Elle allume la lumière au plafond avant de mettre soigneusement le crochet sur la porte et de soulever le couvercle du siège. Sa mère lui écrit qu'il y a beaucoup de soleil à Trondheim, qu'une nouvelle petite fille a emménagé dans le même escalier qu'elles et que la copropriété change toutes les portes d'entrée parce que les anciennes laissaient passer les courants d'air. Elle espère que Lotte s'amuse bien, peut-être pourrait-elle lui écrire une petite lettre et prier sa grand-mère de l'envoyer. Ou l'oncle. Ta maman qui t'embrasse.

Ce sera l'oncle. Et elle peut demander du papier et une enveloppe au grand-père. Et s'il pose la question, elle peut toujours dire qu'elle va écrire à son père. Un mensonge blanc. Ou peut-être un peu gris. Les mouches bourdonnent sous son derrière, en bas, sur le tas d'excréments sur lequel sont collés des bouts de papier toilette jaune. Elle déchire d'abord l'enveloppe en petits morceaux, puis la feuille rose à l'écriture ronde et régulière. Le poing rempli de morceaux de papier rose, elle glisse la main derrière son dos, sous ses fesses, et lâche le tout.

Avant de remettre le couvercle sur le siège, elle jette un coup d'œil en bas. Le tas de caca a des taches roses, on dirait de pâles taches de rousseur. Les mouches tournent autour. Le trou est un navire sans fond qui veut l'entraîner dans les profondeurs. Elle se hâte de remettre le couvercle et sort des toilettes à reculons.

Sa tasse avec Smørbukk la retient dans la cuisine.

— Tu étais aux toilettes, Lotte ? Je t'ai appelée.

— Hum… Dis, grand-mère, si Karen n'a pas eu l'électricité avant maintenant… avant que je naisse… pourquoi aujourd'hui elle garde sa VIEILLE cuisinière… qu'on chauffe au bois ?

Lotte entend le son de sa propre voix, clair et pur, qui ne laisse rien paraître.

— Un vieux fourneau comme le mien ? Oh, je vais t'expliquer. Cette cuisinière a attendu l'arrivée de l'électricité pendant presque QUARANTE

ANS. Il a fallu l'apporter à cheval en passant par la montagne, du temps que Karen était encore jeune !

— Ah bon ?

Les pâles taches de rousseur disparaîtront certainement d'ici à demain, se fondront avec le reste. À son réveil, il y aura du soleil, grand-mère aura terminé la traite matinale dans l'étable et elle aura du temps, pendant que Lotte prendra son petit déjeuner. Et Lotte a cinquante couronnes pour acheter quelque chose pour sa maman. Elle voit son propre sourire se refléter dans l'ombre du clair de lune, au fond de sa tasse de lait. Demain, tous les bouts de papier auront disparu.

— Dis, grand-mère, qu'est-ce qu'on va faire demain ?

Grand-mère, qui nettoie puis lustre le fourneau avec un chiffon humide, se retourne et sourit :

— Ce qu'on va faire ? Eh bien, je vais faire tout ce qu'on doit faire quand on est une fermière. Demain, je vais… cueillir quelques groseilles, laver par terre et faire du pain et… grand-père va apporter le sel aux moutons. Et tu iras avec lui, n'est-ce pas ?

— Oh, c'est vrai… j'avais complètement oublié ! On va leur apporter du sel !

Elle rit tout haut. Elle va accompagner grand-père avec le sel ! Cette nuit, elle va réussir à chasser les méchants monstres. Elle va leur dire qu'elle n'est pas là, le leur dire avec une telle conviction qu'ils la croiront tout de suite.

L'oncle se tient soudain sur le pas de la porte. Le visage blanc, il tripote un bouton de chemise entre ses doigts. Dans l'autre main, il tient une torche.

— Qu'est-ce qu'il y a ? s'écrie grand-mère. Qu'est-ce qui est arrivé ?

146

On dirait que l'oncle va se mettre à pleurer. Lotte s'agrippe à l'anse de sa tasse. Il ressemble à un petit garçon.

— C'est les chatons. Ils sont morts. Je les ai trouvés dans une crevasse, entre deux grosses pierres, en bas, du côté de l'éboulis. La chatte est avec eux et les lèche sans arrêt. Ils ont déjà commencé à se décomposer.

— Qu'est-ce que tu dis ? Morts ?

— Ils ont été tués. Leurs gueules sont griffées de partout, autour de la tête aussi. Une bête… Ça doit être une bête…

— Le gros matou… le chat sauvage… le père…

— Tu crois ? s'étonne l'oncle.

— C'est le père qui a fait ça. Il est le seul animal à pouvoir se glisser à l'intérieur, il a dû venir quand elle s'est absentée pour boire du lait ici ou pour chasser des souris. Il les a peut-être tués avec l'intention de les manger, mais elle a dû revenir plus vite que prévu et le faire fuir…

— Il faut que je l'achève. Elle est en train de se décomposer, elle aussi.

— Oui, fais-le. J'ai trouvé qu'elle avait une drôle d'odeur, ce soir…

Le mur derrière elle est lisse et bleu. Les larmes font des taches sombres sur la table.

— Mais grand-mère… pourquoi est-ce que le père voulait les manger… oh, grand-mère… ne tue pas la chatte…

— Ma petite Lotte…

Grand-mère la prend par les épaules et la serre fort, mais ça n'aide pas, ça vient de l'intérieur.

L'oncle, toujours dans l'embrasure de la porte, hésite, puis il tourne brusquement les talons. Lotte l'entend monter l'escalier, elle entend une clé tourner dans la serrure du réduit où les fusils sont accrochés au mur. Elle les a vus, elle les a touchés. Ils sont froids et lourds. Ils tuent. Ils vont tirer sur la chatte.

— On n'a pas le choix, on est OBLIGÉS de la tuer... elle souffre... elle souffre terriblement... Quand une chatte perd ses petits de cette façon... elle devient complètement folle... Elle ne sera jamais plus comme avant, il faut me croire, Lotte.

— Oui, mais grand-mère... pourquoi est-ce que le père a voulu...

— Il ne SAIT PAS qu'il est le père. Quand il n'est pas tout le temps avec eux, il ne le sait pas, il l'oublie. Les chatons dégagent une odeur qui l'induit en erreur, tu comprends ? C'est un chat sauvage, un gros matou qui ne sait pas qu'il fait quelque chose de mal. Allez, il est temps de te laver.

— Il l'a OUBLIÉ, grand-mère ? Il a oublié qu'il est le père ?

— Oui, ce sont des choses qui arrivent, ma petite Lotte.

Grand-mère la tient toujours par les épaules tandis qu'elles se dirigent vers la salle de bains. Les carreaux sont sales, ils portent de grandes empreintes noires de bottes.

— Je ferais bien de faire le ménage, demain..., marmonne grand-mère en serrant Lotte très fort contre elle lorsque l'écho d'une détonation vient heurter la vitre bleu nuit.

Le tablier de grand-mère sent le hareng saur.

12

— Des tintements de cloches partout, par monts et par vaux, écoute le chant joyeux de ces carillons… oui, maintenant ça va être tout beau, hein, Lotte ?

Le balai frottait le sol à grands coups énergiques : la mère voulait que tout soit propre pour Noël. Elle avait enroulé une serpillière humide autour de la brosse du balai puis avait commencé par le sol bleu de la cuisine, y jetant quelque chose qui ressemblait à du lait. Elle en réimprégnait la serpillière à chaque fois qu'elle trouvait que le dernier passage laissait le sol trop mat. Sa mère suait, penchée en avant, donnant de grands coups de balai bien précis.

Lotte s'était assise sur la machine à laver tiède, remplie de vêtements qu'on faisait bouillir. La machine tremblait sous ses fesses, tel un animal apeuré. La couleur du sol devenait plus intense, plus forte, et la surface était si lisse qu'on ne pourrait plus courir dessus ; avec des chaussettes de laine aux pieds, on était sûr de déraper et de se faire mal.

— Tu es contente que ce soit bientôt Noël, Lotte ?

— Mmm.

— Eh bien, on ne le dirait pas, à la tête que tu fais !

Lotte sourit. Elle savait exactement l'expression qu'elle avait : elle s'était regardée dans la glace. Il lui suffisait de relever un peu le menton et de pencher un peu la tête sur le côté pour rendre son sourire encore plus large.

Ce Noël-là, son père allait manger la fameuse bouillie de riz, avec une amande cachée à l'intérieur, avec sa nouvelle femme et ses nouveaux enfants. Il glisserait l'amande dans un des bols des enfants sans qu'ils le voient, puis il irait chercher dans un placard le cochon en massepain traditionnel en criant que le Père Noël l'avait déposé là. « Ça alors ! dirait-il, moi qui me faisais une telle joie de l'avoir ! » Les enfants répondraient qu'il aurait le droit d'en avoir un morceau et ils casseraient la tête du cochon pour la lui donner, puis tout le monde rirait en trouvant que le cochon avait vraiment l'air stupide, sans tête. C'était sans aucun doute comme ça que ça se passerait. Quel placard ouvrirait-il pour trouver le petit cochon ? Elle essaya de s'imaginer les placards et les armoires de l'autre maison, mais elle n'arrivait à s'imaginer ni la cuisine ni les gens. Elle n'avait jamais vu la femme de son père en vrai, seulement en photo. Elle savait seulement que sa femme avait deux enfants qui habitaient à présent avec lui, dans la nouvelle maison qu'il venait de leur acheter et où elle était déjà allée deux fois.

La première chose qu'elle avait vue de sa nouvelle épouse, dans l'appartement où il avait d'abord emménagé, c'était une paire de chaussures, rangée dans l'entrée. Elle n'avait encore jamais vu d'aussi hauts talons. Mais quand elle les vit, son père ne lui avait pas encore parlé d'une amoureuse. Elle ne lui avait pas demandé à qui étaient ces chaussures. Elles étaient rouges.

Puis il avait acheté la nouvelle maison, et il était venu chercher Lotte, un vendredi. Ils étaient arrivés dans un grand jardin envahi de mauvaises herbes. Elle y avait vu de vieux arbres gris, avec des branches mortes qui partaient dans tous les sens et qui auraient dû être coupées si on ne voulait pas que les arbres meurent. C'était grand-père qui le lui avait dit.

La maison était haute et étroite, vert pâle, avec l'encadrement des portes et fenêtres blanc. Une balançoire avec un siège rouge inamovible était suspendue à un arbre. Un pinson sortit des fourrés. Lotte avait suivi son père et grimpé un petit perron. Devant la porte d'entrée, il y avait un paillasson bleu. Son père avait sorti un trousseau de clés de sa poche et ouvert ; il s'était essuyé les pieds plusieurs fois sur le paillasson, elle l'avait imité.

À l'intérieur de la maison, il y avait plein de choses qu'elle ne connaissait pas.

— On est en visite, ici, papa ?

— Non, c'est ici que j'habite. Nous… Monica et moi, on s'est installés ensemble.

— Monica ?

— On ne va pas se marier tout de suite, il faut d'abord que ta mère et moi… Oui, tu vois ce que je veux dire. Mais on s'est fiancés.

— Vous êtes mari et femme, alors ?

— Oui, on peut dire ça comme ça…

Il avait eu un petit rire, sans la regarder, et était entré dans la cuisine. Elle lui avait emboîté le pas.

— Est-ce que maman le sait ?

— Non, tu n'as qu'à le lui dire, toi.

Il rinça une cafetière sous le robinet ; c'était une cafetière qu'elle n'avait jamais vue avant, avec un couvercle jaune.

Il y avait plusieurs photographies aux murs. Lorsque son père lui montra le visage d'une femme qu'il appela Monica, elle constata que les chaussures allaient parfaitement avec ce visage. Elle avait vu d'autres chaussures traîner sous la table de la cuisine. L'une, couchée sur le côté, avait le bout usé et les talons abîmés.

— Ils sont où, maintenant ?

— Ils devaient aller voir quelqu'un, je crois. C'est aussi bien, comme ça on a un peu de temps pour nous, toi et moi. Tu les rencontreras un autre jour.

— Ils ne vont pas rentrer pendant que je suis là… aujourd'hui ?

— Non, je ne pense pas. Mais tu peux emprunter leurs jouets, si tu veux.

Elle avait remarqué une maison de poupée à trois étages dont la cuisine avait des murs de la même couleur que chez grand-mère.

— Tu es sûr que je peux jouer avec cette… maison de poupée ? Moi, je n'aurais laissé personne jouer avec, si j'en avais eu une comme ça…

— Joue avec, je te dis. Il n'y a pas de problème. Tu n'es pas du genre à tout casser, que je sache. Pendant ce temps, je vais dans mon bureau travailler un peu.

— Il est où, ton bureau ?

— Au premier étage, la porte est ouverte.

Elle y monta un peu plus tard. La pièce était pleine de choses et d'odeurs qu'elle connaissait bien. Les classeurs étaient alignés sur des étagères blanches, mais il y en avait beaucoup plus qu'avant, dont des jaunes qu'elle n'avait jamais vus. La chemise blanche de son père le serrait dans le dos, qu'il avait large ; il feuilletait des papiers et n'avait pas levé les yeux. Dans sa main gauche, il tenait sa pipe. Elle n'avait pas été allumée.

Lotte était redescendue et sortie dans le jardin. La branche avait un peu craqué quand elle avait commencé à se balancer, mais elle ne se casserait pas, car elle avait une couronne de feuillage vert tout au bout. Elle resta là jusqu'à ce que son père l'appelle pour lui donner un petit pain au lait ; il était gelé au milieu et avait un goût de farine. Elle le mangea en lui souriant.

Lorsqu'il était venu la chercher, quinze jours plus tard, il avait un pli amer autour de la bouche, et ne répondit pas quand elle lui dit « Bonjour, papa ». Elle savait que c'était parce que sa mère l'avait appelé. Il démarra avant même qu'elle ait fermé la portière, comme s'il aurait préféré ne pas la laisser monter. Elle rit en claquant la portière et observa son visage : il avait un sourire crispé et plissait les yeux pour regarder la route.

— Tu es fâché à cause de quelque chose ? demanda-t-elle au bout d'un petit moment.

— Oh, c'est encore ta mère… Elle fait tout pour me mettre des bâtons dans les roues, et que je ne sois plus ton père.

— Mais MOI, je veux que tu continues à être mon papa !

— Ça ne compte pas, quand ta mère se comporte comme si elle était complètement folle.

Lotte avait senti l'odeur des gaz d'échappement, l'air était lourd et étouffant à l'intérieur de la voiture. Les arbres, le long de la route, étaient maigres, chétifs et laids. Elle avait regardé ses cuisses, ses knickers rouges. Elle se sentit forcée de dire quelque chose, là, tout de suite, avant que sa ceinture de sécurité ne la serrât encore plus.

— T'as vu que j'ai mis ma tenue pour aller me promener, papa ? On va se balader, hein ?

— Non, je ne crois pas. On n'a pas le temps…

— Tu ne vas plus te promener ?

— Non. Pas aussi souvent.

— Ah bon. Est-ce que je pourrai encore jouer avec la maison de poupée, aujourd'hui ?

— Mais oui.

— Ils sont là, cette fois ?

— Non, ils sont en visite chez les parents de Monica. J'irai les chercher une fois que je t'aurai ramenée.

Il n'avait pas tourné la tête en lui parlant. C'est sûr, il devait se concentrer sur la conduite.

Ce jour-là, elle avait décidé que la maison de poupée serait une maison de Perlevik, et avait imité des sons de Perlevik en faisant parler les personnages, à l'intérieur. Elle avait regretté de ne pas avoir apporté sa Barbie, mais elle avait cru qu'ils allaient partir en promenade.

Lorsque Lotte le lui avait raconté, sa mère s'était mise à sangloter au beau milieu de la cuisine. Elle avait hoqueté, la bouche grande ouverte, les yeux écarquillés, mais aucune larme n'était sortie. Ses pleurs avaient été aussi aigus que des cris, puis elle avait lâché son tricot par terre et porté les mains à sa bouche en appuyant de toutes ses forces. Lotte avait plissé les yeux très fort, comme en plein soleil. Sa mère était alors devenue floue, ses hoquets avaient semblé venir d'ailleurs.

Elle y avait pensé pendant tout le trajet du retour : quelle voix allait-elle prendre pour l'annoncer à sa mère ? Quand son père l'avait déposée sur la route, en contrebas de l'immeuble, elle avait soudain éprouvé un besoin urgent d'aller aux toilettes pour faire caca. Lui sourire pour dire au revoir lui avait fait mal aux joues.

Elle était restée un moment devant la porte d'entrée, en se mordant la lèvre. Elle n'avait pu s'empêcher de repenser au cours de gym de la veille, lorsqu'ils avaient sauté au cheval d'arçon, avec un tremplin. L'engin, bien que descendu au maximum, lui avait paru énorme, colossal, marron comme un vrai cheval avec la tête baissée. Elle avait couru à toute vitesse vers la planche d'élan mais, au moment d'effectuer son saut, avait été soudain stoppée net par un mur invisible. Elle avait déjà posé les mains sur le revêtement frais en cuir, la maîtresse avait déjà saisi son bras gauche pour l'aider, quand elle se sentit complètement bloquée. Elle s'était écrasée, poitrine et menton en avant, contre le cheval d'arçon, et tout le monde s'était moqué d'elle...

Elle en arriva donc à mettre la main sur la poignée de la porte, l'ouvrir et lancer :

— MAMAN, MAMAN, tu sais quoi ?

À cet instant, sa mère traversait la cuisine, un tricot à la main. Elle s'était arrêtée en souriant :

— Non, qu'est-ce qu'il y a ?

— Est-ce que tu sais que papa a acheté toute une MAISON et qu'il s'est fiancé ? Si t'avais vu comme elle est belle, la maison... et il y avait une maison de poupée et j'ai eu le droit de jouer avec ! Elle s'appelle Monica !

Quand sa mère avait voulu aller chez Mme Sybersen, sa voisine de palier, Lotte s'était tenue en retrait. Sa mère s'était comportée si bizarrement, posant les mains sur les murs comme si ses jambes ne la portaient plus. Mme Sybersen était venue à leur rencontre et avait soutenu sa mère en passant un bras sous elle.

— Qu'y a-t-il, Bente, qu'est-ce que tu as ?

Aucune réponse.

— Lotte, qu'est-ce qu'elle a, ta maman ?

— Je ne sais pas, moi...

Elle était restée avec sa Barbie dans le salon sombre de la voisine. Dans la cuisine, sa mère avait pleuré à sa manière désormais habituelle, sans ces sanglots secs. Elle avait répété plusieurs fois quelque chose à propos de Monica, mais Lotte n'avait pu saisir quoi. Mme Sybersen était entrée dans le salon et avait allumé la lumière au plafond.

— Lotte, maintenant, il faut que tu me dises ce qu'elle a. Tu es allée en visite chez ton père ? chuchota-t-elle.

Son visage ressemblait à une pomme fripée, et elle portait un tablier du même genre que celui de grand-mère, qui se noue derrière la nuque.

Elle aurait voulu se blottir contre ce tablier, sentir l'odeur des pastilles au camphre dans la poche avant, sentir une main lui caresser les cheveux. Mais elle n'avait pas bougé.

— Eh bien, il s'est fiancé et s'est acheté une maison… je l'ai dit à maman… mais c'est papa qui m'a dit de le lui dire…

— Et celle avec qui il s'est fiancé s'appelle Monica ?

— Mmm.

Mme Sybersen était retournée dans la cuisine. Lotte avait essayé de pleurer, elle avait fait de son mieux, mais avec pour seul résultat de presque faire dans sa culotte. Elle avait pris soin de ne pas mentionner les chaussures rouges, sa mère n'en avait jamais eu des comme ça, d'ailleurs elle n'en aurait pas eu les moyens. Mme Sybersen avait parlé à voix basse :

— À quoi bon te mettre dans cet état, Bente ? Tu SAVAIS bien qu'il voyait une autre femme. Et maintenant, ils ont emménagé ensemble. Dis-moi, tu as vraiment cru qu'il REVIENDRAIT ? C'est ça ?

— Non, je ne veux pas de lui, elle peut se le garder !

— Mais alors, qu'est-ce qui te met dans cet état ?

— Toute une maison… Il peut s'offrir ÇA ! Alors que nous, on est là à se serrer la ceinture !

— C'est peut-être ELLE qui a l'argent. Qu'est-ce que tu en sais ?

— Elle ?

— Oui. Tiens, est-ce qu'elle a des enfants ?

— Non… enfin… je ne sais pas. Non, je ne sais pas. Ce serait vraiment un comble si Leif devait prendre aussi en charge les enfants d'une autre, maintenant !

La mère avait ri, mais d'un rire bref et dur. Puis elle avait crié :

— Lotte ! Est-ce qu'elle a des gosses ?

— … Oui… deux…

— Oh mon Dieu !

Elle s'était remise à pleurer. De là où elle était, Lotte n'avait pu voir la table de la cuisine, mais elle avait deviné que sa mère avait relevé le bas de sa robe pour s'en servir comme d'un mouchoir. Mme Sybersen avait entrechoqué les tasses et soupiré plusieurs fois. L'oiseau dans sa cage avait répété :

— *Pito gentil garçon, Pito gentil garçon, Pito gentil garçon…*

— Oui, t'es un gentil garçon, Pepito, mais on t'a assez entendu, alors tais-toi, sinon je vais être obligée de te mettre ta couverture, avait dit la voisine.

Lotte avait crié en direction de la cuisine :

— Mais ils n'étaient pas là ! Je ne les ai pas rencontrés !

Les pleurs avaient continué de plus belle.

— Mais ils n'étaient PAS LÀ, maman, je ne les ai PAS rencontrés !

Un silence s'était enfin fait. Lotte avait tendu l'oreille, bouche ouverte. Sa Barbie souriait, les bras en avant, sa peau était froide ; sans doute était-elle en plastique même à l'intérieur.

— Je vais lui téléphoner, avait-elle entendu sa mère chuchoter.

— Pour quoi faire ? avait demandé Mme Sybersen.

La voix de la mère avait monté d'un cran pour crier :

— Il ne faut pas qu'il s'imagine qu'il aura MON enfant en visite en même temps que cette femme-là et ses mômes ! Je n'ai pas l'intention de laisser mon enfant se faire commander par cette espèce de bonne femme que je ne connais pas ! Ah, il se met le doigt dans l'œil s'il CROIT que je vais me laisser faire !

— Oui, mais Bente…

— J'appelle.

La mère était entrée dans le salon et s'était arrêtée devant Lotte.

— Va un peu dans la cuisine, Lotte.

Elle dit cela sur le ton d'une corde qu'on aurait serrée autour des mots.

Sa mère avait composé un numéro, un court. Mme Sybersen faisait du bruit dans l'évier, mais Lotte avait quand même pu entendre chaque syllabe.

— Pourrais-je avoir le numéro de Leif Sinnstad… Sinnstad avec deux « n »… Il vient de déménager, je n'ai pas l'adresse, mais il n'y a que lui avec ce nom-là, dans cette ville… Oui, merci… Oui… Oui… Et cinq zéro. Merci beaucoup.

Lotte peignait les cheveux de sa Barbie avec les doigts ; ils sortaient des petits trous qu'il y avait dans sa tête et tombaient en mèches brillantes. Sa mère avait composé le numéro puis avait dit, après un bref silence :

— Leif… ? N-non ? Pourrais-je parler à Leif Sinnstad ? C'est sa femme.

La voix de la mère monta dans les aigus. Le ventre de Lotte s'était contracté en une boule compacte prête à exploser ; elle avait courbé la nuque et fermé très fort les yeux, ce qui avait provoqué une chaleur incroyable à l'intérieur de son nez.

— Leif ? Qu'est-ce que j'apprends ? Tu es venu chercher ta fille et tu l'as emmenée ailleurs sans me prévenir ? Tu te mets le doigt dans l'œil si tu crois qu'ELLE va faire partie de ta nouvelle famille ! Tu n'as qu'à te débrouiller avec les deux autres que tu t'es procurés autrement ! Maintenant que tu as une nouvelle bonne femme et des gosses, t'as intérêt à laisser Lotte tranquille ! Je t'aurai PRÉVENU !

Mme Sybersen était entrée dans le salon, s'était placée derrière la jeune femme et lui avait caressé l'épaule en murmurant :

— Allez, Bente, calme-toi, ça ne sert à rien de lui crier dessus…

Sa mère avait secoué les épaules, repoussé la main de la voisine et continué sur sa lancée :

— Qu'est-ce que tu as dit ? Ah bon ? TON enfant aussi ? Je te rappelle que tu as quitté la maison en l'abandonnant, et que tu t'en es trouvé deux nouveaux. Quoi ? Je n'en ai rien à foutre que leur père soit mort, tu n'as pas à être responsable d'eux. Mais tu as choisi. Oui, tu as fait ton choix, Leif Sinnstad, et tu t'es installé avec une nouvelle famille. Comment tu vas faire pour sortir le soir voir tes potes, hein ? Quoi ? Non, je ne veux pas. Je ne veux pas qu'on se voie pour en discuter. Non ! Je ne me calmerai pas, non. Tu ne perds rien pour attendre… Qu'est-ce que t'as dit ?

La mère avait écouté un instant avant de se remettre à sangloter. Le pull de Lotte était mouillé, devant… Mme Sybersen lui avait caressé les cheveux et chuchoté :

— Je crois que tu ferais mieux de rentrer à la maison, Lotte. Je vais finir par calmer ta maman…

Lotte avait fait non de la tête. Il fallait encore qu'elle fasse caca. Elle aurait préféré aller dans des toilettes à l'extérieur, avec du soleil filtrant à travers les planches. Sa Barbie avait les cheveux mouillés.

— Ah, tu le prends sur ce ton ! Tu crois que tu peux nous couper les vivres ? Tu es obligé de payer une pension alimentaire… Qui t'a dit ça ? Tu as parlé à l'avocat ? Je te rappelle qu'il est aussi MON avocat, au cas où tu l'aurais oublié. Alors, comme ça, il aurait pris ton parti… contre moi ? Tous les quinze jours ? Oh mon Dieu, comment c'est possible… qu'est-ce que tu dis ?… Il faut bien, puisque je n'ai pas le choix. Mais elle ne restera pas pour la nuit. Jamais de la vie je ne la laisserai passer la nuit là-bas ! T'as compris ? Oui, au revoir…

Lotte s'était précipitée dans les toilettes de Mme Sybersen. Il y avait un tapis rose, par terre. Une poupée de femme avec des fleurs dans les cheveux tenait un rouleau de papier toilette dans les replis de sa robe. *Tous les quinze jours*. Les vêtements de Barbie aussi étaient mouillés. Lotte avait arraché un bout de papier toilette et essuyé soigneusement le visage de sa poupée.

— Tu es bête, Barbie, faut pas pleurer comme ça… C'est pas la peine… On pourra y aller tous les quinze jours, toutes les deux. Voilà, ne pleure plus, c'est fini… Tu es toute belle, maintenant…

Le sol étant presque terminé, sa mère mit le psaume traditionnel de Noël « Douce est la terre ». On n'avait pas besoin de bouillie de riz avec une amande à l'intérieur, et sa mère n'aimait pas le massepain. Mme Sybersen passerait le réveillon de Noël avec elles, tout serait différent.

— Et Pepito, maman ? Il va rester tout seul, le soir de Noël ?

— Pepito ? Tu as de drôles de pensées, Lotte. Pepito… Oh, il peut venir chez nous, dans sa cage… à condition qu'il ne fasse pas trop de bruit.

— Il ne fait pas de BRUIT, maman. Il parle. Il sait PARLER !

— Mais oui… Bon, j'ai fait briller par terre, encore un dernier coup et puis on passera prendre le café chez Ingrid. Qu'est-ce que tu en dis ? Et saute dans mes bras pour que je te porte, on ne peut pas encore marcher sur le sol !

Lotte se leva et resta à côté de la machine à laver. La cuisine était bizarre, vue d'en haut. Sa mère lui tendit les bras depuis le seuil de la porte. Entre elles, le sol était comme une mer bleue.

— Tu me rattrapes, maman ?

— Bien sûr, vas-y, saute !

— Je n'ose pas, maman… Tu me rattrapes, c'est sûr ?

— OUI, je t'ai dit… SAUTE, maintenant !

Au moment de se jeter dans le vide, elle eut le souffle court et ferma les yeux. Son ventre faisait des gargouillis. Les bras de sa mère se refermèrent sur elle, chauds et en sueur. L'instant d'après, elle se tenait en sécurité sur le sol en damier de l'entrée.

Sa mère avait fait passer une annonce dans le journal, mais comme elles n'avaient plus le téléphone et ne recevaient plus le quotidien livré devant la porte, tout devait se faire par l'intermédiaire de Mme Sybersen. Le journal était ouvert sur la table, à la page de l'annonce ; la voisine avait préparé des gaufres et du café, déplacé le téléphone dans la cuisine. Le fil courait depuis l'entrée. « Après 12 heures », spécifiait l'annonce, pour que les deux femmes aient le temps de faire le nécessaire avant que les premiers appels n'arrivent.

— Si j'avais eu les moyens, je les aurais achetés pour moi, dit Mme Sybersen. Ils sont si beaux, je ne comprends pas que tu veuilles les vendre. Tu verras que tu le regretteras un jour…

— Tant pis, j'ai trop besoin d'argent. Je ne me sers plus jamais de ces verres en cristal, et quelques couronnes en plus seront les bienvenues pour Noël. Lotte a besoin de nouveaux vêtements, il faut bien que j'achète du tissu pour les coudre, et les côtes de porc pour le repas de Noël ne sont pas gratuites… Personne n'a encore appelé ? Oh ! J'ai hâte de savoir combien je peux en tirer ! Je suis si contente d'avoir eu l'idée de les vendre ! Je trouve qu'il faut que je m'en sorte SEULE, maintenant.

— Calme-toi, Bente. Tu n'en tireras pas tant que ça…

— Ce n'est pas ça, mais je suis fière d'avoir eu l'idée de pouvoir moi-même gagner de l'argent. Ça me redonne un peu confiance en moi… Peut-être que je pourrais me chercher un travail, car les allocations ne suffisent pas vraiment. Pas pour Noël, en tout cas. Mais j'ai ce problème de confiance en moi, après toutes ces années passées à la maison…

— Toi qui sais tant de choses ? Quand je pense que tu parles anglais couramment… Au fait, comment l'as-tu appris ?

— Oh, à l'école… Et puis j'ai eu une amie, quand j'étais petite, qui était anglaise. Mais je ne parle pas couramment, non. Il n'y a que toi qui croies ça !

— Mais tu as le don des langues, ça c'est sûr. C'est comme ça que ça s'appelle. Et puis tu lis, toi. Moi, je ne lis que des magazines… et les gros titres des journaux.

— Je ne lis plus tant que ça, maintenant… c'était avant, tout ça. Et ce n'est pas lire qui me donnera du travail. Je me vois déjà à l'entretien, au bureau pour l'emploi, leur dire que je LIS beaucoup quand ils me demanderont ce que je sais faire. Je les entends déjà rire d'ici.

— Mais tu pourrais gagner ta vie avec la couture, Bente. Je ne connais personne qui couse aussi bien que toi, et tu es si douée pour les couleurs, tu sais toujours ce qui va ensemble ! Le vert et le bleu, par exemple. Je n'aurais jamais cru que ça ferait joli ensemble, mais quand je vois le fauteuil que tu as retapissé l'année dernière… il est devenu magnifique ! Je suis sûre que tu pourrais trouver un travail dans ce genre-là, Bente.

— Oh non… je ne sais pas… je ne me sens pas encore prête pour chercher du travail. Non, je crois que ce serait trop brutal pour Lotte, si moi et Leif on disparaissait en même temps, d'une certaine manière. Mais cet été, peut-être…

— Tu pourrais prendre des commandes et les faire à la maison.

— Oui, peut-être… Oh, mais pourquoi personne n'appelle ! Il est déjà midi cinq !

Mme Sybersen beurra pour Lotte des gaufres en forme de cœur. Le beurre tombait dans les trous avant que n'arrive la couche de confiture de fraises. Lotte suivit les mains qui tartinaient et arrangeaient tout, des mains aux doigts épais et boudinés, avec des marques brunes qui ressemblaient à de grosses taches de rousseur. À l'annulaire droit, une fine alliance en or s'enfonçait dans la peau.

— Comment vous faites pour enlever votre bague ? demanda Lotte.

— Ma bague ? Comment je fais pour l'enlever ? Mais je ne l'enlève jamais, voyons ! C'est mon alliance !

Mme Sybersen rit. Lotte aussi, avant de dire :

— Si papa était mort, au lieu de s'en aller, vous n'auriez pas eu besoin de divorcer. Vous auriez été mariés pour toujours.

Il y eut un silence. Les mains de Mme Sybersen cessèrent d'étaler la confiture.

— Qu'est-ce que tu dis, Lotte ? chuchota la mère.

— Je ne sais pas, je me disais seulement que…

— Ne dis jamais des choses pareilles ! Oh mon Dieu, c'est à se demander d'où tu sors ce genre d'idées. Est-ce que t'as pensé à ce que ressent Mme Sybersen quand elle entend ça ?

— Je ne pensais pas à mal, ça m'est juste venu comme ça.

— N'en parlons plus, fit Mme Sybersen en tendant à Lotte l'assiette avec les gaufres.

Peu après, le téléphone sonna.

Le soir même, un homme inconnu vint chercher les verres dans une grande caisse. Il y eut un bruit de billets froissés quand il serra la main de sa mère. Le lendemain, elle alla en ville, les joues rouges, en balançant son sac à main. Huchée sur un escabeau, devant la fenêtre, Lotte la regarda devenir aussi petite que sa Barbie, son manteau flottant au vent. Elle ne se retourna pas pour lui faire signe. Lotte sentit monter ses larmes alors qu'elle agitait frénétiquement la main, au cas où sa mère se retournerait quand même. Elle s'assit avec quelques numéros de Donald pour l'attendre. À la fin, elle en avait lu sept, était allée aux toilettes et fait pipi deux fois, avait pris quelques raisins secs dans le placard, dessiné un gros monsieur avec un nez rouge et changé les vêtements de sa Barbie. Elle monta de nouveau sur l'escabeau. Au moment où elle allait renoncer à attendre et en redescendre, elle entendit passer le bus. Sa mère surgit au loin, plusieurs sacs dans chaque main. On aurait dit un petit animal à quatre pattes.

Les sacs recelaient un tissu bleu pour pantalon extensible et un modèle pour pantalon à tricoter ; un chemisier à pois rouge vif dont sa mère dit qu'il était meilleur marché que si elle l'avait cousu elle-même ; des viennoiseries, des dattes, des amandes, du chocolat, des figues et des noix. Et il y avait encore d'autres sacs, tout lisses, avec la facture au fond. Lotte sautilla de joie et chanta la chanson de la petite souris avec une voix si aiguë que cela fit rire sa mère.

— Oui, ce sera un beau Noël pour nous aussi, Lotte, tu verras !

Lotte arrêta de sauter et de chanter.

— Tu as trouvé que j'étais partie longtemps ? Mais ça va tellement plus vite quand j'y vais seule, et puis je vais te coudre un beau pantalon, personne ne verra qu'il n'a pas été acheté tout fait.

Toujours debout sur l'escabeau, Lotte se regarda dans le miroir, avec les boucles de sa mère lui tombant sur les épaules ; son visage semblait de travers dans la glace. Le chemisier lui allait parfaitement, les pois dansaient quand elle tournait sur elle-même. Sa mère alla chercher Mme Sybersen pour lui montrer ses achats ; il y avait même des décorations de Noël.

— Je dois dire que tu en as eu beaucoup pour cet argent, Bente.

Dans le placard des verres en cristal se trouvaient à présent des nappes et des vases. Dans l'après-midi, sa mère alla acheter des côtes de porc au magasin. Mais le soir, après s'être couchée, Lotte entendit des pleurs étouffés dans le salon. L'obscurité lui tenait chaud, elle s'enfonça dans le lit, enfouit son nez dans la housse de couette et contracta son visage pour le réduire à un petit point, en se bouchant fort les oreilles. Elle essaya de penser au tissu bleu pour son pantalon et d'imaginer sa mère assise devant sa machine à coudre, avec des épingles dans la bouche.

Cette nuit-là, les monstres vinrent tôt ; ils montrèrent les crocs et poussèrent des grognements qui venaient du plus profond de leur ventre avant de se mettre à se lécher les pattes, lentement, avec soin, les yeux fermés. Ils n'arrêtaient pas de se lécher, bâillant de temps à autre en dévoilant leurs palais roses pleins de rainures. Leurs queues se balançaient sur le sol d'un côté à l'autre, sans faire de bruit. Elle leur chuchota plusieurs fois qu'elle n'était pas là, qu'ils s'étaient trompés de chambre, qu'ici c'était en fait un bureau, mais les créatures continuèrent à se lécher, n'en finissaient pas, et les pleurs de la mère venant du salon se mêlaient aux bruits des monstres.

Il arriva un paquet de sa grand-mère, avec le nom de Lotte écrit dessus.

— Va chercher les ciseaux et ouvre-le, dit sa mère en se tournant vers la table de la cuisine.

Elle rassembla les tasses sales et commença la vaisselle.

Le papier, marron et épais, était usé aux coins après son voyage en avion, en bateau, peut-être en bus aussi, pour faire le long trajet de Perlevik jusqu'ici. Le paquet était chaud dans ses mains. Elle vit sa grand-mère attablée dans la cuisine en train d'empaqueter son cadeau, son visage se reflétant dans la cuisinière rutilante alors que, penchée en avant, les coudes sur la table, elle chaussait ses lunettes et inscrivait de sa plus belle écriture : « Destination : Trondheim ».

— Je n'ai qu'à l'ouvrir dans ma chambre, comme ça tu pourras cacher les cadeaux après, proposa Lotte.

Sa mère ne répondit pas, elle faisait du bruit en passant des verres et des assiettes sous le jet d'eau brûlante. Lotte referma la porte du bureau derrière elle, soupesa le paquet lourd et doux dans sa main, prit une profonde inspiration mais eut le souffle court quand même. Elle prit ses ciseaux à bout rond et mit du temps avant de réussir à couper la ficelle.

Des parfums d'été lui sautèrent au visage quand le papier s'ouvrit, dévoilant, sur le dessus, une paire de chaussettes. Elle s'assit par terre et posa le paquet entre ses jambes. Les chaussettes étaient rouges, la couleur se voyait bien malgré les larmes qui lui obscurcissaient la vue. Avec délicatesse, elle les porta à son visage, ressentit la chaleur de la laine, son odeur qui changeait quand elle était mouillée.

Dans la cuisine, des tasses s'entrechoquèrent. Elle s'immobilisa jusqu'à ce qu'elle eût entendu la porte d'un placard se refermer avec un bruit sec : cela signifiait que sa mère avait terminé la vaisselle et reposait le savon et la brosse dans le placard, sous l'évier. Lotte lâcha les chaussettes, s'essuya vite les yeux, les frottant avec ses paumes, et battit des cils. Ayant senti quelque chose de raide dans une des chaussettes, elle fourra la main à l'intérieur, jusqu'au gros orteil. C'était un billet de cinquante couronnes. Elle lut les étiquettes :

Pour ma petite-fille. De la part de grand-mère.

Pour notre petite Lotte. De la part de grand-mère, grand-père et de l'oncle.

Pour ma camarade de jeu ! De la part de Betsi et du père Noël.

Elle prit les cartes entre ses doigts. La cuisine était silencieuse. L'année dernière, sa mère avait eu un pull jacquard tricoté par grand-mère ainsi qu'une écharpe et des gants avec un même motif et des couleurs assorties. Le billet de cinquante couronnes devint doux dans la main. Elle souleva la lettre posée sous les paquets et la lut. Grand-père avait été enrhumé, écrivait sa grand-mère de sa belle écriture fine. C'était une longue lettre, mais elle n'avait pas tant de mots que ça, au fond. Elle disait que, avec cet argent, Lotte devait s'acheter des oranges et du chocolat, et économiser le reste. Grand-mère n'avait rien écrit d'autre. Lotte replia la lettre pour en faire un petit carré qu'elle glissa parmi les habits de sa poupée, fourra le billet de cinquante couronnes dans sa poche et prit les paquets. Pour finir, elle saisit les chaussettes : elles étaient humides. Elle lâcha les paquets et se mit à frotter les chaussettes contre la cuisse de son pantalon. Ça ne servait à rien, ça ne les rendait pas plus sèches. Elle les pressa contre le radiateur, appuyant fort. L'odeur de la laine mouillée se répandit dans la pièce, et tout d'un coup, elle crut voir le fourneau rutilant avec les moufles de grand-père dessus. Par la fenêtre, au-dessus du radiateur, elle vit le ciel blanc. Un oiseau noir traversa soudain ce carré pâle, traçant une diagonale délimitant deux triangles. Elle se passa la langue sur les lèvres et renifla.

C'est alors que la porte derrière elle s'ouvrit.

— Qu'est-ce que tu fais, Lotte ?

— J'ai éternué dessus, alors elles sont un peu mouillées, déclara-t-elle en se retournant vers sa mère avec un sourire. Tu vois tous les paquets ? Il faut que tu les caches. Mais ne me demande pas la lettre, c'est un secret !

Impossible de voir si sa mère souriait aussi, car elle se pencha pour ramasser les paquets et déplacer un peu le sac avec les affaires de Barbie. En tout cas, elle ne souriait pas quand elle se redressa.

— Elles sont sèches, maintenant. Mais tu n'as pas besoin de les cacher, je sais que ce sont des chaussettes ! dit Lotte en riant.

Son rire résonna comme un écho entre les murs, et les traces laissées par les classeurs de son père devinrent plus sombres le long de l'étagère.

— Un secret ? demanda sa mère.

— Mmm. Mais maintenant, tu ne dois plus me poser de questions. N'oublie pas que c'est bientôt Noël !

Ça sentait le chou rouge dans toute la cage d'escalier. Tous les pères remontaient des sapins des caves et les sortaient devant la maison, dans la neige, pour tailler le tronc en pointe et fixer un pied au bout. On était la veille du réveillon de Noël. Sa mère soupirait en donnant des coups de hache :

— J'ai les doigts complètement gelés…

Elle avait coincé l'arbre sous son bras. Tous les enfants du voisinage l'observaient. Lotte ne leur parlait pas, elle restait près de sa mère, mâchouillant la bride en haut de son duffel-coat.

Le père de Nina lui avait proposé de l'aider, mais sa mère avait décliné son offre en riant. C'est lui qui préparait chaque année l'arbre de Mme Sybersen, mais cette fois-ci, la mère de Lotte voulait s'occuper des deux arbres. Elle l'avait décidé la veille, après une soirée assez arrosée chez sa voisine, qui avait reçu une demi-bouteille de liqueur d'un « admirateur inconnu ». Aucune d'elles n'avait voulu révéler à Lotte ce qu'était un admirateur inconnu.

De la fenêtre de sa chambre à coucher, Mme Sybersen observait la scène. La mère de Lotte lui fit un signe de la main, avec un sourire qui disparut dès qu'elle se pencha à nouveau. Puis elle fixa le pied vert en fer autour du tronc et serra les vis. Lotte trépignait, la neige crissait. Elle renversa la tête pour regarder la voie lactée qui se détachait dans le ciel bleu nuit. Quand elle en aurait compté toutes les étoiles, l'arbre de Noël serait là, tout droit, tel qu'il devait être. Son père avait toujours fait ça en moins de deux.

Sept étoiles, toute la voie lactée. L'arbre était de travers. Et puis il bascula. Sa mère le rattrapa d'une main rougie par le froid et se tourna vers le père de Nina.

— Je crois que j'ai quand même besoin de votre aide, avoua-t-elle.

Lotte courut vers la porte de l'immeuble et monta l'escalier.

— Il faut que j'aille aux toilettes, lança-t-elle avant que la porte se referme.

L'étoile avait la forme d'un cristal de glace : des tresses épaisses de paillettes entrelacées. Lotte voyait bien que cette décoration était belle ; elle était lourde, toute neuve et brillait de mille feux dans le creux de sa main.

— Pourquoi tu as acheté une nouvelle étoile, maman ?

— Parce que je l'ai trouvée très jolie.

— Oui, mais où est l'ancienne ? Celle que papa avait réparée…

— Je l'ai jetée.

— Mais pourquoi ?

— Tu l'as dit toi-même. Elle était vieille et abîmée, elle avait été réparée plusieurs fois. J'avais envie d'avoir une vraie étoile, pour notre premier Noël à toutes les deux.

L'enfant serra les douces tresses. Si elle serrait un peu plus fort, elle les casserait. Sa mère accrocha des cœurs en papier sur les grosses branches du sapin. La guirlande lumineuse était déjà posée, mais pas encore allumée.

— On l'allumera une fois qu'on aura fini de décorer le sapin… sinon c'est de la triche ! s'était écriée sa mère après avoir réussi à démêler les fils et à fixer toutes les lampes à peu près droit.

Ils avaient acheté la guirlande lumineuse l'année précédente, et sa mère avait alors regardé son père la placer sur l'arbre. L'année d'encore avant, ils avaient eu de vraies bougies, mais elles coulaient sur les décorations, et il fallait les surveiller en permanence. On devait les éteindre dès qu'on sortait un instant de la pièce. Ces bougies électriques, au contraire, on pouvait les allumer le matin au réveil et les laisser allumées toute la journée. Leur lumière était blanche, et non dorée comme celle des vraies bougies.

Lotte ne participa pas à la décoration de l'arbre, et sa mère fit semblant de ne rien remarquer. Elle sortit de la boîte des guirlandes en papier. Les nouveaux lutins qu'elle avait achetés avec l'argent des verres en cristal étaient déjà accrochés, assis sur de petites luges jaunes, avec leur sourire édenté. Mais Lotte n'avait jusqu'alors pas fait attention à l'étoile, n'avait regardé dans aucun des sacs que sa mère avait rapportés de la ville.

— Mais pourquoi tu l'as jetée, dis ? On aurait pu la garder.

— Arrête de penser à cette vieille étoile. Regarde… Maintenant, je vais accrocher la nouvelle, passe-la-moi…

Sa mère n'eut pas besoin de se mettre sur la pointe des pieds, l'arbre n'était pas si haut que ça. Elle enroula le fil métallique autour du sommet.

— Et voilà ! À présent, tu peux allumer les bougies.

Tout brillait. Un cœur rouge se balançait doucement. Un lutin riait et une boule verte renvoyait son reflet déformé. Sa mère s'accroupit à côté de Lotte et lui caressa la joue avant de s'arrêter net :

— Mais qu'est-ce que tu as, Lotte ? Tu pleures ?

— Moi ? Non, pas du tout.

— Mais si, tu pleures, tu as les joues toutes mouillées.

— Non… j'ai eu une poussière dans la gorge. Tu ne m'as pas entendue tousser, tout à l'heure ?

— Non, je n'ai rien entendu… Bon, si tu le dis.

— Dis, maman… pourquoi tu n'aimes pas le massepain ?

— Le massepain ? Pourquoi tu me demandes ça ? Je trouve que c'est trop sucré, et en plus c'est si compact que ça me racle la gorge… Mais pourquoi tu me poses cette question ?

— Je ne sais pas…

Sa mère mit ses mains sur ses genoux et se releva. Elle sentait la sueur.

— Qu'est-ce que tu dirais d'un bon chocolat chaud ? Ça va nous faire du bien, Lotte. Tu verras, on va passer un bon Noël. Allez, viens m'aider ! Oh, mon Dieu, le chou rouge ! Je l'avais complètement oublié. Il doit tomber en morceaux tellement il est cuit.

La nuit de Noël, lui avait raconté son père, les lutins se promenaient dehors. Ils regardaient à travers toutes les vitres pour voir si les gens s'étaient souvenus de leur laisser de la nourriture pour la fête. Lotte écouta le vent malmener les grands arbres le long de la route principale. Les rideaux battaient devant la fenêtre ouverte, le store n'était pas encore baissé. Les arbres rendaient un son profond et mélodieux, elle imagina le vent chasser les petits lutins qui couraient le long des maisons. Elle n'osait pas jeter de coup d'œil dehors, mais elle les entendait : de petits pas feutrés sur la neige, des murmures et des chuchotements venant de voix chevrotantes de vieillards. Sa mère chantonnait dans le salon. Pour une fois, il n'y avait aucun bruit dans les coins de la pièce, tout était sombre et silencieux. Les lutins avaient dû leur faire peur.

Le billet de cinquante couronnes était replié à l'intérieur de sa moufle. Les fleurs, présentées en bouquets, étaient dans des seaux posés par terre. Les couleurs évoquaient l'été et la chaleur alors que, derrière les vitrines de la boutique, la lumière bleu-gris de décembre jetait un éclairage blafard sur les congères sales et sur les gros flocons qui tombaient dru. De la vapeur montait des manteaux des femmes, mouillés aux épaules par la neige, et des parapluies qui gouttaient ; ça sentait la laine, la rose et le papier imprimé, à cause de tous les journaux étalés au sol et sur le comptoir. Ceux qui sortaient lançaient un « Joyeux Noël ! » et tous ceux qui entraient connaissaient forcément quelqu'un parmi les clients déjà là. On parlait alors du temps qu'il faisait, c'était vraiment pas de chance qu'on ait ce temps pourri pour le réveillon, et chacun de dire combien les préparatifs de Noël étaient épuisants.

Les deux vendeuses avaient les joues rouges et les mains noires. Lotte sortit son billet de cinquante, enleva un peu de laine qui était venue avec, et le déplia lentement. Enfin une voix descendit jusqu'à elle :

— Et toi, qu'est-ce que tu veux ?

— J'ai cinquante couronnes, chuchota-t-elle.

— Cinquante ? Oh, c'est beaucoup trop... Tu veux des roses ? Des œillets ? Ou peut-être une composition ?

— Une composition...

— Oui, je mets ensemble différentes plantes, puis je décore avec un ruban et un lutin... ça fait très joli... ça coûte vingt-cinq couronnes.

— J'ai cinquante, je...

— Et tu veux tout dépenser ? dit la vendeuse en riant. Dans ce cas, tu peux acheter un joli récipient en porcelaine, tu sais... et je pourrai planter la composition dedans. Regarde ! Ce blanc, là, il coûte vingt-huit, mais tu peux avoir le tout pour cinquante. Tu veux ça ?

— Oui.

Cela devint une petite forêt, une jungle. La dame fit un joli nœud rouge, ficha un fil tordu en arc au milieu – on aurait dit une épingle à cheveux géante – et l'enfonça dans la terre, aux coins du pot, sous les feuilles. Un petit lutin trouva sa place à côté. Le tout fut enveloppé dans plusieurs couches de papier journal avant d'être recouvert d'un papier blanc fixé en haut par une ficelle.

Enfin, Lotte put le prendre dans ses bras et sortir en courant.

— Joyeux Noël ! cria-t-elle.

Le paquet était lourd et l'empêchait de voir ses pieds. Elle dut avancer doucement, en faisant bien attention, la tête penchée sur le côté et le regard oblique. Des bourrasques de flocons venaient de face. Le papier fut trempé.

— Regarde, maman ! C'est pour TOI ! De grand-mère !

Sa mère, dans le salon, fixait quelque chose sur le sapin. Lotte courut jusqu'à elle sans même prendre la peine d'enlever ses bottines.

— Pour moi ? Ça alors…

Lotte resta les mains croisées dans le dos tandis que sa mère allait chercher des ciseaux pour défaire le paquet. Son duffel-coat était trempé, mais elle suivit les mains de sa mère qui arrachaient d'un geste nerveux les couches de papier mouillé. De la neige fondue gouttait de son bonnet et de sa frange jusque dans ses yeux ; elle se passa la langue autour de la bouche, ça avait un goût de sel. Enfin, les plantes apparurent, dans une féerie de rouge et de vert.

— T'as vu comme c'est joli, maman ? Ça s'appelle une composition. Tu ne trouves pas qu'elle est gentille, grand-mère ?

Sa mère ne répondit rien, mais continua à sourire. Elle souleva le récipient du papier du dessous, déplaça quelques lutins pour faire de la place et posa la composition florale sur la table du salon.

— Magnifique, finit-elle par dire. Je vais la laisser trôner au milieu de la table. C'est vraiment splendide, et quel beau récipient, merci beaucoup, Lotte, t'es une gentille petite fille, toi…

— Mais ce n'est pas de moi !

— Magnifique… Maintenant, va enlever ton manteau et tes bottines dans l'entrée. Tu es trempée. Tu as faim ?

Quelques heures plus tard, alors qu'elle allait mettre à sa Barbie de beaux vêtements pour le réveillon, elle remarqua que la lettre de grand-mère était repliée différemment. Elle entendit sa mère s'affairer dans la cuisine avec des casseroles, l'odeur du chou rouge était intense. Ce soir, sa poupée allait porter la robe jaune. Au départ, elle avait pensé à la rouge, avec un ruban doré dans les cheveux, mais finalement, non, ce serait la jaune.

— C'est moi qui décide ce que tu vas porter pour le réveillon de Noël. C'est une belle robe, ça ne sert à rien de protester ! Maintenant, veux-tu bien rester tranquille pendant que je t'habille.

La porte d'entrée s'ouvrit.

— Coucou, je me permets d'entrer ! Il y a un coup de téléphone pour Lotte ! De sa grand-mère !

Mme Sybersen se tenait dans l'entrée, porteuse d'un gâteau à la noisette.

— Vas-y, Lotte, j'ai laissé le combiné sur la table. Moi, je vais parler un peu avec ta maman.

— Comment tu vas, ma petite chérie ?

— Je vais très bien ! Et maintenant c'est Noël, il se passe plein de choses, et j'ai tellement hâte de savoir ce qu'il y a dans tous les cadeaux !

— Oui, tu me manques, ma petite Lotte… Tu te rends compte, si tu pouvais habiter ici un hiver, quand tu seras plus grande ? dit sa grand-mère d'une voix rendue frêle par le grésillement sur la ligne.

— Oh oui ! Je peux demander à maman !

— Oui, mais pas aujourd'hui. On en reparlera plus tard. Tu as trouvé l'argent ?

— Mmm…

— Qu'est-ce que tu t'es acheté ?

— Du chocolat et des oranges, et le reste dans ma tirelire. Merci beaucoup, grand-mère !

— Eh bien, passe un bon Noël, mon trésor…

— Est-ce que tu as… sorti ma tasse ?

— Oh oui, tu peux me croire. Je viens de la laver. Je l'ai dans la cuisine. Et tu as le bonjour de grand-père et de ton oncle.

— Et toi, tu as le bonjour de maman…

— Allez, porte-toi bien, ma petite Lotte. J'espère que tu passeras un bon réveillon.

Le salon de Mme Sybersen devint sombre et silencieux. Son arbre n'était pas allumé. De l'eau s'égouttait des stalactites le long de la gouttière et tombait sur les embrasures des fenêtres. Lotte ferma les yeux et vit sa tasse avec le personnage de Smørbukk ; le cochon gras tiré au bout de la corde, les deux doigts de grand-mère qui prenait un morceau de sucre, le trempait à moitié dans le café pour faire un « canard » ; elle vit grand-mère prendre le sucre dans sa bouche avant de porter la tasse à ses lèvres.

Elle se frotta fort les yeux, les cligna plusieurs fois. Puis elle retourna chez elle en courant.

— Maman ! Grand-mère m'a dit de te souhaiter un joyeux Noël !

Sa mère et Mme Sybersen se tenaient devant la composition florale ; sa mère tournait légèrement le récipient tout en maintenant la nappe en dessous.

— Il faut que j'aille aux toilettes ! ajouta-t-elle, mais aucune des deux femmes ne se retourna ni ne lui répondit.

13

Aujourd'hui, elle va avec grand-père voir les moutons pour leur donner du sel, elle le sait à la seconde où elle ouvre les yeux et voit les rideaux blancs flotter dans la brise. Ça sent les troncs humides. Elle s'agenouille sur le lit et regarde par la fenêtre. Les pissenlits forment des taches jaunes par terre entre les pommiers, ça brille au milieu du vert, les feuilles tremblent, tout le verger boit la pluie. Le son des gouttes d'eau devient comme un bourdonnement, elle a froid sur ses épaules nues. Elle saute du lit, s'habille et descend manger, observe la pluie qui ruisselle contre la vitre en buvant à grosses gorgées. Grand-mère s'affaire dans la cuisine.

— Je crois que grand-père préfère y aller maintenant plutôt que ce soir. Il avait pensé faucher l'herbe dans le verger, mais avec cette pluie...

— Oui mais est-ce que les moutons savent qu'on va venir maintenant et pas ce soir ?

— Oh, tu sais, ils attendent toute la journée, quand ils savent que vous venez cette journée-là et pas une autre.

Grand-père est déjà dans la réserve, entre le fenil et le silo. Il remplit un sac de cuir avec du gros sel en soulevant des pyramides de granulés blancs dans son poing. Ses ongles ont les bouts noircis et les plis des articulations de ses doigts sont noirs. Il parle dans sa barbe sans regarder Lotte, mais il tend une main derrière son dos, elle la prend et la serre. Il ne tourne pas non plus la tête, il sait qu'elle est là, juste derrière lui.

La chienne aboie dans leur direction, elle sait qu'elle n'a pas le droit de les accompagner. Elle est trop âgée et s'essoufflerait à courir parmi les moutons, les effrayant plus qu'autre chose. Ce n'est pas un bon chien de berger, grand-mère l'a répété plusieurs fois, elle est plus un poids qu'une aide. Même en automne, quand il faut ramener les moutons, Betsi n'a ni la patience ni l'endurance nécessaires pour bien faire le travail. Ils n'ont pas fait assez appel à elle, prétend l'oncle, son instinct s'est émoussé. Lotte l'entend aboyer et perçoit sa colère derrière chacun des cris qui s'étirent indéfiniment.

— Dis, grand-père, on ne va pas tuer Betsi et en faire des saucisses, hein ?

Le gros sel s'écoule en un ruissellement blanc bleuté entre ses doigts bronzés. Le grand-père ne lève pas les yeux, le sac marron est presque plein, tout gonflé :

— Ce n'est pas moi qui mangerais une saucisse comme ça… Non, Betsi aura le droit de rester ici jusqu'à sa mort.

Le ciel jette un éclat gris sur les montagnes déchiquetées quand ils montent le sentier rendu brillant par la pluie tambourinant sur son imperméable. Elle lève les yeux vers les nuages ; les sommets ressemblent à des doigts pointus et écartés qui soutiennent la voûte céleste et la tendent comme une nappe, ils la soulèvent et la tirent au-dessus d'eux.

Quand des adultes, à Trondheim, lui demandent si elle ne se sent pas à l'étroit entre les hautes montagnes du Vestland, elle qui est habituée aux collines basses et verdoyantes du Trøndelag, elle leur répond ce que sa grand-mère avait dit un jour : que, ici les montagnes retiennent le ciel en haut pour qu'elle puisse respirer, alors que dans les plaines, elle a le ciel tout contre la tête, la nuque, ça peut mettre au sol l'homme le plus grand et le plus fort. Même si c'est sa grand-mère qui l'a dit la première, c'est exactement ce qu'elle ressent : ici, elle peut remplir profondément ses poumons. La pluie exacerbe les odeurs et on respire encore mieux. Grand-père lui tend le sac :

— Tu peux le porter, si tu veux.

C'est la troisième fois cet été qu'elle accompagne son grand-père voir les moutons. À chaque fois, elle a porté le sac de sel. En tout, elle montera huit fois. Elle inspire profondément. Le sac est aussi dur et compact qu'une pierre.

Les noisettes pendent en grappes vertes au-dessus de leurs têtes, elles se rencontrent et créent un tunnel vert de gouttes d'eau et de feuilles frémissantes. Le pantalon noir de grand-père fait un petit bruit à chaque pas. Un bruit de jouet, pense-t-elle, et ça la fait sourire. C'est fou, toutes les pensées qui vous viennent quand on marche ainsi, l'esprit léger, parce qu'on sait exactement ce qui va se passer dans les heures qui viennent.

Il faut ouvrir et fermer quatre barrières. Une fois les noisetiers atteints, on peut apercevoir les bâtiments de la ferme, en contrebas. La pluie a cessé. Le ciel se déchire en lambeaux qui brillent. La forêt reprend vie, tout ce qui s'est agrippé sous le feuillage et à l'abri contre les troncs commence à donner de la voix. Une brise tiède fait tomber la pluie des feuilles, des ruisseaux gonflent, chargés d'eau boueuse, et dévalent le flanc raide de la montagne. En marchant, Lotte arrache des fougères qu'elle presse entre ses doigts.

Grand-père veut faire une halte pour reprendre son souffle. Il crache sa vieille chique dans le fossé et en prend une nouvelle dans sa poche.

— Je peux goûter ?

Il mâche, les lèvres closes, puis lui en donne un bout minuscule avant de s'asseoir sur une pierre et de regarder le fjord, au loin, et le ciel.

Au début, ça a bon goût, c'est sucré et sec. Mais quand elle mord doucement dedans, elle a l'impression qu'une bombe explose dans sa bouche. Les larmes aux yeux, elle recrache un truc marron dans l'herbe, essaie aussi de cracher la salive, mais n'arrive pas à se débarrasser du goût.

— Alors comme ça, tu recraches mon tabac… une petite fille… oui, si grand-mère t'avait vue…

— C'est pas bon… pourquoi tu manges ça, grand-père ?

— Oh… on finit par s'habituer au goût.

Les maisons de Sinnstad ne sont plus que des toits, à présent. On voit la tôle ondulée sur la remise, le toit noir goudronné sur le silo, les ardoises grises sur la grange, l'étable et la ferme. Les ardoises sont des demi-lunes qui se recouvrent les unes les autres comme des écailles de poisson, du faîte du toit jusqu'en bas. D'ici, la ferme et les toits ne sont plus que des rectangles sur une surface vert clair, et des traits fins relient ces formes entre elles : les allées en dalles.

— C'est grand-mère ! crie Lotte.

Grand-mère est un foulard blanc qui se dirige vers les cordes à linge, près de la rivière ; puis le foulard s'arrête et étend des tissus colorés qui flottent au vent. Lotte espère un instant.

— Oh… si seulement elle levait la tête, elle me verrait lui faire un signe, hein, grand-père ? J'ai mon imperméable orange et tout… Tu crois qu'elle m'entendra si je l'appelle ?

— Non, on est beaucoup trop haut. Elle ne verrait que le flanc de la montagne. Allez, viens, Lotte. Les moutons nous attendent.

À la dernière barrière, les animaux se pressent, appuyant leurs museaux mouillés contre les planches. À l'idée d'avoir du sel, ils roulent des yeux fous. Leurs sabots trépignent ; ils veulent s'approcher de grand-père mais aperçoivent soudain le sac dans les mains de Lotte.

— Prends-le, toi, grand-père… Moi, je n'ose pas. Ils sont si excités…

Le grand-père prend le sac et soulève le fil de fer de la barrière. Les moutons lui sautent dessus, posent les pattes sur les jambes de son pantalon, se dressent sur la pointe de leurs sabots et bêlent à s'en user la voix. Il se fraie un chemin au milieu d'eux, les repousse avec les genoux en leur criant :

— Du calme, du calme ! Vous en aurez tous…

Lotte reste près de la barrière. Elle est en sueur sous son imperméable et en ouvre les boutons pression. Une odeur de laine humide s'échappe de son pull. La laine vient de ces moutons, c'est sa grand-mère qui le lui a tricoté. Le grand-père se penche au-dessus de la pierre de sel, elle est lisse et toute léchée depuis le mercredi précédent. Il renverse le sac, le sel se déverse, les moutons se poussent de la tête et bêlent à qui mieux mieux, leurs corps sont jaunes et sales, des brindilles sont accrochées à leur laine.

Grand-père soulève un agneau qui n'a pas réussi à se faufiler devant, le place tout contre la pierre. L'agneau émet un frêle bêlement, sort la langue mais ne touche pas le sel au premier essai. Grand-père lui fait tomber un peu de gros sel directement dans la gueule.

Puis il entreprend de les compter. C'est pour ça qu'il vient, pour vérifier qu'aucun ne manque ou n'a besoin d'aide. Il compte deux fois et hoche la tête. Ensuite, il saisit à pleines mains des touffes de laine sale, les presse et les palpe doucement, tandis que les animaux se ruent autour de lui et font crisser le gros sel entre leurs mâchoires plates. Là, il vient de sentir quelque chose sous ses doigts. Lotte ose s'avancer pour voir.

La tique, longue, rouge foncé, s'enfonce profondément dans la laine et suce le sang du mouton. Elle peut provoquer une inflammation. Grand-père a toujours un morceau de beurre au fond d'un sac, dans sa poche. Il frotte la tique avec du beurre, la fait pénétrer dans la peau du mouton, puis il coupe au ras de la peau avec son canif. Lotte sait qu'il ne reste plus que la tête et qu'elle tombera bientôt, maintenant que grand-père l'a enduite de beurre. Il en trouve d'autres et refait les mêmes gestes. Du sang coule sur la laine et les tiques décapitées jonchent le sol, enveloppes incolores. La petite fille s'écarte un peu. Elle a toujours peur d'en attraper quand elle marche dans la forêt où vont les moutons ; elles attendent, tapies dans les buissons, prêtes à sauter sur le moindre bout de peau nue. Mais maintenant, par terre, elles ne sont plus dangereuses. Elles n'ont plus de tête, elles sont mortes.

La pierre de sel a été léchée de toutes parts, il n'y en a déjà plus. Les moutons remontent sur le flanc de la montagne en se poussant, des taches de sang sur la laine et de l'écume autour du museau. Ils s'arrêtent un peu plus haut et se retournent pour regarder le grand-père et Lotte, puis bêlent avant d'aller se désaltérer à la rivière.

— Eh bien… une bonne chose de faite…

— Ils ont de la chance de t'avoir, grand-père, pour les débarrasser de leurs vilaines tiques.

— Tu sais, je n'ai pas les moyens de laisser mes moutons tomber malades.

Lotte reprend le sac, désormais plat et léger. Elle ouvre la marche ; il n'y a qu'à redescendre, maintenant, pour retrouver grand-mère, les galettes moelleuses et le lait froid du puits.

Soudain, ils entendent quelqu'un tousser, plus bas sur le sentier, derrière un virage. Un homme grimpe, le corps courbé, un bâton à la main. Il ne regarde que là où il pose le pied. Il porte un sac sur le dos, et ses cheveux ressemblent à des vers de terre noirs collés à son front. C'est Klaus, de la ferme d'Åldergarden. Grand-père s'arrête, crache dans l'herbe et attend que Klaus arrive à leur hauteur. Deux mètres avant, il lève la tête et son vieux visage s'éclaire. Lui aussi crache avant de parler :

— Ça alors, c'est toi ?

Il a les commissures des lèvres marron. Lotte fait la révérence.

— Je pourrais dire la même chose… Tu vas dans la montagne ? On en revient, on a été voir les moutons et leur apporter du sel, dit grand-père.

Lui aussi a les dents marron quand il sourit.

— Oui… j'ai envie de me balader un peu là-haut… Tu sais que j'aime bien faire une promenade, à cette époque de l'année, j'ai besoin de prendre un peu l'air quelques jours.

Il redresse son sac à dos, crache une nouvelle fois, ça tombe presque sur le pied de Lotte.

— Mais elle est à qui, cette petiote ? À Leif ?

— Oui. Elle est ici chaque été. C'est une petite fille qui sait plein de choses… mais elle a peur quand les moutons sont tout excités pour avoir du sel !

Ils rient de bon cœur et crachent en même temps. Lotte donne des coups de pied dans le sol et réussit à détacher une petite pierre qui roule dans les fougères.

— Ah, t'en as de la chance, dit Klaus d'une voix aigre. Toi, tu as des enfants adultes qui peuvent t'aider, t'as une grande ferme et des petits-enfants qui reviennent en été. Moi, je suis obligé de PAYER pour avoir de l'aide, même pour pas grand-chose, à la ferme… et pourtant, elle est pas bien grande, ma ferme… En ce moment, j'ai Støle-Hans, de Vang, qui vient me donner un coup de main. Il est arrivé la semaine dernière, je l'ai mis au boulot, alors ça me permet de m'échapper un peu, je n'aime pas grimper en plein soleil… Je sue comme un beau diable… Je me fais vieux, tu sais.

— C'est toi qui as de la chance, Klaus… t'as toujours le temps de partir en montagne…

— Mais t'as bien de l'aide, toi aussi ? Si ELLE est là, Leif aussi, non ?

— Eh non…, répond le grand-père en lançant un long jet de salive beaucoup plus loin – on dirait un arc en colère. Non, Leif ne s'intéresse pas à la ferme, c'est Lotte qui le REMPLACE.

Le vieil homme essaie de dissimuler par un petit rire le ressentiment tapi derrière ses paroles. Klaus l'aide. Lotte baisse la nuque et fixe le sentier, souriant en direction des fougères.

— Eh bien… je vais continuer à grimper.

— Bonne balade, répond grand-père.

Lotte fait une révérence pour dire au revoir.

Entre les maisons, il n'y a plus aucun linge étendu ; une pluie fine s'est mise à tomber, le ciel est d'un bleu sombre menaçant au-dessus du Håkanfjell. Les toits ont refermé murs, portes et lucarnes. La chienne les accueille, grand-mère l'a détachée. Betsi jappe et saute, puis s'accroupit pour faire ses besoins sous un mélèze. La température a chuté.

— Monte avec le sac, Lotte.

Elle pique un sprint, la chienne sur les talons. Bien sûr qu'elle va aider à la ferme.

Dans la cuisine, l'oncle a commencé à manger. La table est mise pour tout le monde. Lotte hume la bonne odeur des saucisses et des galettes de pommes de terre encore chaudes.

— Je peux avoir du sirop d'érable dessus, grand-mère ?

— Au fait, Lotte, dit l'oncle en sortant un écrin de sa poche, regarde ce que je t'ai acheté aujourd'hui. Tu vois, je n'ai pas oublié. C'est bien ce que tu voulais ? Avec un cœur rose ?

— Oui…

Elle lui avait donné le billet de cinquante couronnes en lui demandant d'acheter un bijou qui irait avec le coffret. Grand-mère l'avait écoutée demander. Personne n'avait pensé que le bijou ne serait pas pour elle-même. Elle déchire le papier. Le cœur est rose et, au dos, gravé de quelques mots.

— Ce sont les deux premiers vers du « Notre Père », dit l'oncle en souriant. Tu ne trouves pas ça beau ?

Grand-mère se penche pour mieux voir.

— Je dirai à Karen que tu as acheté un bijou avec cet argent, ça lui fera plaisir… et avec le « Notre Père »… Oh, quel beau bijou !

Lotte le tient devant ses yeux. L'oncle se lève, fait le tour de la table et lui accroche la chaîne au cou.

— Il te va parfaitement. Oh, que tu es jolie, avec, Lotte !

C'est vrai qu'il va parfaitement autour de son cou.

— Il est magnifique, mon oncle, c'est exactement un bijou comme ça que je voulais ! s'écrie-t-elle en faisant un grand sourire sous ses moustaches de lait.

Le sirop chasse enfin le dernier goût de tabac qu'elle avait dans la bouche, la galette de pommes de terre est moelleuse et tiède. Elle mange en examinant la surface de la table tandis que grand-père raconte sa rencontre avec Klaus, qui peut aller se balader en montagne maintenant qu'il a de l'aide à la ferme. Les visages dans les nœuds du bois sourient à Lotte, silencieux. Le fourneau brillant reflète la nuque de grand-mère et la déforme pour en faire un grand morceau de chair qui se renverse sur un tissu de robe bleu. La pluie fouette les carreaux, maintenant.

— Encore heureux que vous soyez rentrés à temps, regardez dehors ! s'exclame grand-mère – le bourrelet de chair se tord dans le reflet.

— Je pense à Klaus, dit le grand-père, et au sentier qui est glissant… mais il va s'en sortir, c'est un sacré gaillard.

— Moi, je n'ai plus faim, conclut grand-mère. Je crois qu'il faut que j'aille aux toilettes.

Elle frotte fort ses joues et ses yeux avec le papier journal. Assise sur le siège des W.-C., elle a gardé son pantalon. Sa mère peut avoir des épingles à cheveux, ou autre chose, à la place, pour mettre dans la boîte à bijoux.

Quand elle ressort à la lumière, elle remarque qu'elle a les doigts noircis par l'encre. Ça veut dire qu'elle doit en avoir aussi sur la figure. Alors elle recueille de l'eau de pluie dans le creux de ses mains, les nettoie, reprend de l'eau. Ses mains sont glacées, elle frotte jusqu'à ce que la peau lui fasse mal, et pour finir elle tourne son visage vers la pluie.

Dans la cuisine, grand-mère se redresse à moitié en la voyant arriver.

— Mais Lotte, tu n'as pas mis ton imperméable ? Tu es trempée, ma parole !

— Il pleut vraiment beaucoup, dehors.

— Je vois ça, en effet.

14

Elle a reçu des sels de bain verts de Marit, comme cadeau de Noël, qu'elle a eu le droit de déballer à son réveil. Lotte avait toujours le droit d'ouvrir un paquet tôt le matin, pour tenir jusqu'au soir.

— Alors ? Quel cadeau veux-tu ouvrir ? lui demanda sa mère quand Lotte, en pyjama, fut assise devant sa tartine.

— Je ne sais pas, moi… Je peux arriver à tenir jusqu'à ce soir.

— Mais non, va ouvrir un paquet… C'est devenu comme une tradition.

— Je vais d'abord manger.

— J'ai mis tous les cadeaux sous le sapin, hier soir, après que tu es allée te coucher… alors va en choisir un.

Elle a choisi celui qui était le plus près, sans regarder les autres. « Pour Lotte, de Marit. » Le papier avait des étoiles jaunes sur fond rouge, et Marit avait collé des autocollants de Donald par-dessus. Donald était habillé en père Noël.

Les sels de bain étaient rassemblés dans un sachet transparent, avec la photo d'une dame enroulée dans une serviette blanche collée dessus. Elle avait un sourire éclatant et ressemblait à Barbie. Doucement,

Lotte enleva l'élastique en haut du sachet et respira le parfum. Ça sentait le sapin. Il y avait marqué : « Sels de bain au parfum d'aiguilles de pin ». C'était sans doute la mère de Marit qui l'avait acheté, Marit n'aurait jamais eu une idée pareille. Lotte, elle, avait acheté des chromos pour Marit. Trois planches avec des images d'animaux, et une avec des anges. Mais aucune d'elles n'avait de paillettes, tout avait déjà été vendu.

— Maman ? Pourquoi on doit mettre du sel dans l'eau du bain ?

— Oh… C'est seulement pour avoir un peu de luxe.

L'eau du bain devait être douce et propre, sentir légèrement le savon. Mais la couleur de ces sels était jolie : vert clair comme après une averse, en été. Le sachet crissait. Elle le reposa avec soin par terre, sous l'arbre de Noël.

Mme Sybersen avait préparé du *lutefisk*, ce poisson séché puis mariné. Ce serait pour le repas, avant que les cloches ne sonnent pour annoncer Noël.

— Vous ne mangez pas de bouillie, le soir de Noël ? s'étonna Lotte.

— Oh, tu sais, je n'ai jamais tellement aimé cette bouillie de riz… mais le *lutefisk*, ça, c'est un vrai repas de Noël.

Lotte eut des tartines avec du pâté de foie, qu'elle mâcha lentement en observant les morceaux de poisson disparaître dans la bouche de sa mère et de Mme Sybersen. C'est fou comme ces morceaux gélatineux tremblotaient bizarrement au bout de leurs fourchettes. Les fenêtres de la cuisine reflétaient l'étoile jaune de Noël de Mme Sybersen, on aurait dit que quelqu'un avait étalé la couleur avec les doigts. Maintenant, elles s'adressaient de nouveau à elle :

— Je parie que t'as hâte de savoir ce qu'il y a dans les paquets, hein ?

— Mmm.

— Tu veux encore une tartine ? Avec autre chose dessus ?

— Non, je n'ai plus faim du tout.

— Après UNE tartine de pain ?

— Mmm.

— Alors tu peux aller te changer et mettre tes beaux habits. On arrive bientôt, dès qu'on aura fini de ranger et de faire la vaisselle.

Sa mère esquissa un sourire.

Sa robe était bleue avec un col blanc, sa mère venait de la coudre. Elle avait crocheté le col avec un fil de laine aussi fin que du fil à coudre. Collants blancs, chaussures vernies noires, ruban blanc dans les cheveux. Elle grimpa sur l'escabeau, devant le miroir de l'entrée, pour s'étudier. L'appartement était silencieux. Sa Barbie était par terre, dans sa robe jaune, les bras tendus en avant.

Elle se regarda dans les yeux.

— Joyeux Noël, chuchota-t-elle... Tu es vraiment une idiote de ne même pas être capable d'être CONTENTE. Espèce d'idiote. Vilaine fille.

Barbie sourit. Lotte souleva sa poupée devant la glace.

— Regarde-toi, Barbie. T'as vu comme t'es moche, dans ta robe... alors que c'est le réveillon de Noël et tout ça. Qu'est-ce que t'as à sourire ?

Sa mère garda les mains jointes pendant que Lotte défit un paquet contenant un sous-main de bureau. Il était couvert de dessins d'animaux : zèbres, girafes, lions, panthères, tigres, léopards – toutes les bêtes sauvages d'Afrique.

— Ça te donnera peut-être envie de faire davantage tes devoirs dans ta chambre, Lotte, maintenant que tu as un si joli sous-main. Il y a trop de bruit, dans la cuisine, tu arriveras beaucoup mieux à te concentrer dans ta chambre.

— Merci beaucoup, maman ! s'écria-t-elle en passant la main dessus, effleurant un tigre inanimé en couleurs sous l'épais plastique transparent.

Ses collants la grattaient entre les jambes et aux chevilles. Elle reçut un cochon en massepain de Mme Sybersen. Il était rose. Jamais elle n'avait vu de cochon aussi mignon.

— Est-ce que quelqu'un veut avoir la tête ?

— La tête ? répéta Mme Sybersen.

Sa mère détourna le regard.

— Alors ?

— Non, la tête c'est pour toi, Lotte, répondit Mme Sybersen. J'ai acheté le cochon pour TOI. T'as pas besoin de faire attention aux calories, toi ! À moins que tu n'aimes pas le massepain ?

— Si.

Elle se dit que si elle le lâchait par terre, il se briserait en morceaux.

— Maintenant, il faut que tu ouvres mes autres cadeaux, Lotte, intervint sa mère.

Il y eut le pantalon extensible bleu.

— Oh, ce qu'il est beau, maman ! Il est exactement comme ceux qu'ont les autres ! Il a l'air ACHETÉ ! Merci beaucoup !

Elle n'avait de cadeaux pour aucune des deux femmes. On ne pouvait quand même pas demander de l'argent à la personne à qui on voulait faire un cadeau. L'année dernière, elle avait eu vingt couronnes de son papa et avait acheté du parfum pour sa maman. Et avec les vingt couronnes que sa maman lui avait données, elle avait acheté deux revues sur les armes et la pêche pour son papa, ainsi qu'une boîte de tabac. Elle jeta un coup d'œil à la composition florale verte et rouge. La barbe du lutin était en vulgaire coton, elle s'en rendait compte, à présent ; en fait, c'était que de la triche.

Elle rassembla ses cadeaux en tas autour d'elle, en laissant traîner les papiers. Elle avait trouvé dans les paquets de sa grand-mère du talc, un livre, des feutres et un plumier en bois, avec un couvercle coulissant, que l'oncle avait fabriqué lui-même. Le flacon de talc était plein et lourd, elle le posa derrière tous les autres présents.

— Pour Lotte, de la part de papa, dit sa mère en lui tendant un paquet plat.

— Papa est venu ? s'écria Lotte, qui n'arrivait pas à saisir l'expression de sa mère. Il est venu ? Il était ici ?

— Oui... Disons qu'un petit père Noël l'a apporté.

— C'était papa ? Quand je dormais ?

— Mais ouvre donc ton cadeau, Lotte.

Il n'avait pas utilisé de simple Scotch, mais un ruban noir qui servait d'isolant. Cela eut l'air de faire plaisir à sa mère :

— Tu as vu ce ruban adhésif ! Ah, ton père... il n'y a que lui pour faire des trucs pareils ! dit-elle en riant.

— C'est un album photo.

— Mais tu n'as pas d'appareil photo ! Il a dû oublier qu'il l'a emporté, ajouta-t-elle toujours avec le sourire.

— Je crois que je vais prendre un peu de masse-pain, déclara Lotte avant de mordre dans une des pattes arrière du cochon.

C'était sucré et sec, mais moelleux à l'intérieur.

Cette nuit-là, elle s'endormit au son des voix dans le salon et des papiers qu'on froissait et rangeait. C'était comme entendre le crépitement d'un feu au fond d'une forêt ; les flammes atteignaient les branches les plus proches, jusqu'à ce que toute la forêt s'embrase. Les animaux sauvages, pris de panique, fuyaient devant le front du feu, se précipitant dans les buissons, sautant par-dessus les rivières ; leurs gueules étaient écumantes, leurs yeux écarquillés. Leurs sabots ou leurs larges pattes griffues faisaient gronder le sol. L'incendie se propageait de cime en cime, de la fumée noire couvrait le ciel et voilait la lune.

Lotte n'avait jamais vu sa mère éplucher autant de pommes de terre. Elle les plongea dans une grande casserole d'eau.

— Qu'est-ce qu'on va faire avec toutes ces pommes de terre ? On a de la visite ?

— T'en poses, des questions ! Je me disais juste que comme ça, on en aurait pour un moment. Ton père va venir te chercher.

— … Papa vient ?

— Pas ICI, non. Peuh ! Il attend plus bas sur la route, ce… ce… lâche.

— Ça fait quinze jours, depuis la dernière fois ?

Sa mère la regarda avec de grands yeux. Lotte leva les épaules à hauteur de ses oreilles et les laissa là-haut, attendant que sa mère cesse de la scruter. Cela prit du temps. Les mains qui tenaient une pomme de terre et un couteau étaient rouges ; elle épluchait en formant de longues spirales pâles qui s'amoncelaient au fond de l'évier.

— Non, ça ne fait PAS quinze jours, effectivement… Mais il voulait absolument que tu fasses un tour chez lui à Noël.

— Pourquoi ? Pourquoi ABSOLUMENT ? Il a dit que je lui manquais ?

Sa mère sourit, un sourire qui la brûla jusqu'aux rides de son front.

— Il en a le droit, paraît-il… quelque chose qui concerne Noël, Pâques et les grandes vacances… Alors il peut EXIGER de te voir, rien que pour m'embêter. Oh, ton père… Allez, va t'habiller, il sera bientôt là. Je ne veux pas me faire gronder parce que je te mets en retard. Allez, va t'habiller, je te dis !

Une nouvelle pomme de terre, sans peau, tombe dans la casserole en faisant un petit « plouf ».

Les fenêtres de la voiture étaient blanches de buée et les gaz d'échappement formaient comme une brume sur la route. Elle aperçut une grande ombre se dresser sur la gauche du véhicule. L'ombre ne bougeait pas, elle se détachait, haute et mince, sur le fond clair.

— Joyeux Noël, papa ! Merci pour l'album photo !

Elle grimpa sur le siège, le visage souriant. Il faisait assez sombre dans la voiture. Son père se tourna et l'entoura de ses bras. Il avait un nouveau blouson en cuir, qui grinçait et sentait l'animal encore vivant. Il la serra en riant.

— L'album, oui ! Ça m'est sorti de l'esprit que tu n'avais pas d'appareil photo ! Ce sera pour la prochaine fois… ou tu peux économiser pour t'en offrir un.

— Oui, c'est pas grave. Dis, qu'est-ce qu'on fait, maintenant ?

— Oh… on va à la maison. Monica et les enfants sont chez ses parents, alors on peut passer un bon moment ensemble et manger des friandises de Noël, toi et moi.

Le sapin était bizarre, il avait des drapeaux anglais.

— Pourquoi y a des drapeaux comme ça sur l'arbre, papa ?

— Le père de Monica était anglais… Oui, je suis d'accord, je trouve aussi que ça fait un peu étrange, mais je lui ai dit que les drapeaux anglais, ça allait encore… du moment qu'elle ne m'imposait pas des drapeaux suédois ! Il y a quand même des limites !

Il rit. Lotte l'imita.

Dans deux coins de la pièce, il y avait des piles de jouets et des cartes-étiquettes encore accrochées aux rubans. Elle s'approcha pour les observer alors que son père versait de la limonade dans des verres. Les guirlandes lumineuses de l'arbre clignotaient et jetaient une lumière blanche sur des décorations de Noël qu'elle n'avait encore jamais vues. La maison ne sentait pas le chou rouge. Dans le jardin, ils avaient illuminé un sapin, elle pouvait apercevoir le câble qui courait sur la neige. Elle se gratta le derrière ; ça lui faisait mal aux yeux de promener son regard dans la pièce.

— Tu vas aller travailler dans ton bureau aujourd'hui aussi, papa ?

— Mais non, voyons, c'est Noël !

Elle s'assit tout au bord d'un fauteuil et but sa limonade à petites gorgées. Il lui tendit plusieurs plats avec des petits gâteaux, des bouchées de chocolat, des noisettes. Les gâteaux étaient alignés en rang d'oignons ; ce devait être l'autre femme qui les avait disposés ainsi.

— Pourquoi ils ne sont jamais là, papa ? Je ne suis pas obligée de dormir ici.

Il but une grande rasade avant de répondre, levant les yeux au plafond, sa main libre caressant lentement l'accoudoir de son fauteuil.

— Ce n'est pas toujours si simple, Lotte… non…

— Qu'est-ce qui n'est pas si simple ?

— Je ne sais pas si je… tu es si petite… c'est difficile à expliquer… C'est ta mère… elle n'arrête pas de m'appeler… ici et à mon travail…

— Pourquoi elle appelle ?

— Elle est hors d'elle… et Monica se met aussi en colère… Ta mère ne veut pas que tu rencontres ta nouvelle famille, elle s'imagine sans doute que Monica veut prendre sa place, alors que tu ne peux venir que tous les quinze jours et que tu ne restes même pas dormir… Elle est si fâchée…

De petites bulles d'air se collaient sur les parois du verre, sous la limonade. Lotte vida son verre pour qu'elles puissent respirer à l'air libre, elle avala d'un coup. Sa mère devait appeler pendant qu'elle était en classe.

— Je crois qu'elle s'en veut. Elle n'est pas EN COLÈRE, papa.

— Oui, c'est possible. Moi aussi… je m'en veux.

— Je ne suis pas obligée de l'aimer… elle… Monica. J'ai qu'à dire à maman que je ne l'aime pas, comme ça maman sera contente. Ça peut être un mensonge blanc. Pourquoi je dirais pas ça, papa ?

— Oh, Lotte, je ne pensais pas qu'il y aurait autant de choses dans la tête d'une petite fille de huit ans ! Tu sais, ce n'est pas facile pour moi non plus. Le mieux, ce serait que…

— Oui ?

— … que tu ne viennes pas du tout ici. Telle qu'est la situation, il vaudrait mieux attendre, le temps que ta mère se calme. Ça serait peut-être mieux si je n'insistais plus pour que tu viennes ici. Ce serait mieux si tu m'oubliais.

— Si tu n'étais plus mon papa ?

— Oui, peut-être.

— C'est possible, ça ?

Son verre avait beau être vide, elle le serra très fort. Les bulles d'air étaient parties. L'arbre de Noël bougea comme s'il y avait un courant d'air dans la pièce. Une boule verte oscilla.

— Oui, c'est possible. Ça vaudrait peut-être mieux. Ta mère doit certainement faire la tête quand tu viens ici puis quand tu reviens à la maison. C'est toi qui prends tout. Ta mère ne me donne pas la permission d'être ton père, alors je vais finir moi-même par oublier que je le suis.

— Oublier que tu es mon papa ?

Il jeta un regard en arrière, par-dessus son épaule ; elle suivit son regard, il ne s'était posé sur rien de particulier. Ses yeux étaient tristes. Si elle n'avait pas été assise ici, et si sa mère n'avait pas appelé, son autre femme et ses enfants auraient été là, à sa place. Ils auraient peut-être joué au Ludo tous les quatre, bu de la limonade, passé un bon moment ensemble. Ils devaient lui manquer.

— Ils ont eu quelque chose de grand-mère ?

— Hein ?

— Les deux enfants… ceux qui habitent ici. Ils ont eu quelque chose de ma grand-mère ?

— Oui… je ne sais plus… ah si, de l'argent pour s'acheter du chocolat et des oranges.

— Et ils ont fait ça ?

— Oui, je crois… pourquoi tu me demandes ça ?

— Et… et… Monica ? Qu'est-ce qu'elle a eu ?

— Un pull jacquard et autre chose de tricoté. Mais pourquoi tu…

— Je ne sais pas. Ça m'est venu comme ça. Elle était très bonne, cette limonade, c'était quoi comme marque ?

Elle rit et fourre un chocolat dans sa bouche, le goût à l'intérieur est un peu fort, mais elle le mange en souriant. Puis elle se rappelle le cadeau dans la poche de son manteau.

— J'ai un cadeau pour toi, papa ! Attends, je vais le chercher !

Il enleva délicatement l'élastique et ouvrit la serviette. Les yeux peints fixèrent le plafond ; la bouche du petit cochon souriait. Une de ses oreilles s'était cassée dans la serviette. Il baissa le regard.

Elle se pencha :

— La tête, papa ! Comme ça t'auras quand même eu la tête ! s'exclama-t-elle en éclatant de rire.

Elle attendit que son père se mette à rire aussi. Il se leva.

— Tu n'as plus de limonade, Lotte. Attends, je vais aller chercher la bouteille au réfrigérateur.

La casserole était toujours sur le plan de travail. Les épluchures traînaient au fond de l'évier. Certaines pommes de terre, remontées à la surface, avaient noirci ; il devait y avoir au moins une centaine de pommes de terre, là-dedans. L'appartement était silencieux, mais toutes les lumières étaient allumées.

— Maman ! Je suis rentrée… maman ?

Elle trouva sa mère dans sa chambre à coucher, au lit.

— Tu dors, maman ?

Elle avait le visage tourné vers le mur. Lotte se pencha au-dessus de la couette pour voir ses yeux. Ils étaient ouverts, elle ne dormait pas, la crête de son nez brillait, un peu mouillée.

— Maman, t'es malade ?

— Oui… ils étaient là ?

— Non.

— Prends-toi quelque chose à manger, Lotte, j'arrive bientôt.

Elle avait parlé d'une voix basse et rauque, les mots avaient une odeur de larmes, de lit tiède, de nuit.

— J'ai pas très faim… j'ai mangé trop de bonbons.

— Alors va t'amuser un peu.

S'amuser ? Sa mère voulait qu'elle s'amuse… ?

Elle resta à contempler la casserole remplie de pommes de terre, des boules blanches avec des bulles d'eau dessus. Son visage se reflétait dans la vitre noire, juste au-dessus du cadre de la fenêtre. Ses yeux étaient deux trous dans la tête.

Il n'y avait pas touché. Il l'avait mis de côté dans la serviette et lui avait rempli son verre à ras bord. Le siège de la voiture était glacial quand il l'avait reconduite à la maison, de la buée sortait de leurs bouches. Il avait reçu son nouveau blouson en cuir de cette femme et des enfants, Lotte lui avait posé la question. Les blousons en cuir, ça se fabriquait avec des animaux tués. Le cuir était la peau des animaux, on la cousait avec du fil et une aiguille pour lui donner la forme qu'on voulait. Il avait dû coûter très cher. Il avait sans doute crié de joie en ouvrant son cadeau. Peut-être que cette femme l'avait caché dans un placard de la cuisine, pour lui faire la surprise.

Lorsqu'il arrêta la voiture sur la route en contre-bas de l'immeuble, des garçons avaient écrit « Bon Noël » en faisant pipi dans la neige. Ils avaient oublié le point d'exclamation à la fin. Elles allaient avoir des pommes de terre pour plusieurs semaines, maintenant. Sa mère n'avait dû faire que ça : éplucher non-stop.

Lotte ouvrit le robinet, laissa couler l'eau dans la casserole jusqu'à ce qu'elle recouvre la pomme de terre noire du dessus. Puis elle prit la salière et mit beaucoup de sel, comme elle avait vu sa mère le faire.

La lumière dans la cuisine était jaune comme du beurre, jaune comme le printemps. D'un bond, elle alla près de la fenêtre et tira les rideaux, tous les rideaux, ceux de la cuisine et du salon. Les tringles chantèrent. Un mur de tissu épais ondula doucement ; la chaleur ne s'échapperait plus au-dehors.

Plus tard, elle prit un bain, puis sa mère, penchée au-dessus d'elle, lui mit du talc de Perlevik, de sorte qu'une poussière blanche vola dans toute la salle de bains. Le lendemain matin, la casserole de pommes de terre n'avait pas bougé, mais les épluchures avaient disparu. Et les rideaux étaient ouverts.

15

Le dentifrice mousse, il disparaît dans le trou du lavabo, qui a une croix en métal au fond. Elle a le goût du menthol dans la bouche et sait que les monstres vont arriver. L'escalier est froid quand on est pieds nus, ses jambes sont de longues tiges qui remontent l'escalier, telles des pattes d'oiseau, elle a une égratignure à un genou. Grand-mère tend deux doigts vers l'interrupteur, lui souhaite « bonne nuit », plonge la pièce dans l'obscurité.

— Est-ce que vous venez chercher du sel ? Bas les pattes, je peux tous vous réduire en chair à saucisses ! chuchote-t-elle, laissant glisser ses mots comme des fils ténus dans le noir.

Elle entend qu'ils renâclent, vexés, à présent ; ils soufflent et montrent les crocs.

— Je ne voulais pas dire ça, s'empresse-t-elle de corriger.

Ils grondent, menaçants.

— Je ne suis pas là, il n'y a personne ici, je n'existe pas. Allez-vous en ! Il n'y a personne qui s'appelle Lotte, ici.

Ils se tapissent dans les coins, silhouettes massives aux thorax de fourrure qui se lèvent et s'abaissent, ils prennent leur élan. L'obscurité profonde remplit tout et la rend, elle, blanche comme la craie, et chaude. Les rêves viennent à pas de soie, elle les voit arriver, elle voit sa mère derrière son tablier. On dirait qu'elle n'a qu'un sein qui occupe en largeur toute sa cage thoracique, commençant et se terminant sous les aisselles. Lotte peut presser son visage contre cette poitrine, et elle mouille le tissu en coton avec ses larmes salées. Mais sa mère baisse les yeux et repousse le visage de l'enfant en lui saisissant les cheveux dans la nuque ; elle montre sa poitrine et s'écrie, furieuse :

— Regarde ce que tu as fait ! Tu vois les taches vertes, là ? Je venais de LAVER ce tablier, moi !

C'est Lotte qui l'a taché. Les larmes sont des traces de pensées, tout le monde sait ça. Maintenant, on peut lire ses pensées sur la poitrine de sa mère. Les gens vont se moquer d'elle, et de sa mère. Celle-ci penche son visage si bas que leurs nez se touchent, Lotte se reflète dans les yeux noirs de sa mère qui la tient toujours fermement par les cheveux, dans la nuque. Ça fait mal. Lotte reste la tête renversée en arrière, son cou est douloureux à cause de sa respiration bloquée, mais elle sent que les larmes ont séché. Elle doit avoir des taches vertes sur les joues.

— Et d'ailleurs, lâche sa mère en desserrant à peine les dents, de l'écume aux lèvres, d'ailleurs je sais que c'est toi qui l'as DÉCHIRÉ. Tu crois peut-être que je ne me rends compte de rien ? Maintenant, il pourrit. Il pourrit, maintenant, Lotte.

Le lendemain matin, elle jette un coup d'œil dans les toilettes, dehors. Les bouts de papier de la lettre ont disparu, ils ont pourri. Les mouches les ont mangés, ont mâché tous les mots, lettre après lettre.

Elles bourdonnent en pas, l'une avec un « p », l'autre avec un « a » dans le ventre. Une grosse mouche a peut-être mangé plusieurs mots : « Ta maman qui t'embrasse. » Jusqu'où peuvent voler les mouches ? Est-ce qu'elles peuvent voler de Perlevik à Trondheim et recracher ces lettres sur la table de la cuisine ?

Le couvercle des toilettes a une couche marron épaisse sur le dessous, avec une odeur de pourri sucré. Elle entend alors le museau d'un animal contre la porte ; l'air passe à travers les planches, elle ne bouge pas. On est en plein jour, les ombres sont plus claires et nettes. Elle laisse retomber le couvercle, bruit sec quand le bois heurte le bois, et donne un coup de pied dans la porte. Un gémissement résonne et se transforme en petits cris plaintifs.

— Betsi, s'écrie-t-elle, oh, Betsi, tu sais bien que je ne voulais pas te faire de mal, pas à TOI !

Elle enlève vite le crochet – pas assez vite, à son goût – et se jette au cou de la chienne en la serrant si fort que l'animal gémit de nouveau.

— Oh Betsi ! ma gentille Betsi, ma Betsi à moi, je ne voulais pas...

— Loooootte ! Looootte ! C'est le petit déjeuner !

— J'arrive !... Pauvre petite Betsi... T'as le poil tout mouillé. Je ne suis qu'une idiote. Oh, pauvre petite. Viens, on va demander à grand-mère si elle ne peut pas te donner une gaufre. Allez, viens.

La couleur bleue des murs l'enveloppe. Les mouvements de grand-mère sont réguliers et sûrs. Lotte sait tout ce qui va se passer. Quand sa grand-mère enlève son tablier et le tient devant elle, Lotte sait qu'il est sale et que grand-mère va en chercher un propre et repassé. Comme, la veille, Lotte a vu l'appareil pour fabriquer du jus, qui a été remonté de la cave, elle sait que, le lendemain, grand-père ira cueillir plein de groseilles, plusieurs seaux, et que grand-mère en fera du jus, qu'elle remplira des bouteilles vides avec le jus brûlant, à travers un fin tuyau, et les fermera avec un bouchon. Quand un certain bruit résonne dans la remise, cela veut dire que grand-père prépare une potion avec du poison pour asperger les pommiers, un liquide blanc qui se dépose sur les feuilles et les pommes sures pour chasser les insectes affamés qui abîment le fruit. Lors de cette manipulation, son grand-père porte un masque qui le fait ressembler à une grosse guêpe. Le poison est dans un bidon qu'il porte derrière lui, comme un sac à dos, et Lotte doit se tenir à distance si elle veut le regarder faire. Il arrose le haut des arbres en faisant de grands gestes en éventail. Il ne faut pas qu'il y ait le moindre vent, ce jour-là. Le poison disparaît avec la pluie avant que les pommes ne soient mûres, mais grand-mère conseille quand même de les laver avant de les manger.

Cette nouvelle journée lui tend les bras. Sur sa tasse préférée, Smørbukk sourit, et elle lui sourit à son tour. Sous la table, la chienne mange de vieilles gaufres. Ses oreilles tremblent. Quand le dernier morceau a disparu, elle reste là à déglutir en balançant la tête, tel un serpent à sonnettes prêt à attaquer.

— Mais t'es une vorace, toi ! Tu ne te donnes même pas la peine de mâcher, Betsi ! Maintenant, t'as toutes les gaufres en haut de la gorge. Il faut prendre ton temps pour manger, dit Lotte en riant.

Sa grand-mère rit aussi.

— On ne peut pas dire que Betsi sache se tenir à table, ça non ! Elle a de la chance de n'être qu'une chienne. Tu veux encore du lait, Lotte ?

Grand-mère soulève une grosse casserole et la pose à côté de l'évier. Puis elle va chercher un seau dans le garde-manger. Il est rempli de quelque chose de sombre qui fait des gouttes sous le couvercle en plastique.

— Qu'est-ce que c'est, grand-mère ? Tu vas faire quoi ?

— Je vais faire du boudin.

— Avec des raisins secs ?

— Oui. J'aime le boudin autant que toi, mais je n'aime pas le FAIRE.

— Pourquoi ?

— Je ne sais pas… tout ce sang… l'odeur… comment dire… non, je ne sais pas…

— Mais c'est bon, le boudin…

— C'est bon, oui, c'est vrai.

Elle n'a encore jamais vu un lemming vivant d'aussi près. Il ne cherche même pas à s'enfuir. Ses rayures orange, noires et blanches sont nettes et bien dessinées dans la fourrure. Chaque poil brille, parfaitement à sa place. Ses yeux sont des perles noires enfoncées dans son crâne, et le museau est celui d'un chien miniature, avec des moustaches bien raides de chaque côté. Lotte respire par le nez, sans faire de bruit, et s'accroupit devant le petit animal qui, immobile dans l'herbe, lui fait des clins d'œil. Son museau vibre et se soulève, sa tête tremblote un peu, ses petites oreilles rondes bougent, Lotte aperçoit deux dents brunes et fines. Les orteils sont roses avec de minuscules griffes transparentes.

— Ce que tu es beau, chuchote-t-elle. T'es vraiment très très beau…

Elle n'ose pas le caresser : il s'enfuirait, la croyant dangereuse. Alors elle tend doucement la main vers un pissenlit, casse la tige le plus près du sol possible et tend la fleur vers le lemming. Elle l'agite sur le sol comme devant un chaton. Le lemming cligne des yeux, ses moustaches remuent, il ramène ses oreilles vers l'avant. Soudain, il se jette sur la tige de pissenlit pour la mordre ; elle a juste le temps de la retirer : Il se jette dessus de nouveau et, encore une fois, elle réussit à esquiver le coup. Elle rit à haute voix, oubliant d'être discrète, mais le lemming n'a pas l'intention d'abandonner la partie. Elle agite la tige dans tous les sens et le lemming bondit au rythme de ses gestes. Mais, tout d'un coup, il se cabre à la verticale avec un couinement rauque et chevrotant, puis tombe raide.

Il ne bouge plus.

Lotte a beau lui agiter la tige sous le museau, il n'a aucune réaction. Elle lui titille l'oreille avec un bout de la tige ; une goutte de sève glisse le long de sa fourrure, disparaît dans les poils de sa nuque. Elle ose approcher un doigt et le caresse, respirant par saccades, la bouche ouverte ; elle sent son cœur qui bat à tout rompre contre ses genoux pliés. La fourrure est dure et douce à la fois : dure et brillante sur le dessus, douce comme un museau de cheval en dessous. Elle le caresse, des oreilles jusqu'à sa courte queue. Elle le caresse encore et encore, creuse un sillon avec son doigt tout le long du petit animal. Les deux perles noires de ses yeux ne brillent plus. Et ils ne clignent plus.

Alors elle se relève, et le lemming devient encore plus petit, il n'est plus qu'une tache avec une rayure de tigre, noyée dans l'herbe, tout en bas. Elle est une géante.

Le fichu blanc cache les cheveux de grand-mère, son visage est ramassé, luisant de sueur. Elle touille en levant haut le coude. Sur le plan de travail, à côté de la cuisinière, il y a des sacs blancs fermés à une extrémité par une ficelle. Chacun de ces sacs contient une poignée de raisins secs. De la vapeur s'élève de la casserole, Lotte entend que ça bouillonne comme quand la bouillie de riz cuit, proche de la consistance qu'il faut. Des bulles se donnent du mal pour éclater à la surface. Grand-mère ne se retourne pas.

— Ah, c'est toi, fait-elle simplement.

Lotte renifle, un long reniflement qui se termine par un sanglot. Grand-mère se retourne et Lotte vient enfouir son visage contre son corps en la serrant très fort ; ses mains n'arrivent pas à faire tout le tour. Sans cesser de remuer dans la casserole, grand-mère lui caresse le dos avec sa main restée libre. Elle la caresse un bon moment.

— Mais enfin, qu'est-ce qu'il y a mon trésor, qu'est-ce qui te rend si triste ?

Elle continue de lui passer la main dans le dos.

— Tu ne veux pas me répondre ? Lotte… ?

— J'ai… j'ai tué un lemming !

Les mots sont gros et pâteux contre le tissu du tablier.

— Tu en as tué un ? Mais tu ne fais pas ça, d'habitude ? Il n'y a que les garçons qui s'amusent à…

— Je l'ai TUÉ ! Je jouais avec lui et il VOULAIT bien jouer avec moi, et soudain il a sauté en l'air et il est mort. Il avait de si belles couleurs… et il était tout petit…

— Ah ! Je comprends, maintenant.

Grand-mère sort le petit visage de la fillette de son tablier, essuie les larmes sur sa joue, ramène sa frange en arrière, tout en continuant de l'autre main à touiller régulièrement et en surveillant d'un œil le bord de la casserole :

— Tu sais, Lotte, les lemmings peuvent se mettre tellement en colère qu'ils éclatent. Leur cœur éclate. Ce n'est pas de ta faute.

— Oui, mais il n'était pas en colère. Il jouait avec moi !

— Tu as cru qu'il jouait, mais c'est si impatient, ce genre de petit lemming, ils se mettent en colère pour un rien. Et leur cœur lâche.

— C'était de ma faute, c'était de ma faute…

— Non, Lotte, ce n'est de la faute de personne… Les lemmings sont comme ça. Une seconde, je vais enlever la casserole du feu. Assieds-toi là, en attendant.

Lotte voit les petites taches d'un rouge foncé sur le tablier de grand-mère, à l'endroit où elle a pleuré. Et elle reconnaît l'odeur : un parfum doucereux émane de ces taches. Le sol tangue, elle écarte les bras sur le côté pour garder l'équilibre, mais n'y parvient pas et tombe à genoux sur le tapis. Grand-mère a juste le temps de jeter un coup d'œil à son tablier et de voir le sang que l'enfant s'évanouit. Lotte sent des mains qui lui prennent les épaules. Une voix vient d'en haut, prononce des mots en anglais, impossibles à comprendre. Elle voit chaque bout de tissu de la lirette, chaque bandelette se tordre comme un ver et rejoindre d'autres bandelettes pour former un nid de serpents qui l'empêchent de respirer. Elle se met à vomir un jet jaune qui recouvre les serpents, tout devient mouillé et dégoûtant, ça lui remonte jusqu'à l'endroit où finissent ses yeux et où commencent ses pensées. Tout tourne dans la pièce, les portes et les fenêtres, puis elle se retrouve sur du carrelage blanc et lisse, de l'eau froide sur le visage et le goût du cacao dans la bouche. Enfin, elle entend des mots, d'abord l'un après l'autre, avant d'arriver à les relier et à en faire une chaîne :

— ... oncle, il est comme toi... c'est pour ça qu'il ne peut pas être dans la pièce quand je fais cuire du sang. Ça le rend malade, il n'en supporte pas ni la vue ni l'odeur. Moi-même, j'avoue que j'ai un peu de mal. Mais je ne savais pas que TOI... tu m'as pourtant déjà vue préparer du boudin. Allez... ça va mieux ?

— C'est de ma faute, murmure-t-elle en roulant sur le ventre, face à terre, et en repliant ses bras sous elle. Je veux pas que tu me consoles, grand-mère. C'est de ma faute. JE VEUX PAS QUE TU ME CONSOLES !

Son visage forme une ombre profonde sur le sol.

16

Marit découpa une large bande de sparadrap, puis, après avoir ôté le papier protecteur de la partie adhésive, elle la posa en biais sur son genou qui saignait.

— C'était de ma faute, Marit. C'est mon guidon qui a heurté ton vélo.

— C'est pas grave.

— T'as même pas pleuré. Moi, j'aurais pleuré comme une madeleine si j'avais eu une écorchure pareille. Oh, ma pauvre.

— Ça ne sert à rien de pleurer… quand maman n'est pas à la maison, dit Marit.

— Tu n'es pas triste, quand ta mère doit travailler autant ? Même le samedi ?

— Il faut bien qu'elle gagne de l'argent.

— Ma mère ne travaille pas, elle. Elle est toujours à la maison.

— Alors vous n'avez pas beaucoup d'argent ?

— Non.

— Nous, on en a. On va même s'acheter un poste de télévision.

— Un poste de télévision ? Vous allez avoir la télévision ? Il n'y a presque personne qui l'a… Je suis sûre que Nina et Eva Lise voudront être tes copines…

— Tu crois ?

— Mmm. Mais t'as envie d'être leur amie ? Quand vous aurez la télévision ?

— Non… je ne crois pas… elles m'ont fait trop de mal… Mais il vient d'où, alors, votre argent, Lotte ?

— Il arrive par la poste. Dis, Marit, on restera quand même meilleures amies, hein ?

— Nous deux ? Comment ça ?

— Quand vous aurez la télévision ?

— Évidemment, quelle question.

C'était le printemps, on avait chaud aux endroits du corps que le soleil touchait, et le dos froid. Elles n'avaient pas le droit de s'asseoir sur le trottoir ou sur des pierres, car elles risquaient d'attraper une cystite.

— Par terre, c'est encore l'hiver, Lotte. Même si tu ne le vois pas. Le sol est gelé. Il ne faut surtout pas t'asseoir directement par terre, lui avait recommandé sa mère.

C'est pourquoi les deux fillettes passaient leur temps à faire du vélo, plissant les yeux vers le soleil quand elles mettaient pied à terre. Il y avait des enfants partout. Autour des immeubles, à vélo, dans le bac à sable avec seaux et pelles, vêtus de gros pantalons de laine. Le sable était foncé et dur, les pelles en plastique se cassaient en traçant des routes et en creusant des tunnels pour les petites voitures. Tout le monde avait le nez rougi par le froid. Les pères ratissaient les feuilles mortes et allumaient des feux de joie, la fumée formait un nuage gris bleu entre les maisons ; ils discutaient et riaient bruyamment, s'essuyaient les mains sur les cuisses et se roulaient des cigarettes, leur blague à tabac coincée entre le coude et leur thorax.

Les mères étaient en équilibre sur les rebords de fenêtres, le dos en arrière, le nœud de leur tablier flottant au vent : elles nettoyaient les vitres avec de grands mouvements de bras, comme si elles disaient bonjour à quelqu'un assis chez elles. De temps en temps, elles criaient aux plus petits de ne pas se fourrer de sable dans la bouche, de ne pas enlever leurs bonnets et de rester à bonne distance des feux.

Lotte et Marit n'étaient plus obligées de porter de bonnet, car leurs mères avaient entendu dire que plus personne n'en portait, et elles pouvaient sortir en chaussures légères : leurs jambes étaient légères et paraissaient plus longues, comme si elles finissaient à la cheville. Et les vélos avaient été remontés des caves. Dire que, quelques jours plus tôt, il avait encore neigé ! Lotte leva les yeux vers les fenêtres de l'appartement, qui étaient fermées. Sa mère tricotait dans le salon, elle le savait.

— Mais tu ne vas pas faire les carreaux, maman ? TOUTES les autres sont dehors ! lui avait dit Lotte.

— Non, moi, je ne fais plus partie de leur groupe, avait répondu sa mère, les doigts serrés autour de son ouvrage au tricot, sans lâcher des yeux le fil de laine.

— Il y a quelque chose qui te rend triste, maman ?

— Triste ? Comment ça ?

Sa mère leva les yeux. Elle avait les narines dilatées et les sourcils en accent circonflexe.

— Non, je ne sais pas, moi, répondit Lotte avant de sortir en courant et de descendre l'escalier.

Marit posa à terre le pied de sa jambe pansée et lança :

— Et si on allait faire un tour à vélo chez ton père ?

Un môme commença à pleurer dans le bac à sable. Une odeur de goudron montait des feux.

— Lotte… si on y allait ?

— Chez… chez mon père ?

— Oui, je ne l'ai jamais rencontré, moi. On n'était pas amies, quand il habitait ici. Je ne me souviens même plus à quoi il ressemble.

Lotte fit faire du surplace à son vélo, enfonça les ongles dans les sillons des poignées du guidon, posa le pouce contre la languette de la sonnette sans appuyer dessus. Elle était formée d'une petite feuille qui épousait parfaitement la forme de son pouce. Le bitume était gris clair sous les roues, avec seulement, ici et là, des plaques de neige fondue venant des derniers tas de neige sale.

On n'allait pas voir son père comme ça. Il fallait de longues négociations au téléphone avant, des lettres avec le nom de sa mère écrit à la machine sur l'enveloppe, sa mère qui pleurait et allait se faire consoler par Mme Sybersen… Lotte avait saisi les mots « perte du droit de visite » : elle allait donc PERDRE quelque chose ? Elle perdait souvent des piles de pièces de cinq *øre* quand elle jouait avec les garçons plus grands à qui lancerait sa pièce le plus près du bâton, car les pièces qui atterrissaient de l'autre côté de la ligne étaient définitivement perdues.

Il n'y avait plus de visite tous les quinze jours. Plusieurs dimanches, elle avait dit à Marit qu'elle allait voir son père, mais en réalité, elle avait passé la journée enfermée chez elle, en restant à bonne distance des fenêtres. Le père de Marit venait souvent chez Marit et sa maman, il dînait avec elles et regardait les cahiers de classe de Marit. Lotte l'avait rencontré plusieurs fois, mais elle n'avait jamais osé demander pourquoi la mère de Marit paraissait si souriante et détendue, même quand le père était à la maison.

Il avait été contraint de sauter un dimanche, prétextant un voyage, et appelé la veille, le samedi. Assise sur une chaise de cuisine chez Mme Sybersen, Lotte avait écouté sa mère parler au téléphone, l'avait vue taper du pied par terre, au rythme de ses éclats de voix.

— Tu romps donc l'arrangement qu'on avait ? Parfait, je sais dorénavant à quoi m'en tenir. Est-ce que t'as pensé à Lotte, qui s'est PRÉPARÉE à cette visite ? Ah, si c'est ça, être un père ! Dimanche prochain ? Certainement pas. Tu peux toujours venir l'attendre en bas de la rue, elle ne viendra PAS.

Mme Sybersen passa la main dans les cheveux de la fillette. Lotte se dégagea.

— Oh… ça ne doit pas être drôle pour toi, tout ça, Lotte… Je ne comprends pas que ta mère te laisse ÉCOUTER cette conversation… Tu ne veux plutôt rentrer chez toi ? Tiens, tu peux emporter ces biscuits.

— Je n'ai pas envie de biscuits… Je croyais que maman serait contente… que je n'aille pas là-bas.

— Oh, elle est sans doute contente, d'une certaine façon. Tiens, t'as qu'à donner ce petit gâteau à Pepito.

L'oiseau, sortant son bec entre les barreaux, chipa les petits morceaux qu'elle lui tendit au bout des doigts, puis il grimpa sur l'échelle pour se mettre devant la glace. Mais l'oiseau dans le miroir au cadre bleu ne voulait pas prendre ce qu'il lui offrait.

— Ce que tu peux être bête, Pito… tu vois que c'est toi ! T'as vu comme t'as sali ta cage ? Il y a des plumes, du sable, des… t'es un vrai cochon, tu sais ! tout sale !

— *Pito gentil garçon, Pito gentil garçon…,* pépia l'oiseau.

— Peuh ! Non, tu n'es pas gentil ! C'est pas vrai !

Le dimanche d'après, Lotte était sortie et avait surveillé la rue toute la matinée, mais aucune voiture ne l'attendait. Après cela, les lettres avaient commencé à venir. Et sa mère appelait souvent, c'est du moins ce qu'elle avait compris en la voyant un jour donner des couronnes – une pleine poignée – à Mme Sybersen pour le téléphone. Qui d'autre sa mère aurait-elle pu appeler ?

Lotte y est allée trois fois depuis Noël, et maintenant, c'est le printemps. Elle n'a toujours pas rencontré sa nouvelle femme et les enfants.

— Alors, on y va, Lotte ? Tu ne m'as pas dit qu'il habitait à Leangen ? C'est pas très loin. Maman et moi, on a été par là cueillir des baies.

— Je ne sais pas…

— Il est comment, physiquement ?

— Il est grand. Et puis il est très gentil et il a une entreprise.

— Il habite dans un immeuble ou dans une maison ?

— Ils ont une maison.

— Ils ?

— Oui, il a une autre femme et elle a deux enfants.

— Et ils s'appellent comment, les enfants ?

— Je ne sais pas…

— Tu ne sais pas ? Tu veux dire, tu ne les as pas rencontrés ?

— Ils ne sont pas là quand j'y vais.

— Alors, ils n'habitent pas là ?

— Si, mais… Écoute, Marit… On pourrait pas plutôt faire du vélo par ici ?

— C'est beaucoup plus amusant de faire du vélo quand on doit aller quelque part, non ?

Le froid de l'hiver remontait du sol.

— J'ai froid, Marit.

— C'est parce qu'on reste sans rien faire. Viens, on pédale !

— J'ai pas le droit de faire du vélo sur la route… seulement sur le trottoir.

— Mais il y a un trottoir tout le long, je le sais parce qu'on l'a fait avec maman, l'été dernier !

Personne ne les vit partir. Elle jeta un coup d'œil en direction des fenêtres. Sa mère aurait pu être là-haut et lui dire de revenir sur un ton de colère, oui, elle aurait eu de bonnes raisons d'être en colère. Mais elles n'entendirent que les discussions des hommes, qui parlaient fort entre les feux de joie, et les cris des petits dans le bac à sable.

Elles descendirent des pentes très raides ; les bas-côtés étaient d'un brun sale, on aurait dit une boîte de peinture qui n'aurait pas été nettoyée depuis longtemps. Ici et là, de jeunes pousses surgissaient de terre, des tussilages qui pointaient leurs pétales repliés vers la lumière. À certains endroits, plus ensoleillés que d'autres, les fleurs avaient déjà éclos ; leurs touffes ressemblaient à des animaux aux poils jaunes. Elle songea un moment à s'arrêter et à en cueillir un bouquet pour son père, mais les tiges étaient si courtes qu'elle les perdrait à la prochaine descente.

« *Tussilago farfara*, se rappela-t-elle. *Tussilago farfara*. C'est le nom latin. » Tout à coup, les longues balades avec son père lui revinrent en mémoire. Elle se revit juchée sur ses épaules, découvrant les vallons à perte de vue, tel un océan se déployant sous ses yeux. « *Tussilago farfara* », disait alors son père en montrant du doigt une touffe de fleurs jaunes. « Tussilage, ou encore pas-d'âne ! » s'écriait-elle alors pour montrer qu'elle avait retenu la leçon. « Et ça, c'est une *Anemone nemorosa*, papa ! » Son père hochait la tête : « Très juste, une anémone des bois ! »

Le tussilage était la plus belle des fleurs, la plus forte et la plus audacieuse : elle pouvait soulever des rues entières en bitume épais rien que pour laisser percer la plus douce des tiges, avec une petite tête jaune au bout. Elle tenait sa couleur du soleil printanier, jaune beurre.

Son autre femme serait là, et les enfants aussi. Lotte serrait si fort les mâchoires qu'elle en avait mal, elle grinçait des dents et sentait que ses pieds, sur les pédales, la rapprochaient toujours davantage… Le dos de Marit allait d'un côté à l'autre à chaque coup de pédale, elle semblait avoir oublié qu'elle avait mal au genou.

La maison était silencieuse, personne ne faisait les carreaux ni ne ratissait les feuilles mortes. La voiture du père était garée devant, à côté d'une voiture rouge qu'elle ne connaissait pas. Le gravier crissa sous les roues des vélos quand elles s'engagèrent dans la cour. Lotte resta sur son vélo à regarder la porte d'entrée, qui ne s'ouvrit pas. Ouf, personne ne les avait vues ou entendues venir. Il était encore temps de s'en aller. Elle pensa au genou en sang de Marit, imagina le sang jaillir dans les crevasses de la croûte et former une nouvelle couche rouge foncé. Quand on y pense, c'est incroyable d'arriver à stopper le sang avec un simple bout de sparadrap.

— Peut-être qu'on nous donnera quelque chose à manger… j'ai si faim ! déclara Marit à haute voix en déposant sans ménagement son vélo contre le mur.

— Chut ! fit Lotte.

— Pourquoi tu dis ça ?

Les cuisses de Lotte tremblaient, tout son corps était un arc tendu qu'elle cramponnait au guidon pour ne pas qu'il se détende.

— Oui, mais… tu ne viens pas, Lotte ?

Elle parvint enfin à descendre de son vélo qu'elle posa contre le mur, mais sans faire de bruit. Elle gravit les quelques marches du perron et sonna.

— Pourquoi tu sonnes ? C'est chez ton père, non ?

La voix de Marit faisait un vacarme tonitruant dans ses oreilles. Il était encore temps de rebrousser chemin et de foncer pour faire le tour de la maison et aller se cacher derrière un buisson… Elle entendit du bruit à l'intérieur, comme si quelqu'un criait depuis les profondeurs de la maison.

Soudain, son père fut là. Il était très grand. Il commença par lever les yeux au ciel avant de les poser sur sa fille. Ce fut comme une gifle ; elle dut s'appuyer d'une main à la rampe. Elle voulut sourire. Ses mâchoires retenaient sa bouche fermée, mais elle tira sur les commissures de ses lèvres pour montrer ses dents, en plissant les yeux.

— Salut, papa ! On est venues te faire une surprise ! C'est Marit, c'est elle qui voulait te rencontrer !

Les mots et l'intonation étaient ceux qu'elle avait soigneusement préparés pendant qu'elle pédalait.

Son père ne sourit pas. Il sortit sur le perron et referma la porte derrière lui. Il se racla la gorge, regarda Marit, puis Lotte, se passa la main dans les cheveux et leva encore une fois les yeux au ciel. Les joues de Lotte étaient si crispées qu'elles lui bouchaient presque la vue. Elle avait mal au cou à force de tenir la tête penchée en arrière. Il regarda de nouveau sa fille, cette fois droit dans les yeux :

— Écoute, Lotte, faut pas que tu sois triste, dit-il à voix basse, c'est très gentil de ta part, une visite surprise, mais... tu comprends... nous avons de la visite, alors ça tombe mal... TRÈS mal.

Il se pencha plus bas :

— Tu sais quoi ? Je peux vous ramener en voiture à la maison, en mettant les vélos sur le toit, et puis je vous achèterai une glace, hein, qu'est-ce que t'en dis ? lança-t-il en souriant pour la première fois.

Ses yeux ne reflétaient plus les nuages. Ses joues lui faisaient mal jusqu'aux oreilles, et sa gorge aussi. Il attendait une réponse.

— Non, tu n'as pas besoin de nous raccompagner. Ce n'est pas si loin, à vélo.

— Je pense que ça vaut mieux quand même. Ta mère sait que tu es ici ?

— Non.

— Attends un peu.

Il rentra dans la maison en lui fermant la porte au nez. Elle entendit, loin à l'intérieur, une sorte de sirène, le son traversait l'air frais printanier en faisant des hauts et des bas. Perchés sur un abri gris tout près du perron, des moineaux se disputaient en battant des ailes, le bec grand ouvert. Elle tourna légèrement la tête vers Marit.

— Ils avaient de la visite, tu sais, chuchota-t-elle.

— Ah bon.

Elle regarda la porte. Au milieu, on avait accroché une plaque en céramique portant en lettres jaunes et orange sur fond noir « LEIF SINNSTAD ». Et dessous, une autre plaque : « Monica, Ola et Elisabeth Karlsen ». Celle-ci était en bois, comme celle qu'elle-même avait faite pour sa mère, en classe, avec une montagne et des oiseaux par-dessus. Puis les plaques disparurent sur la gauche : son père se tenait là en chaussures et blouson, un trousseau de clés à la main. Il n'y avait plus un bruit dans la maison derrière lui, le silence lui passait entre les jambes et paraissait suspect. Comme si des oreilles les écoutaient.

Les vélos furent faciles à accrocher au porte-skis du toit de la voiture, son père les fixa avec de gros tendeurs. Lotte savait que des visages étaient collés aux fenêtres, mais elle ne se retourna pas.

Il s'arrêta à une station-service et leur acheta des cônes à la fraise. Sur le siège arrière, Marit remercia de son mieux quand il lui tendit sa glace : elle souleva légèrement son derrière et fit une sorte de révérence.

— Alors, comme ça, tu t'appelles Marit… Je suis sûr que tu es une bonne amie de Lotte.

Il rassembla les papiers d'emballage des glaces et les fourra dans la boîte à gants. Lotte lécha son cône et essaya de compter les tussilages.

— *Tussilago farfara*, chuchota-t-elle tout bas.

— Alors, comme ça… vous vous baladez à vélo, toutes les deux ?

Jamais il ne s'était arrêté aussi loin de l'immeuble. Marit descendit courbée en deux du siège arrière, brandissant sa glace. Le père leur donna leurs vélos et se remit au volant. Au moment où elle allait refermer la portière de son côté, il cria :

— Lotte ?

Elle se pencha à l'intérieur ; le visage de son père était dans l'ombre.

— Oui ?

— Ce n'était pas vraiment une bonne idée, Lotte, de venir comme ça à l'improviste… Nous avions la visite des parents de Monica… Tu aurais pu passer un coup de fil de chez Mme Sybersen, et on aurait pu convenir d'un jour plus tard.

— Oui, mais… Est-ce que je vais le PERDRE, maintenant ?

— Perdre quoi ? Je ne vois pas ce que tu veux dire. J'essaie seulement de te faire comprendre que ta mère et moi, il faut d'abord qu'on se mette d'accord là-dessus. À ce propos, ce n'est peut-être pas la peine de lui dire que vous êtes venues aujourd'hui. Ça ne ferait qu'empirer les choses pour nous deux.

Le blanc de ses yeux brillait dans la pénombre. Sur le revêtement plastique, au sol, il y avait un emballage de chocolat Daim écrasé.

— Oui, répondit-elle. Merci beaucoup pour la glace, papa.

— Oui, merci beaucoup pour la glace ! cria Marit derrière elle.

Elles restèrent un moment à regarder la voiture s'éloigner, jusqu'à ce qu'elles eurent fini leurs glaces. Il n'y avait que les garçons qui réussissaient à pédaler en tenant le guidon d'une seule main.

— T'avais raison, Lotte, il est vraiment gentil, ton père… Il nous a acheté des glaces et tout.

— Mmm. Marit… Ne dis pas à maman qu'on a été là-bas.

— Pourquoi ?

— Je sais pas, mais je préfère que tu lui dises rien.

— Bon, d'accord.

222

Les pédales étaient soudain lourdes, les feux de joie étaient devenus des tas noirs tout aplatis qui fumaient encore. Il n'y avait plus personne dehors. Des rangées entières de fenêtres étincelaient, tels des yeux qu'on venait de faire briller. Elle les compara à celles de son appartement et baissa les yeux. Ses paupières étaient si lourdes qu'elle faillit rouler dans le fossé. Sa tête pendait, presque sans vie.

— Je crois que je rentre directement à la maison, Marit, je crois qu'on va bientôt manger.

— Tu veux que je t'accompagne ?

— Non, je pense que je ne vais pas ressortir après.

Elle raconta à sa mère qu'elle n'avait pas faim, alla dans sa chambre et ferma la porte. Elle avait une boule chaude dans la gorge. Elle s'assit au bord de son lit et chuchota :

— T'es qu'une méchante fille. Tu veux jamais écouter ce que disent les adultes… Il avait de la visite et tout. Est-ce que tu crois que ces gens en visite ont envie de TE voir ? T'es vraiment bête, tu sais. Est-ce que t'as au moins remercié pour la glace ? Oui, tu l'as fait.

Elle toussa. Les murs nus lui renvoyèrent l'écho. La fenêtre était un rectangle blanc. Si les immeubles n'avaient pas été là, le ciel aurait été par terre, il aurait touché les feux de joie. Ola et Elisabeth. Une étincelle dans une seule de ces feuilles carbonisées aurait pu embraser tout le ciel. Ils devaient l'appeler papa. La fenêtre deviendrait un rectangle rouge, si le ciel était en feu. Elle porta un doigt au coin de ses yeux, ils étaient secs. Pauvre Marit avec son genou. Oui, ils l'appelaient certainement papa. « Regarde, papa, une corneille morte ! » Elle devait avoir six ans, tout au plus. L'oiseau avait un trou rouge dans la tête, aussi rouge que le genou de Marit. Ils l'avaient retourné avec un bâton ; des vers blancs s'affairaient dans sa cage thoracique, son bec ressemblait à un vieil ongle. Il paraissait beaucoup plus grand mort que vivant. La couleur gris foncé n'était pas une couleur, mais un trou dans le sol. Elle avait pleuré jusqu'à ce que son père lui dise à quel point la maman renard serait contente de trouver la corneille. Elle avait, pour sûr, cinq renardeaux affamés à nourrir, dans sa tanière tout au fond de la forêt, ils devaient glapir sans arrêt tellement ils avaient le ventre creux. Alors, quand la maman renard reviendrait avec l'oiseau dans sa gueule, ce serait un vrai réveillon de Noël dans leur refuge. « C'est comme ça, dans la nature, lui avait dit son père. C'est normal que la nature saigne, et meure. »

Tout doucement, elle se détendit. La boule dans sa gorge se réchauffa, puis grandit, et quelque chose lui chatouilla le coin de l'œil. La pièce devint brillante et floue, les étagères se mirent à danser. Si sa mère entrait maintenant, elle pourrait toujours lui dire qu'elle avait mal au ventre. Elle longea son lit sur la pointe des pieds et rassembla toutes les images autour d'elle : le ciel rouge, le genou, la corneille. Elle n'arrêtait pas de défaire cette boule dans la gorge, mais il en restait toujours un bout…

17

La peau de la tomate se ratatine comme la joue des vieilles personnes ; elle enfonce le couteau plus profondément et la tomate s'ouvre d'un seul coup, explose et se répand sur l'assiette. La peau est intacte sous la lame, mais la tomate s'est déchirée, de la chair rouge sang a jailli, de petites graines dans des enveloppes brillantes nagent dans le jus. Grand-mère n'a pas vu tout ça, elle a le dos tourné, près de l'évier.

Lotte prend comme elle peut la tomate entre ses doigts et la fourre dans sa bouche. Puis elle soulève l'assiette et boit le jus. Il en coule un peu sur sa robe, celle en éponge rouge. La couleur a un peu pâli au lavage, elle a déjà été lavée deux fois depuis son arrivée. La fermeture Éclair, qui était régulière et droite quand la robe était neuve, fait à présent des vagues et des zigzags, elle est difficile à fermer. C'est devenu une robe qu'elle connaît bien. Elle gratte quelques graines tombées sur les boucles du tissu éponge et les lèche.

Aujourd'hui, le soleil est caché derrière un rideau de nuages, il brille mais ne réchauffe rien ; les vaches qui broutent dans le pré ne projettent aucune ombre. Le vent s'acharne sur les bâtiments et fait cliqueter les tuiles, mais celles-ci ne se détachent pas.

Lotte a déjà grimpé sur le toit de la grange, c'est facile d'accès, et elle sait que chaque tuile est percée en haut et retenue par un clou, chaque tuile recouvrant le trou de la tuile en dessous d'elle. Elles sont posées telles des demi-lunes. Quand le vent veut les arracher, elles se soulèvent un peu avant de retomber avec un bruit sec. Ça fait le même bruit que le dentier de Karen.

— Aujourd'hui, on va faire un tour en ville et regarder si on trouve de nouveaux vêtements pour toi, Lotte, annonce grand-mère.

Cela fait déjà quatre semaines qu'elle est là. L'autre moitié des vacances commence, la partie qui se termine par le retour à Trondheim et le froid mordant de l'automne. Grand-mère veut lui acheter des vêtements. C'est donc qu'elle aussi pense vaguement à Trondheim, car ces nouveaux vêtements, elle ne les mettra pas avant de rentrer à la maison. Lotte s'imagine déjà descendre de la passerelle de l'avion, à l'aéroport de Værnes, dans des vêtements chers tout neufs. « Ta grand-mère croit peut-être que je n'ai pas les moyens de t'habiller, c'est ça ? Elle n'a pas vu tout ce que tu avais dans ta valise, ou quoi ? Tous ces vêtements, j'aurais parfaitement pu les coudre pour toi… MOI-MÊME. »

La mère de Nina était venue un jour d'hiver proposer à Lotte d'utiliser un ancien manteau de Nina, qui portait des vêtements d'une taille au-dessus de celle de Lotte. Le manteau était beau, bleu avec des brides blanches. Sa mère avait fait un sourire à la mère de Nina et dit « non, merci », mais Lotte avait bien vu son poing serré derrière son dos et s'était demandé si sa mère allait s'en servir pour la frapper. Mais non, une fois la porte refermée, ce fut le plan de travail qui prit. Elle y donna même plusieurs coups, yeux clos, en poussant de petits gémissements qui lui remontaient de la gorge pour former le mot « aumône ». Lotte n'avait pas osé demander ce que ça signifiait.

Grand-mère se prépare dans sa chambre et finit par être exactement comme lorsqu'elle est venue chercher Lotte à l'aéroport de Flesland. Elle a enlevé son tablier, sorti son manteau et son foulard en soie. Il est rouge, blanc et bleu foncé. Puis elle a fixé une broche sur le devant de sa robe et attaché le foulard d'un nœud sous le menton. D'un geste doux, elle peigne ses cheveux en arrière, puis elle va chercher son sac à main blanc et plat, qui contient juste un mouchoir et son porte-monnaie. Lotte a droit à un ruban dans les cheveux.

Elles sortent dans le vent, longent les toits qui cliquètent, descendent le chemin en laissant les maisons derrière elles, passent devant les vaches qui daignent à peine lever les yeux, devant la scierie… et arrivent en ville. Lotte serre fort la main de sa grand-mère.

— Dis, grand-mère, ça fait combien de jours, quatre semaines ?

— Vingt-huit. Et il y en a trente dans un mois.

Tous les gens qui passent saluent sa grand-mère d'un signe de tête.

— On dirait que tu connais tous ces gens, grand-mère.

— Non, mais eux me connaissent.

Un homme d'un certain âge soulève son bonnet avec peine et s'écarte pour leur laisser toute la place. Il les salue en baissant les yeux.

— Qui c'était, grand-mère ? chuchote Lotte.

— C'était Oscar. Il a été garçon de ferme à Sinnstad pendant plusieurs années, il y a très longtemps. Et puis il s'est mis à boire comme un trou, alors on n'a pas pu le garder.

Lotte se retourne et regarde Oscar. Il n'a pas bougé et reste là, le bonnet à la main. Lotte sourit, mais il ne la voit pas ; ses yeux sont fixés sur la nuque de grand-mère, qui ne se retourne pas.

— Qu'est-ce qu'il buvait, grand-mère ?

— Le genre de choses que boivent certains adultes… et qui les rend complètement fous.

Une fois dans sa chambre, elle admire les nouveaux vêtements qu'elle a étalés sur son lit : un cardigan turquoise en angora, avec un chemisier pour aller avec, et des boutons en nacre ; un pantalon extensible marron clair ; des chaussettes hautes blanches. Le cardigan est si doux à caresser que ça lui donne envie de dormir. Elle a remercié grand-mère plusieurs fois et lui a dit à quel point elle était contente d'avoir des vêtements aussi beaux. L'air est étouffant. La fenêtre est fermée. Les rideaux pendent comme de longs bras maigres, des bras de fantômes.

Maintenant, elle a deux pantalons extensibles : un bleu et un marron. Seule Eva Lise en a deux, en tout cas, elle était la seule lorsque Lotte est partie. Sa Barbie est assise au pied du lit. Grand-mère lui a tricoté une nouvelle robe en laine, marron, cette fois. Une nouvelle lettre est arrivée. Sa mère écrit que Marit a la télévision, « il y en a qui ont les moyens ! ». Elle a mis ce point d'exclamation. Lotte a mis la lettre dans sa valise, elle l'a juste glissée dans la fente sans ouvrir le bagage et elle l'a entendue tomber sur la doublure en soie brillante.

Elle caresse le cardigan angora turquoise. Elle peut renverser de la limonade dessus, dans l'avion, sur le chemin du retour, juste avant l'atterrissage. La limonade rouge fait des taches qui restent... « Oh non, Lotte, tu as sali ton cardigan ? Viens vite avec moi dans les toilettes, je vais frotter avec de l'eau froide... Comme ça, c'est mieux... Je le laverai comme il faut, dès qu'on sera rentrées. C'était un beau cardigan... »

Lotte replie soigneusement les vêtements et les range dans l'armoire. Les tuiles font du bruit, alors grand-mère a refermé les fenêtres de l'étage, pour que le vent ne les arrache pas.

— Est-ce que tu vas t'acheter une télévision, grand-mère ?

— Une télévision ? Non, Lotte, s'exclame sa grand-mère en tapant des mains, ah, ce que tu peux être drôle quand tu t'y mets !

— Pourquoi pas ? Il y a plein de choses à voir, à la télévision. Des courses de patinage, des...

— Je l'ai regardée, là-bas, à Flesland... Pendant que je t'attendais, la dernière fois... Tu sais à quoi ça m'a fait penser ? À un théâtre de marionnettes. Tu ne crois pas que j'ai passé l'âge de regarder des marionnettes ? ajouta-t-elle en riant de plus belle.

Nina et Eva Lise auraient pu venir ici, elles se seraient tenues sous le porche en tortillant leurs mèches de cheveux avec leurs doigts mouillés et auraient demandé si elles pouvaient entrer chez elle pour voir la télévision. Elles la supplieraient, l'imploreraient, et elle secouerait la tête, expliquerait que son grand-père devait se reposer et qu'il ne fallait le déranger sous aucun prétexte. D'ailleurs, elle n'a aucune envie de jouer avec elles, leur dirait-elle. Alors elles disparaîtraient entre les maisons. Les tuiles s'entrechoqueraient si fort qu'elles auraient peur et crieraient que les maisons allaient s'effondrer sur elles. Lotte rirait, sortirait dans la cour pour mieux les voir ; et elle rirait à n'en plus pouvoir, les mains sur les hanches. C'est ici qu'elle habite, dans cette immense ferme, elle participe même aux travaux, elle reçoit de beaux vêtements, elle est la fille de l'héritier de cette ferme, alors que Nina et Eva Lise vivraient en ville, dans des maisons riquiqui aux fenêtres sales, avec des feuilles mortes qui jonchent le sol, et n'auraient pas de pères pour les ratisser. Les arbres autour des maisons se briseraient bientôt sous le poids des branches mortes.

Le dos muet de grand-mère se balance devant elle.

— Tu as terminé ton petit déjeuner, Lotte ? demande-t-elle en se retournant.

De grands plans de travail s'étendent de chaque côté de son dos.

Les mauvaises herbes ont des fleurs blanches, comme des étoiles. Elle est censée les arracher et les jeter par-dessus le muret pour que ça tombe dans le compost. Ça vole la nourriture des plants de tomates, explique grand-mère.

Lotte est agenouillée devant la plate-bande, l'herbe est chaude sous ses genoux. Si elle passe le doigt sur la tige du plant de tomate, son doigt sent la tomate après – une odeur intense et verte, pas rouge du tout. Elle ne jette pas les mauvaises herbes, mais les rassemble pour en faire un bouquet pour sa grand-mère.

Sa main s'enfonce facilement, jusqu'au poignet, dans la terre meuble. Elle referme ses doigts et remonte une poignée de terre qu'elle serre bien fort pour en faire une pâte noire qui porte la trace de ses doigts. Elle continue à serrer jusqu'à ce que de l'eau s'en échappe.

L'eau a l'air sale, elle lui coule jusqu'au coude.

Alors elle pose les yeux sur le bouquet : les étoiles blanches sont couvertes de pucerons. Elle laisse tomber la motte de terre et donne un coup de pied dans le bouquet. Le ciel est à l'orage. Les tomates pendent en lourdes grappes. Si grand-mère n'avait pas pris soin de les attacher à des clous, dans le mur, avec plein de ficelles, toutes les plantes seraient tombées sans force sur le sol. Les tomates auraient été écrasées, les graines auraient glissé sur la terre noire et humide. Tout aurait été détruit si les ficelles de grand-mère ne les avaient pas aidées à pousser vers la lumière. Lotte marche à reculons. Elle se rend compte qu'elles peuvent malgré tout tomber n'importe quand.

18

Lotte gigota sur sa chaise, fixa son pupitre et se mordit la lèvre. Derrière son dos, elle entendait des messes basses et des rires étouffés. Elle avait naïvement cru que tous comprendraient quand, d'une voix claire et le menton levé, elle avait raconté à la maîtresse et à toute la classe qu'elle venait de là-bas. Et que cela voulait dire bien plus que seulement « connaître le coin ».

Le cordon du store se terminait par une petite boule en bois qui se balançait doucement. Le store représentait une carte, une carte de la Norvège, aux bords effilochés comme de vieilles manches de pull-over. La maîtresse pointait sur la carte avec une longue baguette jaune. Chaque fois qu'elle montrait quelque chose sur la carte, la boule en bois bougeait et les effilochures flottaient. La mer autour de la Norvège était représentée en bleu. Elle ressemblait au ciel, à l'air, pas du tout à la mer. Le son de la baguette faisait penser à une pichenette contre un ballon gonflé.

— Non, Lotte. Tu ne viens pas de là-bas. Tu connais le coin, tu le connais peut-être même très bien, qu'en sais-je. Mais cela n'a rien à voir, insista la maîtresse.

La baguette décrivait des cercles autour de la partie de la Norvège où se trouvaient le plus de traits bleus hachurés : les fjords de la côte ouest, des déchirures zébrées de bleu ciel qui s'ouvraient vers des zones montagneuses, indiquées en marron. Plus les montagnes étaient foncées sur la carte, plus elles étaient hautes dans la réalité. Celles que montrait à présent la maîtresse en frappant dessus étaient très foncées. Cela faisait du bien de se mordre la lèvre, la peau cédait et elle sentait le goût sucré de son sang.

— … parce que tu n'as pas GRANDI là-bas, Lotte. Et quand on parle de l'endroit d'où on vient, on parle de là où on a grandi. Quand tu seras plus grande… même déjà maintenant… tu comprendras que tu viens de Trondheim, et non de Perlevik.

— Oui, mais vous ne comprenez pas, maîtresse, que je VIENS de Perlevik… Mon père est né là-bas et…

— Certes, ton père vient de Perlevik. Mais ta mère vient de Trondheim, et c'est ici que tu habites. Alors tu viens de Trondheim. Et autre chose : quand on vient d'un endroit, on parle le dialecte que les gens y parlent. Toi, tu parles typiquement le dialecte de Trondheim, Lotte !

Et elle se mit à rire, entraînant toute la classe derrière elle. La pièce résonna de leurs rires tonitruants.

— Eh bien non, c'est pas vrai ! s'écria la fillette.

— Qu'est-ce qui n'est pas vrai, Lotte ?

— Je ne parle pas le dialecte de Trondheim quand je… quand je…

Il y eut un silence. Elle ne l'avait encore jamais dit à personne, n'avait jamais expliqué aux autres les sons caractéristiques du Vestland, n'avait confié à personne à quel point sa grand-mère la trouvait douée pour passer aussi facilement d'un dialecte à l'autre, chaque fois qu'elle venait.

— Ah bon ? s'étonna la maîtresse.

La classe attendait.

— Non.

La maîtresse déambula devant le tableau, prit un air pincé, fronça les sourcils :

— Sur la côte ouest, on ne dit pas « itj » quand on veut dire la négation « ikke », n'est-ce pas Lotte ?

— Oui, on dit « ikkje » ou « inkje ».

— Tu vois bien ! Et toi, tu dis « itj », s'exclama-t-elle. Bon, je crois que le débat est clos. Et vous voyez cette partie blanche, ici ? continua-t-elle en tapotant une tache blanche sur la carte, ce qui fit danser la boule en bois en dessous. Ça, c'est QUOI, mes enfants ? Non, vous ne pouvez bien sûr pas le savoir... C'est le glacier Folgefonna.

— Folgefonni, avec un « i », rectifia Lotte en chuchotant.

— Maîtresse ! intervint Olav. L'été dernier, quand on était en vacances, on est passés par là. Par cet endroit qui s'appelle... Perlevik... dont parle Lotte. On a traversé presque toute la Norvège, nous, dans la voiture de mon oncle !

Elle se retourna et le regarda. Ce n'était pas possible qu'il ait été là-bas. Personne d'ici n'avait été là-bas. Et d'ailleurs, Trondheim et Perlevik n'étaient pas reliés par la route, on devait se soulever au-dessus des nuages, toucher presque le soleil, avant qu'un monde fasse place à l'autre et devienne réalité.

— Peuh ! dit-elle en le regardant droit dans les yeux.

Mais Olav répéta ce qu'il avait dit, en donnant à présent plusieurs détails sur des sommets, sur le soleil qui se couchait tôt l'après-midi. Ils avaient dormi dans un camping que Lotte connaissait, le Veimyr, avec un ours empaillé qui se tenait au bord de la route et indiquait avec sa patte la direction du camping. Elle l'avait souvent vu, cet ours.

— Peuh ! répéta-t-elle.

Il y eut un silence dans la classe. Personne ne rit.

— Vous voyez bien ! conclut la maîtresse en agitant sa baguette vers la droite, vers des zones marquées en jaune. Voici le Hedmark… avec ses villages… et ICI, il n'y a pas beaucoup de montagnes ni de fjords…

Marit ne vint pas vers elle à la récréation. En revanche, Nina, Eva Lise et quatre autres filles l'entourèrent. Leurs paroles s'enchaînaient non-stop, comme lorsqu'on tire sur un rouleau de papier toilette. Chacune y allait de sa petite phrase :

— T'as vu ! Toi qui n'arrêtais pas de nous rebattre les oreilles avec ta ferme à Perlevik, qu'est-ce qu'on en a à faire d'une FERME, franchement ! Il n'y a que des paysans qui vivent là-bas. Si ça se trouve, toi t'es aussi une paysanne ? Pourtant, ton père n'était pas un paysan !

— Vous pouvez dire ce que vous voulez… parce que vous… vous ne savez rien ! se défendit-elle.

— Ah ah ah ! s'exclamèrent-elles en chœur et en dansant autour d'elle.

— Je vais bientôt partir, moi. Vous autres, vous n'avez qu'à rester ici à Trondheim, avec ces montagnes plates partout. Je prendrai l'avion, moi. Je voyage même toute SEULE !

Les moqueries cessèrent instantanément.

— Mais on a le droit ? Euh… de voyager seul ?

— Mmm. Et on me donne une épingle à accrocher à mon manteau, comme celles qu'ont les hôtesses de l'air. J'ai eu une épingle comme ça à l'aller et une au retour. J'en ai plein, à la maison. Vous les avez bien vues, toutes les deux ! dit-elle en pointant le doigt vers Nina et Eva Lise.

Elles se tournèrent vers les autres filles :

— Oui, c'est vrai, ce sont de très belles épingles… des ailes jaunes avec des lettres entre… *Braathen Safe*, c'est marqué…

— Parfois, j'ai le droit d'être assise devant avec le pilote, enchaîna Lotte, et là je peux voir toutes sortes de choses, des oiseaux, des nuages, d'autres avions… et puis l'hôtesse de l'air me donne de la limonade et du chocolat sur un petit plateau. Et il y a plein de passagers qui sont morts de trouille car c'est la première fois qu'ils prennent l'avion, alors elle leur offre du chewing-gum.

— Du chewing-gum ?

— Mmm.

— Pourquoi ?

— Pour qu'ils n'aient pas mal aux oreilles, et en fait, ça leur fait encore plus peur.

— Ça fait mal aux oreilles quand on a peur ? demande Marit, qui s'est finalement jointe au petit groupe.

— Mais non… c'est à cause de la différence de pression.

Elles se dévisagèrent. La sonnerie retentit. Les marches de l'école étaient blanches au milieu, à force d'être usées. Bientôt, elle partirait. Dans trois semaines exactement, dès que l'école serait finie.

— Tu te réjouis déjà ? lui avait demandé sa maman la veille, en entendant Lotte chanter dans sa chambre, avec sa Barbie sur les genoux.

— Mais non, je chante seulement une chanson à ma Barbie !

Sa mère avait désormais une manière bien à elle d'être assise près de la fenêtre de la cuisine. Elle gardait les mains posées sur ses genoux, comme des saucisses molles, et regardait fixement dehors. Il n'y avait rien à voir, hormis les pelouses vertes, tondues jusqu'à la racine par le gardien, quelques arbres, les autres immeubles. Elle pouvait rester ainsi des heures, sans entendre ce que Lotte disait, sans faire de crochet ni lire quoi que ce soit. Elle ne réagissait pas avant que Mme Sybersen n'entre chez elle pour boire le café. Son corps était lourd quand elle se relevait, on aurait dit qu'elle collait encore, comme une pâte à pain toute fraîche ; elle avait le visage vide, les bras pendants.

Rien de ce que pouvait dire Lotte ne faisait réagir ses mains, sauf une chose. Si l'enfant apercevait de la fenêtre de sa chambre le facteur faisant sa tournée, elle le criait à sa mère, qui allait chercher la clé et descendait voir. Si la boîte aux lettres était vide, elle se rasseyait à la fenêtre. S'il y avait des publicités, elle étudiait les brochures, sur la table, et posait la cafetière sur la plaque. Mais si arrivait une lettre portant son nom tapé à la machine, elle la laissait telle quelle sur la table de la cuisine, fixant l'enveloppe et ne regardant plus dehors. Ce genre de lettres, elle ne les ouvrait jamais quand elle était seule ; elle attendait que Mme Sybersen vienne, ou bien elle allait chez elle avec la lettre. Une seule fois, le facteur était venu avec un mandat. Ce jour-là, sa mère avait serré Lotte dans ses bras et dit qu'elles finiraient par s'en sortir, toutes les deux.

Lotte restait parfois sur le pas de la porte, à observer sa mère en faction à la fenêtre. La fillette mâchouillait une mèche de cheveux sans quitter des yeux sa mère, devenue une petite poupée à l'extrémité d'un immense sol bleu délavé – une couleur qui chantait. La peau de son crâne était sombre et luisait au milieu de ses boucles, elle se tenait voûtée, ses doigts n'enserraient rien, ses talons étaient raides et immobiles sous la chaise.

Lotte s'imagina tomber par terre ; ses dents de devant se cogneraient contre le bord du trottoir. Ses incisives seraient cassées et traîneraient comme des bonbons sales dans le sable, le sang coulerait à flot, sa mère s'agenouillerait et la serrerait contre elle jusqu'à ce que la douleur soit moins forte, ensuite elle lui préparerait du chocolat chaud…

Le sol bleu se dressa devant elle comme une paroi verticale, un mur. Les boucles de la mère ne bougeaient toujours pas. Lotte tendit l'oreille, guettant un bruit de pas. Mais de qui ? Pas ceux de sa mère, en tout cas.

Il vint la chercher le mardi, avant qu'elle ne parte à Perlevik le samedi suivant. C'était tout à fait inhabituel. Elle était allée le voir le dimanche et ne devait pas y retourner avant la fin de l'été. Elle n'avait toujours pas rencontré cette femme, ni ses enfants, aucun de ceux qui avaient « Karlsen » comme nom de famille. La dernière fois, il avait travaillé dans son bureau tout le temps qu'elle était là. Plusieurs fois, il avait failli lui dire quelque chose, mais il était simplement retourné à sa table de travail. Elle avait joué avec la maison de poupée, dans laquelle de nouveaux meubles avaient fait leur apparition après Noël, notamment une salle à manger avec de tout petits tableaux et de minuscules lampes au-dessus, fixées aux murs. Elle avait emmené sa Barbie, et peu importait si la tête de sa poupée touchait le plafond, même quand Lotte lui repliait un peu les jambes.

— Ton père viendra te chercher dans une heure, dit sa mère en récurant le fond de l'évier avec de la paille de fer.

— Aujourd'hui ? Pourquoi ?

— C'est juste pour te dire au revoir, m'a-t-il déclaré... Mais tu n'as peut-être pas envie de le voir ? demanda sa mère, qui cessa de frotter et la regarda en souriant.

— Si...

Il lui avait déjà dit au revoir lorsqu'il l'avait raccompagnée, la dernière fois. Et il lui avait donné dix couronnes pour qu'elle s'achète des bonbons. Avec l'argent, elle avait acheté à sa mère un napperon à poser sous la cafetière, à la boutique de cadeaux du coin. Elle prétendit avoir trouvé l'argent dans la cabine téléphonique, sous la grille. Sa mère avait été très heureuse du cadeau ; le même jour, elle-même avait reçu de l'argent dans la boîte aux lettres. Elle avait chantonné et pris Lotte dans ses bras, une fois le napperon posé sur la table de la cuisine. C'est la fillette qui avait dû ouvrir le paquet, comme sa mère avait les mains pleines de pâte : elle préparait des petits pains aux raisins et s'était tenue un peu à distance, en écartant les bras, pour éviter de faire tomber de la farine sur le cadeau.

— Il va bientôt arriver, Lotte... Tu peux déjà sortir l'attendre... Et puis tu peux prendre une couronne pour t'acheter des bonbons.

Sa mère se lava les mains sous le robinet et alla chercher son porte-monnaie rose.

Lotte acheta quelques bonbons à la réglisse et à la menthe et deux sucettes au caramel enrobé de chocolat. Le premier caramel n'était plus qu'une petite bouillie dans sa bouche lorsque la voiture de son père s'arrêta en bas de la route. Elle jeta le bâtonnet dans le fossé et prit sa Barbie et ce qui restait des bonbons avant de se diriger calmement vers la voiture. Elle savait que sa mère l'observait de la fenêtre de sa chambre à coucher.

Il ne devait pas croiser son regard. Ses dents étaient blanches et froides quand il lui sourit, et la voiture démarra avant même qu'elle ait refermé la portière. Elle ne cessait de regarder son profil, les angles droits de son visage, les mèches souples et mouillées qui lui tombaient sur le front. Dès le premier carrefour, la voiture prit un autre chemin.

— On va où ?

— Je pensais t'emmener dans un café. Il faut qu'on parle de quelque chose.

Ses mots devinrent un train de marchandises, avec des wagons accrochés les uns aux autres. Les wagons étaient fermés par de grosses portes coulissantes, il était impossible de deviner ce qu'ils contenaient. Elle prit un bonbon et le suça jusqu'à ce que les traces de réglisse aient fondu et qu'il devienne tout blanc et brillant, avec le seul goût de la menthe.

Il l'emmena au *Neptun Kafé*. Le lieu était sombre, les tables grises et sans nappe, les chaises raclaient le sol quand on les tirait. Le café était plein de bourdonnement de voix, de bruit de tasses, du froissement de sacs en plastique qu'on heurtait du pied sous la table. C'était comme si tous les mots étaient déchiquetés et broyés pour devenir une bouillie.

Le dos de son père se dressait devant la caisse à laquelle une petite dame était assise et tapait les chiffres d'un ongle rouge vif. La nuque de son père était blanche. Ses cheveux sombres se terminaient par la pointe d'une flèche indiquant le col du blouson. Sur le plateau, il y avait une bouteille de Coca-Cola, telle une tour avec une paille fichée dedans, et, plus bas, une assiette avec des petites galettes de pommes de terre et une tasse de café. Elle aurait pu être assise sur ses épaules, précisément ici et maintenant, tout en haut sous les lustres ; elle aurait pu les toucher avec les mains et les faire tournoyer comme des soleils au-dessus des gens. Son père aurait ri, elle lui aurait mis les mains devant les yeux. Il aurait avancé dans la salle en se cognant partout, renversant des chaises au passage. La dame à la caisse les aurait chassés du café et, une fois sur le trottoir, ils auraient éclaté de rire en se cramponnant l'un à l'autre pour ne pas tomber.

Il posa la bouteille avec un petit bruit sec. La paille fit tomber un peu de mousse blanche sur la table en Formica marron.

— Tu aimes les galettes de pommes de terre ?

Elle ne répondit pas. Quelle question ! Comme s'il ne savait pas qu'elle aimait les galettes de pommes de terre !

Il lui sourit, leurs regards se croisèrent.

— Oui. J'adore les galettes de pommes de terre !

Il posa le plateau vide par terre, sous sa chaise, s'éclaircit la voix, prit une gorgée de café, regarda par la fenêtre. L'acide carbonique lui brûlait tellement la gorge qu'elle eut les larmes aux yeux. Elle cligna vite des paupières, pour les chasser.

Il ne parlait pas. Si ça continuait, elle allait tomber à travers la chaise, à travers le plancher. La bouteille de Coca et la tasse de café voleraient dans les airs, ça salirait tout.

— Bon, tu pars samedi. Maman se réjouit, je le sais.

— Mmm.

— Mais ce n'est pas de ça dont je veux te parler.

— Je croyais que tu voulais seulement me dire au revoir ?

— Tu sais, Lotte, que ta grand-mère est ma mère. Et cette fois, quand tu vas aller là-bas… ce sera la première fois après que… que ta mère et moi… nous ne sommes plus mariés.

Elle était à présent arrivée au niveau des lettres blanches, sur le côté de la bouteille : elle en avait déjà dégagé le haut. Une partie de l'écriture se reflétait dans la lumière verte ; la bouteille était usée et rayée. Elle savait que l'usine réutilisait les bouteilles. Peut-être avait-elle déjà bu dans celle-ci même ? Le bas des lettres continuait à ressortir en blanc contre le soda marron sombre.

— … mais il y a des choses qu'il faut que je t'explique, même si tu n'as que huit ans. Tu comprends…

— Tu peux prendre l'autre galette, papa. Je ne pourrai pas manger les deux.

— Oui… d'accord… Je suis donc le fils de ta grand-mère, comme tu le sais, et dans ce genre d'affaires… je sais que ça peut paraître bête, mais… ma mère prend en quelque sorte mon parti, tu comprends ? Est-ce que tu m'écoutes ?

— Mais oui… ton parti ? Comme quand on ne se cause plus ? Quand on se dispute avec ses amies ?

— Oui, c'est exactement ça, Lotte ! Et ma mère a donc pris mon parti. Elle croit peut-être que c'est ce que JE veux, puisqu'elle doit choisir entre Monica et ta mère. Par conséquent, elle s'est, en quelque sorte, fâchée avec ta mère, elle aussi. Tu as peut-être remarqué que ma mère ne parle plus à la tienne… et tu sais qu'elle a préféré envoyer des cadeaux de Noël à Monica… mais tu le sais, puisque tu m'as posé la question à Noël, alors tu as dû comprendre ce que cela impliquait…

Les contours de quelque chose d'énorme et d'épais commençaient à prendre forme, remplissaient l'espace autour d'elle dans ce café, et toutes les voix lui parvenaient de très loin. Elle ne partirait pas. Grand-mère avait choisi son camp et Lotte était de l'autre côté de la ligne, les pièces de cinq *øre* étaient irrémédiablement perdues. Serrant fort la bouteille de Coca entre ses mains, elle guettait la moindre expression sur le visage de son père, sur sa bouche. Il porta la tasse à ses lèvres et jeta un coup d'œil autour de lui. Toujours sans la regarder, il ajouta :

— Il vaut mieux que tu ne parles pas trop de ta mère quand tu arriveras à Perlevik, Lotte. Je crois que ce sera plus agréable pour toutes les deux si tu ne mentionnes pas ta mère pendant que tu seras à Sinnstad.

Il la regarda droit dans les yeux, les sourcils froncés, les yeux plissés. Elle but une grosse gorgée et eut les larmes aux yeux.

— T'inquiète pas, je vais rien dire !

Son père s'adossa à sa chaise et inspira profondément. Il lui sourit :

— Tu es sûre que tu ne veux pas manger la deuxième galette ?

Elle le regarda à son tour :

— C'est ça que tu voulais me dire, papa ?

— Oui, comment ça ? Qu'est-ce que tu croyais ?

— Je ne parlerai pas de maman, papa. Je ne veux pas faire de la peine à grand-mère.

Elle partirait quand même. Elle sourit, se cala mieux sur sa chaise et commença à lui parler de l'école, de Marit, des copines. Il écoutait d'une oreille distraite, se contentant de hocher un peu la tête, un vague sourire aux lèvres. Il finit sa tasse de café, racla le sol avec ses longues jambes. Au fond du café, quelqu'un partit d'un grand éclat de rire.

— Est-ce que je peux avoir ton sucre ? finit-elle par demander.

Il ne l'avait jamais autorisée à manger du sucre ainsi, sans rien.

— Oui, prends-le. Alors, on est bien d'accord, hein ?

Le sucre crissa dans toute sa tête, comme le bruit des roues d'un vélo sur du gravier.

— Mais oui. Je ne dirai rien… Promis.

Ça aurait été idiot de faire tourner les lustres. Les gens se seraient moqués d'elle, l'auraient prise pour un bébé stupide. D'ailleurs, les lustres seraient sans doute tombés par terre et se seraient brisés en mille morceaux. Et ça aurait été de sa faute, puisque le père n'aurait rien pu voir à travers ses petits doigts.

En sortant sur le trottoir, elle sentit l'odeur de la pisse de chat. Ça venait du porche voisin, et elle aperçut la queue d'un gros chat sauvage qui s'éloignait sans bruit sur ses pattes toutes douces. Il disparut dans la pénombre, ne laissant derrière lui que cette odeur. Son père ne le vit pas.

— Je ne comprends pas pourquoi il tenait à te voir. Alors, qu'est-ce qu'il t'a dit ?

— On a été au café.

— Oui, mais qu'est-ce qu'il a dit ?

Elle avait rapproché son visage tout près de celui de Lotte, son haleine avait une odeur de café.

— Il voulait seulement me dire au revoir !

— Au revoir ? Dans un café ?

Elle sentait aussi la transpiration. Mme Sybersen était assise de l'autre côté de la table, les yeux baissés sur son ouvrage au crochet, et se passait le bout de la langue sur les dents de devant pour les nettoyer.

— Nous avons parlé de tout et de rien… de l'école, et tout ça.

Sa mère se redressa et joignit ses mains.

— Si tu crois que je ne vois pas que tu me caches quelque chose ! Eh bien, puisque ça t'amuse d'avoir des secrets avec ton père, tu n'as qu'à continuer. Ça m'est bien égal… Mais si jamais il prépare un coup en douce, je ne vais pas me laisser faire !… T'as faim ?

— Non, j'ai mangé des galettes de pommes de terre. Et puis il m'a donné son sucre, ajouta-t-elle avec un sourire, comme si elle lui faisait un cadeau.

— Tout ce qu'il trouve à faire, c'est de te donner du sucre à croquer ? Ah, je le reconnais bien là. Ils doivent avoir des dents toutes pourries, maintenant, les deux autres gamins, là-bas !

Et sa mère se mit à rire, mais son rire était comme mouillé. Mme Sybersen rit aussi et prit la moitié d'un petit pain de l'assiette posée sur la table. Lotte sortit en silence, à reculons sur le sol bleu, et alla dans sa chambre. La porte gémit légèrement, elle s'immobilisa, les doigts sur la poignée ; elle sentait les voix, dans la cuisine, vibrer dans sa main. La voix de sa mère était forte et elle riait beaucoup entre les mots, elle parlait de factures de dentiste et de la nouvelle maison du père.

Lotte s'assit sur le bord du lit, glissa ses mains sous ses cuisses en serrant très fort les talons. Ses oreilles bourdonnaient et ses yeux devinrent si chauds qu'elle dut les fermer ; ça la picotait dans tout le corps, elle se contracta encore plus fort. Mercredi, jeudi, vendredi, samedi. Elle forma les mots avec la bouche, les chuchota dans la pièce :

— Mercredi… jeudi… vendredi… samedi…

Les jours se transformaient en un rythme dans lequel elle pouvait inspirer et expirer, comme de courtes échappées de souffle muet ; le rythme sortait de son corps et le faisait se balancer doucement d'avant en arrière. Elle prenait les mesures des jours à venir, elle les comptait, les berçait dans ses mains brûlantes cachées sous ses cuisses :

— Mercredi-jeudi… vendredi-samedi… mercredi-jeudi… vendredi-samedi…

19

Elle se tient devant le porche, en ciré de la tête aux pieds, et recueille l'eau de pluie dans un seau en zinc, lorsque l'oncle arrive à vélo. D'habitude, il descend et pousse son vélo sur la dernière partie de la pente raide, celle qui passe devant le champ de rhubarbe, mais aujourd'hui il a réussi à tout grimper en danseuse, balançant son corps et sa nuque à chaque tour de pédale. Il est rouge écarlate.

— J'ai réussi ! crie-t-il en apercevant Lotte. J'ai réussi !

Immobile, elle continue à tenir le seau. L'eau de pluie ruisselle sur ses mains et éclabousse les dalles en dessous.

— Qu'est-ce que tu fabriques ? Qu'est-ce que tu vas faire avec toute cette eau ?

— Je vais… je vais arroser les fleurs sous le toit, là où la pluie ne les atteint pas. Tu as eu ton permis de conduire, c'est ça ?

— Oui, Lotte, je l'ai eu !

Il se précipite à l'intérieur de la maison sans enlever ses chaussures, qui laissent des flaques brunes sur les lattes grises du parquet. Vite, elle se débarrasse de ses bottes et le suit en évitant de marcher dans ses traces. Dans la cuisine, l'oncle sautille autour de grand-mère :

— Je l'ai eu ! Je l'ai eu ! répète-t-il en agitant un petit carnet vert foncé en plastique.

— Félicitations, dit grand-mère en souriant, sans rien dire pour les chaussures.

Lotte se hisse sur le plan de travail. Devant elle sont étalées les images découpées la veille au soir dans le magazine hebdomadaire *Familie*, dessins et photos réunis en une pile. Elle en fait collection. Sur le dessus, il y a un chien, un volcan et un modèle de pull à tricoter. Elle prend les ciseaux et les pique dans une page, sans quitter pour autant son oncle des yeux. Il s'approche d'elle brusquement :

— Tu te rends compte, Lotte ? Je vais pouvoir avoir une VOITURE !

Il soulève la fillette. Ses découpages tombent à terre, les ciseaux tombe sur la table et y font deux encoches profondes. Il lui fait toucher le plafond, les poutres du toit lui chatouillent presque la nuque, et il la pose sur ses épaules. Ses cheveux sentent quelque chose. Elle croit que c'est un genre de crème qui leur donne cet aspect brillant et humide. Elle l'a vu presser cette crème d'un tube, cela ressemblait à un long ver dans sa main, et s'en frotter la tête. Ce que son père utilisait à la maison était transparent, on aurait dit de l'eau, et c'était en bouteille. Elle n'a pas envie de toucher ces cheveux-là.

— Je veux descendre ! Je veux descendre ! J'ai peur !

Elle ramasse ses découpages et examine les nouvelles marques dans la table. Un serpent aurait pu faire une marque comme celle-là en y plantant ses crocs empoisonnés. Il saisit sa mère par la taille et la fait danser. Lotte reste bouche bée.

— Eh bien dis donc, mon garçon ! Tu es déchaîné, ma parole, s'exclame grand-mère, toute ébouriffée.

— Maintenant, on va s'acheter une voiture, déclare l'oncle en riant.

— Une voiture ? Mais tu as assez d'argent, toi ?

— Oh, on peut l'acheter à plusieurs. Père pourrait avoir besoin qu'on l'emmène en voiture, de temps en temps. Et tu pourrais aller à Bergen pour t'acheter une robe !

Ils s'arrêtent. Les mains de l'oncle lâchent les hanches rondes, grand-mère le regarde.

— Une robe ? Ah, je comprends, maintenant, ce que tu veux faire avec cette voiture... Tu veux aller le long du fjord courir les filles !

Il fourre les mains dans ses poches, baisse les yeux, frotte ses bottes sur le sol.

— Zut ! Je crois que j'ai oublié d'enlever mes bottes !

Grand-mère et Lotte se font un clin d'œil. Lorsque l'oncle revient dans la cuisine, il a un chiffon au poing pour nettoyer ses saletés.

Lotte feuillette le magazine. Une dame à la peau transparente sourit, lèvres closes, et penche la tête en direction d'un homme flou en arrière-plan. Quand les ciseaux arrivent sur l'image de l'homme, elle découpe tout près des cheveux de la dame. Elle n'en veut pas, de lui. Maintenant, la dame observe le chien et le volcan, à la place. L'oncle continue à parler de la voiture. Lotte s'approche et grimpe de nouveau sur le plan de travail. Grand-mère n'a pas besoin de robe. Son armoire en est pleine et elle peut acheter en ville tout ce qu'il lui faut. L'oncle a fière allure sur son tracteur, à tracer des sillons avec la charrue ; sur les grosses roues noires, à l'arrière, les reliefs en caoutchouc sont remplis de terre grasse marron clair. Où qu'il soit, on peut entendre le vrombissement du moteur jusque dans la cuisine, même lorsque grand-mère fait à manger ou que l'horloge sonne. Quand il emprunte la route avec son tracteur, c'est pour aller à la décharge, la remorque pleine de déchets. Dès qu'il a fini, il fait demi-tour et rentre à la maison.

Le seau en zinc est impossible à soulever. Elle essaie d'enlever un peu d'eau, en renverse un gros flot, mais cela ne suffit pas. Elle recommence, et soudain, tout le poids du seau est entre ses mains et il se renverse entièrement sur les dalles, en vagues noires qui touchent le mur puis refluent vers elle. Ses genoux sont trempés, ainsi que son pull en laine sous le ciré. De la fenêtre ouverte de la cuisine, elle entend le mot « voiture » répété à intervalles réguliers. Mais elle ne saisit pas ce qu'ils disent d'autre. La voix de l'oncle se fait plus stridente, lui rappelle le cri de la mouette. Elle pose de nouveau le seau sous la gouttière, quelques secondes seulement, puis court derrière la maison pour aller voir les roses. Les voix ne portent pas jusque-là.

Les fleurs sont rouges et sèches, les feuilles sont recouvertes d'une fine couche de poussière. La terre autour d'elles est marron clair. Elle y verse l'eau qui s'infiltre dans la terre par de petits trous, faisant remonter des bulles d'air. Plusieurs des rosiers sont fanés, des nœuds triangulaires jaunes ont remplacé les pétales rouges. On est au début du mois d'août. Le jardin est silencieux et assombri par l'humidité. Elle marche lentement entre les bâtiments. Il reste moins de trois semaines avant son départ. Près de la forge, elle s'arrête. Le perron est mouillé, mais elle s'y assied quand même. L'eau, en imprégnant le fond de son pantalon, lui donne une sensation de froid qui la rassure. Comme le ruban de son suroît la serre trop sous le menton, elle le défait et, tête nue, laisse les gouttes de pluie lui faire de petits trous froids dans le crâne. De l'eau lui coule dans la nuque. La bruine l'enveloppe dans une sorte de ronronnement qui sent bon la terre et l'éboulis humide.

Sa grand-mère l'appelle. Lotte ne répond pas. Un moment passe. Puis sa grand-mère sort dans la cour, un parapluie à la main, un manteau jeté sur les épaules. Elle l'appelle à nouveau. La voix de grand-mère a le tranchant d'un couteau qui se fraie un chemin à travers les gouttes d'eau.

— Lotte ! LOTTE ! OÙ ES-TU ?

Les mots sont collés les uns aux autres.

C'est alors qu'elle voit le chat. Le chat sauvage.

Tapi dans l'ombre derrière la remise, il est si impressionnant qu'elle ne voit plus que lui, il lui paraît aussi gros qu'un bœuf. Ses yeux brillent, ils ont une tache jaune, tout au fond. Sa queue touffue fouette les gouttes d'eau dans l'air, ses oreilles sont plaquées vers l'arrière de sa tête. Il est prêt à bondir, il n'est qu'à quelques mètres.

— Je vais te PRENDRE, chuchote-t-il.

Sa bouche envoie un éclat rouge et ses canines sont luisantes de salive.

Elle se jette en avant, l'herbe mouillée fouette ses bottes ; ses jambes, raides et froides, lui font mal quand elle se met à courir.

— Le gros chat voulait me prendre, grand-mère, hoquette-t-elle une fois sous le porche.

— Mais non, petite sotte, dit grand-mère en secouant son parapluie, les chats ne s'attaquent pas aux gens, voyons. Et surtout pas à une petite fille aussi gentille que toi !

— Si, il voulait me prendre, sanglote-t-elle.

Le tablier de grand-mère sent bon la farine et les pastilles au camphre. Elle se blottit contre ces odeurs, sent sa frange mouillée se coller contre l'étoffe en coton. Elle se dégage soudain.

— Cette nuit, je ne veux pas avoir la fenêtre ouverte… il peut grimper et entrer. Il peut me PRENDRE… il voulait… me dévorer.

Elle sanglote de nouveau.

— Petite sotte, répète sa grand-mère affectueusement, tu as vu dans quel état tu es ? Tu es trempée, tes cheveux aussi…

— Je croyais… je croyais que les chats avaient peur de l'eau et de la pluie. Alors, c'est pas vrai, ça ?

— Pas les chats sauvages. Eux sont dehors par tous les temps.

DEUXIÈME PARTIE

20

Le métier à tisser de grand-mère claque de manière régulière, le cadre fait un bruit dense et doux chaque fois qu'il touche les fils. Ses pieds actionnent les pédales, les planches de bois résonnent quand les lisses soulèvent les fils de chaîne selon la complexité des motifs. La navette file dans un sens puis dans l'autre, glisse comme un galet plat sur un étang à la surface miroitante, tandis que le fil de laine la suit. Lotte est allongée à plat ventre sur le sol, avec de grosses chaussettes aux pieds et une veste en tricot. Le bruit les enveloppe, elle et son livre : elle lit une histoire sur le capitaine Biggles. Lentement, elle déchiffre les mots et essaie de faire naître leur sens. Elle oublie souvent les mots qu'elle vient juste de lire.

Les phrases sont longues et entremêlées, séparées par des virgules aussi petites que des crottes de mouches entre les lettres. La pluie continue de rayer les vitres, et le feu rougeoie. Son grand-père et l'oncle sont dehors pour rentrer les foins dans le silo. Elle imagine son oncle tasser tout ça avec ses pieds, dans le cylindre sombre du silo, et le grand-père qui n'arrête pas de jeter de nouvelles fournées. Ils ont deux jeunes hommes pour les aider, aujourd'hui ;

plus tard, tous viendront manger ici. Une énorme marmite de viande salée mijote déjà dans la cuisine.

Tant mieux que l'herbe soit mouillée, a expliqué le grand-père en enfilant son ciré sous le porche, tout à l'heure, comme ça elle est plus lourde et plus dense.

Ils aiment rentrer les foins, aiment que ce soit terminé. Cela marque la fin des travaux les plus durs, la fin de la fenaison. Dans deux semaines, elle part. Sur les lames vernies du plancher, il y a des visages dans les nœuds du bois. Bientôt, sous sa couette à Trondheim, elle repensera à cet instant : le cliquetis régulier du métier à tisser, les chaussettes, les traces de pluie sur la vitre, le feu qui crépite, l'odeur de la viande salée et de la laine, l'épaisse lirette sous son ventre. Quand tout se brisera en petits morceaux, elle pourra remettre les morceaux ensemble et s'approcher le plus possible de la réalité. Elle se tourne et regarde sa grand-mère, son visage rayé par la chaîne du métier à tisser. Ses pieds tapent sur les pédales, elle aussi porte de grosses chaussettes dans ses pantoufles. Le temps pourrait s'arrêter ici et maintenant, avec le visage de sa grand-mère traversé par la chaîne et concentré sur le mouvement de la navette à la queue en laine touffue.

Son doigt est posé sur l'endroit où elle est arrivée, en plein milieu d'une page pleine de texte, sans la moindre illustration. Il n'y a pas d'images, dans les livres du capitaine Biggles.

— T... A... R... G... E... T, murmure-t-elle. « Target. »

Le capitaine dit au second pilote qu'il est *over target*. Qu'est-ce que ça veut dire ? Peut-être que c'est *torget,* la place du marché ? Ils sont sur le point de lâcher une bombe, *over target*. Elle a lu déjà plusieurs passages où il est question de bombes lâchées de l'avion, ils appelaient ça « faire mouche », ils les lâchaient au-dessus des usines et des endroits où vivaient beaucoup de soldats allemands. L'oncle lui a expliqué que ce n'est pas mal de faire tomber des bombes sur les soldats allemands, quand c'est la guerre et que les Allemands ne pensent qu'à voler notre pays. Ils voulaient voler à la fois l'Angleterre et la Norvège. Mais pourquoi bombarder une place de marché, où il n'y a que des gens du coin qui vont faire leurs courses ?

— Lotte ? Tu sais quoi… ?

Son index sursaute et perd le mot qu'il tenait. Elle se tourne sur le côté. Les yeux de grand-mère la regardent, traversés par la chaîne ; la navette est immobile. Les lisses qui soulèvent les fils tremblent légèrement.

— Non.

— Ton père viendra samedi faire un tour.

Les rayures de la machine tiennent grand-mère à distance, font de ses mots des tranches fines, comme un coupe-œuf dur.

— Tu as entendu ce que j'ai dit ?

— Oui.

— Ça ne te fait pas plaisir ?

— Si.

La navette se remet à filer dans un sens et dans l'autre, le bruit reprend et le rythme s'installe complètement. Le cadre claque fort, comme s'il voulait arracher les fils. Alors la tapisserie pendrait inerte sur son support, les fils de laine du motif compliqué glisseraient de la chaîne, tout serait détruit. *Target*. Elle ne retrouve plus le mot sur la page. Elle l'a perdu.

— Il a appelé hier soir, quant tu étais déjà couchée.

— Alors ça veut dire qu'il est en vacances…

Le texte imprimé fait penser à des crottes de souris. Elle n'en a jamais vu, mais ça doit ressembler à ça. Le métier à tisser claque, la voix de grand-mère n'intervient pas, ne couvre pas ces bruits. Lotte lâche son livre. Les pages se tournent et restent à la verticale, comme un éventail. L'éventail remue d'une page à l'autre. Elle ouvre la bouche, l'air est frais contre sa langue.

— Est-ce qu'il vient... est-ce qu'il vient seul ?
— Non.

La navette va à toute allure, c'est une bombe lâchée par un avion au-dessus d'un marché. Grand-mère appuie longtemps sur les pédales, ses jambes comme des pieds qui courent le long d'une route, avant qu'elle continue :

— Non, il vient avec... Monica...
— Et les enfants ?
— Non.
— Combien de temps vont-ils...
— Ils font un voyage en voiture et dorment dans des gîtes... Ils ne font que passer, ils ne voulaient pas s'installer ici, m'a-t-il dit.

Il est impossible de voir le visage de grand-mère derrière toutes ces rayures, mais ce qui est sûr, c'est qu'elle ne sourit pas. Ses yeux suivent la navette et le fil comme d'habitude. Lotte se lève, les rayures disparaissent, grand-mère a gardé sa douceur et toutes ses couleurs : celles de ses joues, de sa robe et de son tablier. Ses paupières sont baissées sur son travail.

— J'ai besoin d'aller aux toilettes, grand-mère.

Sa grand-mère lève rapidement les yeux et se concentre de nouveau sur la navette.

— Par ce temps ? Bon, il ne faut pas contrarier la nature ! dit-elle en riant. Prends mon parapluie ! Je vais faire cuire des pommes de terre pour tous ces gaillards.

Le bruit du métier à tisser disparaît derrière la fillette tandis qu'elle court sur les pierres vers l'abri des toilettes. La pluie tombe dru, Lotte frissonne dans sa veste en tricot.

Les figures dans le bois sont mouillées, le vent a fait entrer des gouttes de pluie par les fentes entre les planches, créant des traînées sombres qui ont allongé les visages. Samedi. C'est dans trois jours.

Au loin, elle entend le tracteur. Elle froisse le papier journal entre ses mains.

— Je n'ai rien dit sur maman… pas un seul mot, papa, chuchote-t-elle.

Une araignée du tas de bûches est accrochée, immobile, à sa toile, au mur. Elle attend. Lorsque Lotte se lève et laisse retomber le couvercle avec un bruit sec, une mouche bleu-noir remonte en bourdonnant du trou. Elle est beaucoup plus grosse que l'araignée. Si elle se prend dans la toile, elle va l'arracher et parvenir à se libérer.

Lotte caresse ses genoux mouillés avant de remonter son pantalon.

21

L'odeur de la levure passe par les fentes, l'odeur pourrie de quelque chose qui vit et qui fermente. C'est la pâte que grand-mère a préparée la veille. À présent, elle repose dans le pétrin posé sur deux escabeaux, et a levé, pour atteindre au moins trois fois son volume. Des crevasses y sont apparues ici et là. Lotte pense au dessin de la maîtresse : la réaction chimique de la levure. Les chaînes dessinées à la craie avaient pris de plus en plus de place sur le tableau, jusqu'à ce qu'il ne reste plus qu'un bout de craie si petit que l'ongle de la maîtresse avait crissé contre le tableau, donnant la chair de poule à tous les élèves.

La levure est restée dans l'obscurité de la nuit et a eu le temps de s'ennuyer, alors elle s'est étalée dans le pétrin. Aujourd'hui, on va faire les galettes du Vestland pour qu'elles soient terminées à temps pour *eux*. Grand-mère est partie plus tôt que d'habitude pour faire la traite et a laissé sortir les vaches pour cette nouvelle journée. À présent, elle est dans l'annexe et chauffe le vieux poêle en pierre, sous et sur les côtés de l'épaisse plaque en fonte. Elle se sert de branches de bouleau parce que le bouleau a les braises qui durent le plus longtemps.

Sur le pas de la porte, Lotte observe la fumée monter en zigzag vers l'ouverture dans le faîte du toit. Sa grand-mère a le visage luisant. Quand le feu a bien pris, elle pose sur la table tout ce dont on a besoin : des sacs de farine et des rouleaux à pâtisserie ; des baguettes pour enrouler la pâte et la soulever de la table ; la large pelle en bois pour déposer les galettes, aussi fines que de la dentelle, sur la plaque en fonte. Des caisses en carton, propres, tapissées de papier blanc, attendent, empilées par terre. Lotte s'approche des rouleaux et les caresse d'un doigt. D'abord, on utilise un rouleau lisse pour étaler la pâte, puis des rouleaux striés, avec différents motifs, car les galettes doivent porter la marque d'un quadrillage. Dans chaque carré, il y aura une petite bulle d'air quand les galettes seront assez cuites.

— BONJOUR ! BONJOUR !

La voix de la vieille Malla résonne sous le porche. Tante Malla, comme on l'appelle, est la boulangère qui parcourt toute la région autour du fjord pour aider, les jours où l'on cuit le pain. Elle entre à présent dans l'annexe et crie :

— Ah, il y a du feu dans le four, à ce que je vois. Bonjour bonjour !

Lotte va se blottir contre sa grand-mère, elle sent la chaleur des langues de feu qui crépitent autour de la plaque en fonte et lèchent le vide autour.

— Mais n'est-ce pas notre petite Lotte ? Bonjour !

Tante Malla est vieille et massive. Ses cheveux sont comme une pierre grise au sommet de sa tête, elle a des yeux bleus qui vous transpercent. Voilà qu'elle se penche pour pincer la joue de Lotte.

— Bonjour, tante Malla, murmure Lotte dont la joue devient brûlante.

Grand-mère continue à travailler dur. Tante Malla n'a qu'à enlever son manteau ici, puis elles porteront ensemble le pétrin jusqu'au four. Lotte les suit, elle les a déjà vues faire. Grand-mère a dit que quand Lotte sera grande, il n'y aura plus grand monde qui saura faire de vraies galettes du Vestland à l'ancienne ; les jeunes femmes veulent se simplifier la vie. Mais Lotte va apprendre. On lui donne un petit tablier, avec des rubans blancs qui se nouent derrière le dos et la nuque. Grand-mère et tante Malla nouent des fichus propres et amidonnés autour de leur tête.

D'abord, elles arrachent des langues de pâte du pétrin, les roulent pour en faire des saucisses, et les divisent en plusieurs morceaux. Ensuite, elles pétrissent ces boules pour en chasser l'air et la levure, et les saupoudrent généreusement de farine blanche. Elles disposent les boules à travailler le long de la table. Tante Malla commence à étaler au rouleau la pâte qui, vite, est glissée dans le four rougeoyant. Les carrés tracés sur la galette gonflent, et grand-mère la retourne sans arrêt pour qu'elle reste en mouvement, tandis que tante Malla s'attaque déjà à la prochaine. La bonne odeur de pain au four se répand, l'odeur de la fumée, des galettes cuites, de la farine carbonisée, une odeur désagréable de levure qui meurt. Chacune a sa tasse de café posée au bord de la table.

Quand la première galette est assez cuite, grand-mère se dépêche de la sortir du four et de la plier en deux au milieu, avant qu'elle ne refroidisse et se raidisse. Elle souffle un peu dessus pour enlever le surplus de farine. Lotte regarde : une demi-lune d'un blanc laiteux, avec de minuscules carrés. Ça fume, c'est encore chaud.

Elle pétrit sa propre pâte à galette, mais elle est pleine de farine et devient plus sèche à chaque pression des mains. Elle n'y arrivera jamais, elle sera finalement comme toutes les autres jeunes femmes.

— Eh, on dirait que tu as grossi, Eli, lance tante Malla.

Lotte fixe sa grand-mère, mais celle-ci trouve ça drôle. Tante Malla a l'air d'une montagne tout en rondeurs. La chair de ses bras tremblote quand elle étale la pâte avec des gestes énergiques. Sa peau est ridée et quadrillée ; au fond, elle n'est elle-même pas très différente d'une galette.

— Alors tu fais des galettes pour ton Leif qui vient… avec sa nouvelle femme !

— Oh, ils ne sont pas encore mariés, répond grand-mère, le visage tourné vers le four, des gouttes de sueur lui perlant au front.

Elle ne sourit plus.

— Non… on ne change pas de pâturage aussi vite… Encore heureux qu'on ne puisse pas divorcer et se marier le même jour !

Lotte ajoute plein de farine. Étaler cette masse devient tout à fait impossible.

— Alors comme ça, poursuit tante Malla, ton Leif a fini par se lasser.

Elle jette un rapide coup d'œil à Lotte, qui se garde bien de lever la tête.

— Est-ce qu'il t'a demandé si tu voulais l'accueillir ?

— Demandé ? Qu'est-ce que tu veux dire ?

— Ça ne va pas de soi, ces choses-là… Je veux dire, d'accueillir cette femme. Toi et Bente, vous étiez vraiment de bonnes amies, non ? Tu l'as oublié ?

Lotte peut à peine respirer. Ce doit être à cause de la farine, si fine. Elle tousse fort en direction de la grosse boule de pâte.

— Tu comprends bien que je vais l'accueillir !
Que dirait Leif si je refusais ?

— Moi, tout ce que je sais, c'est que je n'aurais
jamais accepté.

— C'est facile à dire. Mais quand ça vous arrive…

— Non, je le sais. Les jeunes ne doivent pas
croire qu'ils peuvent faire tout ce qu'ils veulent et
se décharger de leurs responsabilités. Ce n'est pas
bien. Est-ce qu'elle est gentille, au moins, Lotte ?

Elle a les yeux qui picotent. La fumée, sans doute.
Le regard de tante Malla ne la lâche pas, ses bras
abaissent la pâte de manière automatique, avec des
gestes réguliers et circulaires.

— Alors, Lotte, elle est gentille ou pas ?

— Je ne sais pas, chuchote-t-elle.

— Tu ne sais pas ?

— Je ne l'ai pas rencontrée.

C'est à présent sa grand-mère qui se retourne :

— Comment ça, tu ne l'as pas rencontrée ?

Son front fait comme des nœuds, quelques gouttes
de sueur se détachent et coulent le long des rides
jusqu'aux coins de ses yeux.

— C'est vrai, Lotte ? Pas une seule fois ?

— Non, elle n'était jamais à la maison quand j'y
allais.

La boule de pâte est une pierre. Le silence s'est
fait dans l'annexe. Le dos de sa grand-mère se
courbe vers le poêle, tante Malla termine d'étaler
une galette, puis elle tire une autre langue de pâte du
pétrin. Ça forme de longs filaments, puis les chaînes
de la levure lâchent prise avec un son d'élastique
qui revient.

— Je ne veux plus faire de gâteaux, grand-mère…
Je peux aller me promener avec Betsi ?

— Tiens-la en laisse, alors…

Elle enlève son tablier par le haut et le jette vers le bord de la table. Dehors, dans la cour, elle entend tante Malla dire quelque chose à voix basse à sa grand-mère. Elle court vite pour ne pas saisir ses mots.

Un soleil d'août jaune orangé brille au-dessus des sommets noirs. La chienne se dresse sur ses deux pattes arrière, montrant qu'elle a compris que Lotte l'emmène se promener.

La lanière de cuir lui scie la main, la chienne bondit quelques mètres devant elle. Voilà le champ de rhubarbe et, plus loin, le verger. Là-bas, tout au bout, les pommiers sont si vieux qu'ils ne portent plus de fruits. À bout de souffle, elle se laisse tomber au pied d'un tronc noueux et la chienne se jette sur elle pour la lécher en glapissant. Le goût du sang est bon dans sa bouche. La lumière du soleil joue à cache-cache entre les cimes des arbres, vertes et vivantes, des taches jaunes se déplacent dans l'herbe, la terre est molle. Tout près de l'endroit où elle est assise, des groseilles à maquereau sauvages poussent dans un fourré. Les baies sont si petites que personne ne les cueille. Elle se lève pour en manger quelques-unes. Elles ont la douceur du miel et la fillette a vite la bouche pleine de leur jus. La fourrure de la chienne sent la graisse, elle presse son visage contre le poil épais et la gratte derrière l'oreille.

Les yeux de Betsi clignent, elle halète et, avec un grand sourire, se laisse tomber dans l'herbe et roule sur le dos. Lotte se colle tout contre elle en continuant à la caresser doucement, elle inspire l'odeur de graisse et voit le soleil traverser les paupières avec ses jeux de lumière. Grand-mère et grand-père dormiront dans la chambre, demain soir, son père et sa nouvelle femme auront le lit double dans la mansarde. Grand-mère a mis des draps propres, tôt ce matin, des draps blancs avec des fleurs roses, sur lesquels des plis bien nets divisent le tissu en carrés. Grand-mère a étendu une couverture en laine au pied du lit, par-dessus les édredons.

— Au cas où ils auraient froid, murmura-t-elle.

— Mais c'est l'été, s'étonna Lotte.

— Oui… mais les nuits sont fraîches, maintenant. L'automne arrive à grands pas.

22

Le lendemain matin, dès qu'elle sort du sommeil, Lotte se pince pour se réveiller. Elle ignore où elle est, qui elle est, ce qui va se passer. Il suffirait d'un détail pour la faire basculer dans la réalité et mettre la journée à sa place. Mais elle est encore couchée, les yeux fermés, et flotte dans un no man's land. La brise légère qui entre par la fenêtre sent les pommes mûres. Elle sait alors qu'elle se trouve à Perlevik, et le reste s'ensuit ; elle croit déjà percevoir le grondement d'un moteur, mais ce n'est que le murmure du ruisseau qui traverse la ferme.

Sa valise est posée dans un coin, près de l'armoire. Cette nuit, les monstres ont commencé, à distance, à grogner et à montrer les crocs, en avançant la tête. Les oreilles plaquées contre le crâne, leurs yeux étaient des fentes étroites, d'un jaune inquiétant. Elle se rappelle le bruit de verre que font leurs canines en se refermant d'un coup sec. Cette nuit, ils n'ont pas voulu l'écouter, ils ne l'ont pas crue. Elle n'a pas osé s'endormir avant le petit matin, longtemps après que l'horloge du salon a sonné un coup – celui qui vient après les douze.

La journée est bien avancée, elle s'en rend compte en voyant les rais du soleil atteindre le mur autour de la fenêtre. La maison est silencieuse. Pourtant, elle descend sur la pointe des pieds comme si elle était en visite chez des étrangers, prête à faire la révérence et à dire bonjour si elle rencontrait quelqu'un.

La voiture est une cerise rouge, mûre à point et brillante. C'est celle qui était garée devant le pavillon de Trondheim, à côté de la voiture de son père. La baie rouge passe devant la scierie, s'engage dans la côte, Lotte entend le bruit d'une machine à coudre, un son énergique qui refuse de s'arrêter et ne fait pas faire demi-tour à la voiture. Les queues des vaches dans le pré décrivent de grands arcs de cercle, elles chassent tout ce qui veut les mordre et leur sucer le sang.

— Ils arrivent, grand-mère !

Elle détache Betsi pour l'avoir entre elle et eux mais la retient par le collier jusqu'à ce que la voiture s'approche et s'arrête, près de la rampe d'accès de la grange. Alors seulement, elle lâche la chienne.

Les cheveux de la femme flottent autour d'elle. Ils ressemblent à des tiges de lin desséchées. Ils rient tous les deux en s'approchant, avec la voiture en arrière-plan. Lotte la voit glisser sa main dans celle de son père. Grand-mère va à leur rencontre, sans tablier. Ils sont trois étrangers. Si Lotte s'enfuyait, personne ne crierait son nom. Pourtant elle reste, suit des yeux la chienne qui remue la queue et glapit en se frottant au pantalon de son papa.

Quand elle tourne la tête, c'est comme si ses cheveux restaient un instant à l'endroit où son visage était avant. Elle ne ressemble à aucune maman, aucune dame ni femme mariée que Lotte connaît ; on dirait une adolescente, la fille du couple. Et papa a l'air d'un jeune garçon, même si Lotte sait bien qu'il a vingt-huit ans.

— Monica, s'entraîne-t-elle en chuchotant, Moo – nii – caa…

Son nom est un chant. Le père se penche au-dessus de la chienne, ébouriffe sa fourrure et la fait tourner en rond autour de lui. Lotte observe Monica : son pull fin montre en transparence un soutien-gorge clair, elle a un pantalon noir serré, des chaussures basses. Peut-être que ce n'étaient pas les siens, les escarpins rouges ?

— Oh, mais je crois bien que c'est Lotte ! s'écrie Monica en regardant le père.

Grand-mère plisse le front, les mains jointes devant son ventre. Le père, penché au-dessus de la chienne, jette un coup d'œil à travers la frange qui lui tombe sur le visage ; les cheveux de Monica continuent de flotter avec leurs boucles aériennes.

— Betsi, crie Lotte, viens ici maintenant ! Et ne va pas courir après les moutons !

La chienne revient en bondissant vers elle. La fillette l'attrape par le collier et tire, bien que l'animal freine des quatre fers, pour lui remettre sa laisse, tout en observant du coin de l'œil sa grand-mère serrer la main de Monica en lui faisant un sourire.

Une fois Betsi attachée, Lotte se retourne. Son père est là, il lui sourit, lui tend les bras, la soulève haut dans les airs, ses mains serrent les côtes de l'enfant.

— Oui, voici Lotte, Monica. Une belle petite fille, n'est-ce pas ?

— Absolument, répond Monica.

Leurs regards se croisent, passent au-dessus du visage de Lotte. Il la repose sur le sol et saisit la main de Monica, l'entraîne avec lui.

— Viens, je vais te montrer la ferme.

Ils disparaissent derrière la grange. Grand-mère demande à Lotte sans la regarder :

— Est-ce que tu as faim ?

— Non, répond-elle.

Monica prend une galette du Vestland dès que grand-mère a posé le plat sur la table.

— Je crois que tu dois d'abord attendre qu'elles deviennent moelleuses ! s'exclame son père en riant.

Elle repose aussitôt la galette dans le plat. Une fois que le rire cesse, ils restent longtemps à se dévisager. Entre eux, les regards vont à la vitesse de l'éclair. Lotte s'accroche au plan de travail et remarque sur son genou une piqûre de moustique qui a l'air récente. Au milieu de l'enflure blanche, un point rouge. Elle se concentre sur ce point jusqu'à ce que grand-mère se mette à table et s'affale sur une chaise. Elle n'a toujours pas mis son tablier. Ils commencent à discuter, le père parle du trajet en voiture jusqu'ici, cite des noms d'endroits que Lotte ne connaît pas. Ils vont à présent remonter vers le Telemark, dit-il.

— C'est là qu'habite celui qui a inventé les skis, chuchote Lotte.

Grand-mère opine du chef et souffle sur son café, avant de tourner la tête vers la bouilloire, comme pour vérifier qu'elle ne déborde pas. Mais elle a déjà été enlevée de la plaque de cuisson.

Après une galette et un demi-verre de lait, Lotte descend du plan de travail.

— Merci pour le repas, grand-mère !

Elle court vers la porte, manquant de trébucher. Dehors, sous le porche, elle entend la voix de son père qui crie :

— Mais comment elle va, ma petite Lotte ?

Elle continue de courir. Plus loin, elle croise grand-père et l'oncle.

— Ils sont arrivés, leur crie-t-elle en passant.

Elle voit la chienne qui n'arrête pas de sauter, impatiente, au point de faire chanter le cuir de la laisse qui la retient.

La chienne renifle la voiture, à fond, longtemps : les quatre roues, les pare-chocs et les plaques d'immatriculation. Lotte regarde par les fenêtres. Le siège arrière est couvert de papiers de chocolat et de bouteilles de soda vides ; il y a aussi une carte et un cardigan blanc qui ressemble à celui que sa grand-mère lui a acheté. Et d'autres choses encore. La chienne continue à faire son tour d'inspection, elle est sous la voiture à présent. Lotte tire sur la laisse.

— Ça suffit, Betsi. Arrête de renifler, c'est qu'une voiture idiote. Une voiture idiote, idiote…

Elle entraîne la chienne en haut des coteaux, d'où elles ont toute la ferme sous leurs pieds. Lotte renverse la tête en arrière et voit la montagne, les noisetiers qui s'élèvent vers le ciel, devinant à peine la clairière où elle sait que se trouve la pierre de sel. Elle est allée sept fois là-haut avec son grand-père. Ça la chatouille au coin des yeux. Elle s'assied dans l'herbe, laisse la chienne venir tout près et la serre si fort que Betsi se dégage et lui lèche les joues. L'animal aimerait monter encore plus haut, peut-être jusqu'aux moutons, si seulement Lotte lui en donnait la permission.

D'en haut, la voiture a une couleur criarde, elle jette une lumière rouge vif autour d'elle. Le tracteur a l'air usé et sale, à côté. Autrefois, c'était le mur de la grange, derrière, qui était rouge. Maintenant, lui aussi est sale et vieux, et la couleur a passé. La ferme est silencieuse. Elle n'entend que le bruit de la machine dans la scierie. Lotte geint comme une bête, de plus en plus fort, jusqu'à ce que le son de sa voix s'éteigne et que la scie chante à nouveau toute seule, attendant de planter ses dents dans une nouvelle victime. Elle voit les tas de planches d'ici.

23

Des gens vont venir. Ils en ont parlé au petit déjeuner, le lendemain. Monica a attaché ses cheveux en queue-de-cheval avec un ruban jaune. Grand-mère a l'habitude de frapper les tiges de lin contre une pierre pour les rendre douces comme de la soie. Puis elle file les fibres, teint les fils ainsi obtenus et les tisse pour en faire des nappes.

— On les a rencontrés dans un camping, dans le Romsdal, et après, on a fait la route ensemble. Pour le moment, ils sont en visite chez des amis à eux, à Norheimsund, mais ils viendront ici ce soir. Ils ont une caravane et ils dormiront dedans cette nuit, près de la grange. Puis on repartira tous demain. Ils habitent à Oslo.

Le père parle, un bras autour des épaules de Monica. Il accompagne ses paroles de grands gestes de l'autre bras. Grand-mère hoche la tête et sert le café. L'oncle demande combien coûte une caravane. Monica, les mains jointes et les coudes sur la table, regarde les galettes du Vestland. Lotte s'avance et touche du doigt celle du dessus de la pile.

— Elles sont devenues moelleuses, maintenant, tu peux en prendre une, chuchote-t-elle à Monica.

— Oh, merci, dit-elle à haute voix en souriant au père.

Elle les a suivis de loin, les a observés au coin de la maison, s'est faufilée dans l'herbe. Ils sont entrés dans la forge, après le déjeuner, hier. Elle les a vus à travers la porte, ils s'embrassaient. Il faisait noir à l'intérieur de la forge, la poussière de charbon brillait comme des paillettes quand les rayons du soleil tombaient dessus. Le père a caressé les cheveux de Monica et a approché son visage du sien. Il l'a embrassée sur le nez et sur les deux yeux. Elle les a fermés, à ce moment-là. Il l'a embrassée avec la bouche en avant, en lui caressant les cheveux en même temps.

Lotte a retenu sa respiration, n'a pas cligné des yeux, même si ça lui faisait mal, tant ils étaient secs. Ils se sont enfin écartés l'un de l'autre, et le père a montré du doigt les différents outils suspendus aux murs.

Quand ils sont sortis et que le père a refermé la porte, Lotte l'a entendu dire :

— Tu comprends bien que je ne suis pas fait pour cette vie-là… Habiter ici, tu te rends compte de la galère ! Non, et puis cette odeur de bouse de vache partout… Eux ne la sentent même plus, tellement ils sont habitués…

Monica a caressé son avant-bras, s'est penchée et lui a embrassé le dos de la main.

— ICI, en tout cas, ça ne sent pas le fumier !

Son père a ri et a commencé à la chatouiller sous les bras.

Lotte s'est plaquée contre le mur de la remise, même si plein d'orties y poussent – mais il n'y avait pas d'autre endroit d'où les observer. Elle s'est seulement rendu compte plus tard qu'elle s'était bien brûlée : elle avait sur la jambe une sorte de longue saucisse blanche que grand-mère a frottée de vinaigre.

— Comme ils ne viendront pas avant ce soir, qu'est-ce que tu dirais, Monica, d'aller faire un petit tour près du fjord ? Il y a du soleil... on pourrait manger des cerises et y passer un moment...

Monica fait oui de la tête et, pour toute réponse, lui sourit. Le regard de la grand-mère passe de ces deux-là à Lotte, qui courbe la nuque et mastique. Elle n'arrive pas à avaler sa bouchée, sa gorge est trop serrée. Elle voit alors sa grand-mère prendre les devants, inspirer et lancer :

— Lotte pourrait peut-être venir avec vous... ?

La fillette garde la nuque baissée, fixe ses doigts qui serrent son bout de galette. Des grains de sucre sont en train de tomber. Les carrés de la galette sont gonflés par la levure, ils vont bientôt exploser. Elle laisse ses cheveux tomber sur son visage et risque un œil à travers leur rideau protecteur.

— Euh... je ne sais pas, répond le père, jetant un regard rapide à Monica.

Sa grand-mère bouge sur son escabeau. L'enfant a mal à la gorge, aux joues et jusque sous les cuisses. Plus personne ne parle. Lotte entend Monica mâcher, ses mâchoires broient la galette et la réduisent en bouillie.

— J'ai un peu mal au cœur, dit-elle. Je ne peux plus rien avaler, grand-mère. Est-ce que je peux donner le reste à Betsi ? lui demande-t-elle, tandis que dans le coin de son champ de vision deux autres visages remuent.

— Oui, donne le reste à Betsi. Mais...

D'un bond, elle est dans l'entrée, hors de vue.

— Lotte ! crie son père.

— Oui ! répond-elle en s'arrêtant.

— Bon, est-ce que tu veux venir avec nous ?

— Non, lance-t-elle par la porte entrebâillée.

La chienne ne touche pas la galette avec les dents mais l'avale directement. Lotte lui caresse le haut de la tête, sent la fourrure dans sa paume, se penche et l'embrasse sur le crâne en murmurant :

— Mmm… Tu sens la bouse de vache, Betsi… mmm… quelle bonne odeur !… On va se promener ?

Elles se sont installées plus haut, au-dessus de l'éboulis. La voiture est partie. La chienne plisse les yeux dans la forte lumière du soleil et se colle à Lotte.

— Betsi, Betsi, ah, Betsi ! Tu es si belle, et bientôt je vais te quitter, je vais rentrer chez ma maman.

La chienne lui lance un regard oblique puis s'allonge dans l'herbe en posant sa tête sur ses pattes avant. Lotte lui caresse le dos. Le fjord est d'un bleu sombre, les montagnes noires tombent à pic dans l'eau. Le long des rives, des deux côtés du fjord, s'étendent des champs jaunes et verts alignés avec soin, et, entre eux, des fermes blanches, des granges rouges et des bâtiments marron. Les chatons sont quelque part dans l'éboulis. Elle n'a pas revu le gros chat sauvage depuis l'autre jour, près de la forge.

— Tu sais quoi, Betsi ? Je n'ai pas besoin de raconter à maman que j'ai dit bonjour à Monica. Je n'ai qu'à pas lui dire qu'elle était très… très… qu'elle avait de très beaux cheveux… et que papa a embrassé son visage…

La chienne cligne des yeux. Lotte s'allonge à côté d'elle. Une fourmi se promène sur sa jambe, elle la chasse doucement. Les nuages glissent dans le ciel, disparaissent dans un arc au-dessus de la crête des montagnes, mais déjà il en surgit de nouveaux. Elle s'enfonce dans l'herbe, en hume tous les parfums, laisse le soleil la brûler jusqu'à ce que sa tête soit remplie d'une lumière verte ; son pouls bat en faisant des cercles. Elle s'endort profondément et ne se réveille que lorsque la chienne lui lèche le bras.

Elle se redresse au son d'un moteur de voiture. Des taches de lumière dansent encore devant ses yeux. Elle a le dos froid et moite. L'herbe a des éclats d'argent et est toute plate là où elles ont dormi.

À table, le père s'amuse et fait des plaisanteries. Il raconte que Monica est tombée dans du crottin de cheval et qu'ils ont dû laver son pantalon dans le fjord, sans quoi ils n'auraient jamais pu entrer avec dans la voiture. Heureusement qu'elle avait laissé un short sur la banquette arrière !

Tous rient, et l'oncle y va de son histoire à lui aussi, la fois où il était tombé dans la fosse à purin. Pendant qu'il parle, il fixe Monica, les joues rouges, les yeux brillants et écarquillés. Chaque fois que Monica dit quelque chose, il sourit et baisse le regard. Il leur a déjà raconté qu'il venait de passer son permis.

— Il t'a fallu combien d'heures ? a alors demandé Monica.

— Neuf, a répondu l'oncle.

— C'est rien, ça ! Quel expert ! s'est-elle écriée en riant.

L'oncle est alors devenu tout rouge et a été pris d'une quinte de toux. Ensuite, il a fait le modeste en disant qu'il avait déjà beaucoup conduit son tracteur et qu'il savait comment tenir un volant…

Il reparle maintenant de la caravane, demande quelle puissance doit avoir la voiture pour en tirer une.

— Il va falloir que tu te calmes un peu, bougonne le grand-père. D'abord tu parles d'avoir une voiture, et maintenant, tu veux carrément une caravane, par-dessus le marché. Commence par te procurer une voiture, fiston.

Lotte ne se sert pas avant que grand-mère lui ait passé une assiette, car elle ne veut pas tendre le bras vers les plats, pour ne pas se faire remarquer. Elle mâche en silence, bouche fermée, et évite de cogner des talons contre le banc. Elle courbe le dos au point d'avoir le menton à hauteur de la table. Elle vide son assiette en avalant de si gros morceaux qu'elle attrape le hoquet, mais attend que son père soit au beau milieu d'une autre histoire pour glisser à sa grand-mère :

— Est-ce que je peux quitter la table, grand-mère ?

— Qu'est-ce que t'as dit… ?

— Je n'ai plus faim. Est-ce que je peux quitter la table ?

— Oui, et apporte à manger à Betsi, tant que t'y es.

Le père a terminé son histoire. Les rires retentissent entre les murs de la cuisine lorsqu'elle se dirige vers la porte. Elle garde les yeux fixés sur l'écuelle de nourriture qu'elle tient dans ses mains. C'est vite fait de renverser et d'en mettre partout, alors elle s'applique.

La chienne fourre aussitôt sa tête dans le bol, trouve les bons morceaux et les engloutit goulument, les oreilles frémissantes. Lotte, sentant soudain un poids sur son épaule, se retourne en sursaut.

C'est son père, il se tient juste là. Elle lève les yeux et son regard cherche plus loin, derrière lui. Il n'y a personne d'autre. Il l'a suivie dehors.

— Qu'est-ce qu'il y a ?

— Ce qu'il y a ? Tu as l'air d'avoir peur. Il y a quelque chose qui ne va pas, Lotte ?

Il a retiré sa main. Son visage est carré et plane, tout là-haut.

Elle regarde sa bouche, voit avancer ses lèvres, chuchoter des mots doux aux yeux clos de Monica.

— Je croyais que t'étais là-bas en train de manger avec les autres, c'est pour ça que j'ai sursauté ! dit-elle en riant.

— Il faut que je te parle de quelque chose, Lotte. De quelque chose d'important.

Il l'entraîne avec lui derrière la remise. Elle croit voir des lustres tournoyer, des tables et des chaises valser, du soda foncé qui fait des bulles derrière des lettres blanches.

— Je n'ai rien dit sur maman à grand-mère ! Je t'assure, papa !

— Chut ! C'est pas ça. C'est autre chose. Je veux que tu me rendes un service.

— Un service ?

Il s'accroupit devant elle et commence à arracher des brins d'herbe. Il prend une longue paille et la mâchonne avec ses incisives en regardant du côté de la grange. Puis il sort la paille de sa bouche et dit à voix basse :

— Les gens qui vont venir, Lotte… on s'est très bien entendus avec eux, Monica et moi. On a passé des soirées à discuter ensemble. C'est un couple et, comme tu le sais, Monica et moi, on n'est pas mariés. Enfin, pas encore…

Il remet la paille dans sa bouche et lui jette un rapide regard. Elle est plus grande que lui, quand il est dans cette position. Elle change d'appui, d'abord sur une jambe, puis sur l'autre.

— Quel genre de service, papa ?

— Eh bien… on est devenus assez proches… on a commencé à parler des enfants, et Monica a parlé en long et en large d'Ola et d'Elisabeth, de l'école et tout ça. Ils ont un fils du même âge qu'Elisabeth, qui est en vacances chez ses grands-parents, je crois. Il n'est pas avec eux. Mais moi… moi… comment dire ? Tu comprends, Lotte… ils ont cru qu'Ola et Elisabeth étaient aussi mes enfants. C'est tout à fait normal qu'ils se soient imaginé ça, vu la situation. Et comme ils sont partis de là, ça a été difficile de démentir… par la suite. Ils sont persuadés que Monica et moi, on est mariés. On n'a pas trouvé le bon moment pour leur expliquer… que ce n'était pas le cas. Tu comprends, Lotte… il n'y a pas tant de personnes que ça qui divorcent et se remarient. Et le fait est que beaucoup de gens ont du mal à accepter que quelqu'un divorce… ils ne veulent même pas CONNAÎTRE les personnes qui ont fait ça.

— Ils étaient comme ça, ces gens-là ? Ils ne voudraient pas te connaître, et Monica non plus, s'ils apprenaient que vous n'êtes pas…

— Je ne sais pas, Lotte. Je ne sais pas. Je sais seulement que c'est un peu bête… puisqu'ils viennent ce soir… là, bientôt… Ils vont croire que c'est TOI, Elisabeth… et alors on sera obligés de leur expliquer… en plein devant ma mère et mon père… ce qu'il en est réellement.

— Mais quel genre de service, papa ?

— Que tu ne m'appelles pas papa. Rien que ce soir. Tu auras cinquante couronnes.

Il se redresse, laisse tomber la paille. Une des extrémités est toute mâchonnée. Elle fixe ses jambes de pantalon, sombres et interminables, tels deux troncs d'arbre qui disparaissent dans le sol, avec de profondes racines que personne ne peut voir. Elle remarque que l'herbe est beaucoup trop haute, c'est curieux que grand-père ne l'ait pas encore fauchée.

— Tu as entendu ce que j'ai dit, Lotte ? Tu peux m'aider. C'est ÇA, le service que je te demande. C'est un service stupide, je le sais. Mais c'est encore ce qu'il y a de plus simple, rien que pour ce soir. Cinquante couronnes.

— Bon, chuchote-t-elle.

L'herbe est beaucoup trop haute. Elle ne comprend pas pourquoi grand-père ne l'a pas fauchée.

— Qu'est-ce que t'as dit ?

— Bon, j'ai dit !

Elle lève les yeux vers lui, un regard dur et direct ; elle renverse la nuque et voit ce visage carré. Il détourne la tête, observe le mur de la remise puis le toit. Il prend une profonde inspiration.

— Alors, c'est dit, on fait comme ça.

Il se retourne et s'éloigne.

24

Cette voiture-ci n'est pas une cerise rouge. C'est une pomme jaune tombée par terre qui a des taches brunes de pourriture et avance par secousses, en hésitant, remorquant un gros morceau de glace. Maintenant, la pomme s'arrête à côté d'un homme, devant la scierie. Elle suit des yeux les mouvements de bras, ils indiquent la direction de Sinnstad, la route qui va vers la grange.

Dans le pré, Movind trotte derrière grand-père, toutes les autres vaches sur les talons. Grand-père donne des petits coups sur les cuisses de Movind avec le premier bâton qui lui tombe sous la main, et il tourne la tête pour cracher. Lotte ne voit pas la chique, mais elle connaît la manière qu'il a de renverser la tête en arrière, tel un oiseau qui goberait une mouche. Puis il disparaît derrière la dernière vache, fermant la marche. Grand-mère attend dans l'étable, avec des chiffons chauds et des seaux propres.

Elle ferme les yeux et voit la tache blanche entre les cornes de Movind, le pelage noisette autour de son nez humide, son regard profond aux longs cils. Quand elle ouvre à nouveau les yeux, ils sont descendus de voiture. Elle voit quatre personnes toutes petites, car son père et Monica sont sortis à leur rencontre. Ils se saluent, deux par deux, en se serrant les mains très fort. Elle voit leurs bouches rire et parler. La chienne lui lèche l'oreille, alors elle se retourne vers elle. Debout, Betsi remue la queue et tire sur sa laisse.

— On va rester ici, Betsi. On ne va PAS descendre, t'entends ? On est bien, ici. En bas, il y a que des gens bêtes, mais bêtes !, qui croient que je m'appelle Elisabeth et que j'ai une maison de poupée…

Les gens traversent la cour, empruntent le chemin pavé et entrent dans la maison. La ferme reste vide.

— On va rester ici, Betsi… reste TRANQUILLE, maintenant.

Elle ramène les genoux sous elle et les enlace, puis s'enroule la lanière en cuir autour d'un poignet. Au moment où elle baisse le menton pour le poser dans le creux entre ses genoux, elle remarque qu'ils tremblent. Ses deux jambes tremblent. Elle se cramponne à ses cuisses pour arrêter le tremblement, mais n'y arrive pas. La chaussette dans sa sandale est sale. Elle aussi tremble. Sa respiration, aussi, est bizarre. Elle se frotte le coin de l'œil avec un doigt : il est tout sec.

Voilà qu'elle se met à claquer des dents ! C'est complètement incontrôlé. Et son ventre est dur comme une pierre. Elle entoure la chienne de ses bras.

— J'ai froid, Betsi, ça doit être ÇA.

Sa voix est mal assurée. Elle serre la chienne si fort que celle-ci gémit.

— On va rester ici, Betsi. Jusqu'à ce que grand-mère et grand-père rentrent à la maison. Alors on pourra aller à l'étable. Oui… c'est ce qu'on va faire… descendre à l'étable…

L'obscurité arrive comme une inondation qui envahit la vallée. Le bleu du ciel a pris un éclat sale et froid. Les maisons sont enchaînées les unes aux autres par des ombres noires quand Lotte et la chienne descendent se réfugier dans l'étable, en faisant un grand détour par les hauteurs au-dessus de la ferme. Elle marche prudemment dans l'herbe sombre. Une ou deux chauves-souris de sortie font des vols en piqué à côté d'elles. Lotte sait qu'elles sont simplement curieuses et feront demi-tour avant de les toucher, bien qu'elles soient aveugles. Elle entend la camionnette de la laiterie emporter les bidons de grand-père, ses phares comme deux elfes jaunes avec du sable rugueux au fond. Chaque motte de sable sur le chemin étend une ombre immense et pointue. Grand-mère est sortie et l'a appelée trois fois ; les fenêtres de la cuisine renvoient une lumière dorée. La chienne est inquiète, elle veut courir vers la ferme, ayant senti la présence de la voiture et de la caravane ; Lotte doit tenir la laisse bien serrée.

— Non, Betsi, on ne peut pas descendre là-bas maintenant, c'est dangereux ! Maintenant, on va à l'étable ! T'as ENTENDU cé que j'ai dit ?

Elles sont en bas. La porte de l'étable grince. Elle la ferme doucement derrière elle et respire l'air, saturé d'humidité à cause de la chaleur des bêtes, auquel se mêle une odeur un peu sucrée de lait. Elle tend le bras pour atteindre l'interrupteur et allume. Aussitôt, les ampoules nues du toit envoient leur lumière crue sur les toiles d'araignée, les mites apathiques et les papillons de nuit tout autour ; les insectes continuent leur ronde incessante, la reprennent là où ils l'ont laissée quand grand-mère a éteint l'étable, il n'y a pas longtemps.

Lotte regarde l'ombre que renvoient les vaches, qui leur est identique : les épaules un peu hautes, le dos qui pend au-dessus du ventre, les os saillants des hanches qui se terminent par la naissance de la queue, avec l'anus juste en dessous. Deux des vaches font caca, ça tombe en faisant un splash fumant dans le caniveau, derrière elles, qui conduit le fumier vers la fosse à purin. Grand-père vient de pousser de petites crêtes montagneuses marron avec sa pelle, il a renversé ces collines et les a fait basculer dans le trou. Ça prend toujours quelques secondes avant que le fumier touche le fond de la fosse, en faisant un bruit sourd.

Elle entraîne la chienne récalcitrante dans l'écurie, froide et vide, et l'attache à un des crochets au mur.

— Couche-toi, Betsi. Allez, couche-toi, montre que t'es une gentille fille.

L'animal se couche, docile, étonné. Elles ne viennent jamais ici. Les vaches ont senti sa présence, elles s'agitent et leurs mâchoires remuent plus vite de droite à gauche.

Elle reste debout derrière elles à écouter le silence enfermé, dénué de toute voix humaine. Ses jambes ne tremblent plus. La lumière poussiéreuse, les sons étouffés, la chaleur dégagée par le corps des bêtes. L'étable l'enveloppe comme un édredon.

Movind se tient là. Elle renverse la tête en arrière et continue de ruminer dans une position tordue. Lotte entre dans la stalle et la caresse le long de son corps colossal. Elle doit se faire toute petite pour passer au niveau du ventre qui, bombé, touche presque les parois de la stalle. La vache est bien plus grande qu'elle, la stalle est sombre, chaude, Movind l'occupe tout entière. La fillette chasse trois mouches de là où la queue ne peut les atteindre. Elles s'envolent et se reposent exactement au même endroit. Arrivée à la hauteur de la tête, Lotte s'accroupit. Elle est dans une grotte. Movind avance sa grosse tête et la renifle. Quelques gouttes de condensation tombent du nez de la vache sur le front de l'enfant. Elle voit une goutte d'un liquide translucide pendue à un pis. Les mamelles sont molles et ridées, elles ont été vidées pour la journée. Elles se rempliront de nouveau dans le courant de la nuit, et doubleront de volume.

— Tu es gentille, toi, Movind, tu es bonne et gentille. Pauvre Movind… Movind, ma toute belle.

Elle se lève et pose son visage contre le cou de la vache.

C'est une chaleur qui pique un peu, qui sent les mouches et l'été. Elle ne perçoit pas du tout l'odeur du fumier. La chienne continue de geindre. Ses gémissements se répercutent le long des murs de pierre.

— Cinquante couronnes, lui chuchote-t-elle dans la nuque, cinquante couronnes… c'est beaucoup d'argent. Je pourrais… je pourrais…

Son ventre et sa gorge sont un caillou qui jette des ombres terrifiantes. Elle pourrait acheter quelque chose pour sa maman, avec cet argent. Du chocolat. Dans l'avion. Oui, une belle boîte de chocolats : *Kong Haakon*, avec deux « a ». Ils vendent aussi du parfum, dans l'avion. Avec cinquante couronnes, on a certainement assez pour les deux.

— Je dirais que c'est de la part de… de…

Ses pensées tournent en rond, avec Movind au centre. La chienne pousse de petits cris.

— Reste tranquille, Betsi ! crie-t-elle.

Les vaches s'agitent de plus en plus dans leurs stalles.

— Eh, du calme, du calme ! Je ne voulais pas vous faire peur.

Elle retourne près de la chienne, s'assied sur le sol en pierre à côté d'elle.

— On va rester ici, Betsi. Ça ne va plus trop durer, maintenant. Après, tu pourras rentrer dans ta niche… et moi, je monterai chez… chez… j'irai me coucher… je me faufilerai dans ma chambre.

La chienne a une respiration lourde, elle tourne sans cesse le museau en l'air. Le box est sombre, d'une obscurité froide et poussiéreuse qui sent la paille pourrie. Elle entend les cochons grogner à côté mais ne va pas les voir, elle regarde plutôt ses paumes. Elles sont petites et faibles, elles n'arriveraient pas à arracher de grosses touffes de pissenlits pour eux. Un froid glacial monte du sol. La couette sera chaude, la chambre sombre et la valise menaçante. Ils n'ont qu'à sortir, remplir la pièce et les ombres. Ce soir, ils n'ont qu'à venir, elle sait ce qu'elle leur dira.

Ce soir, ils la croiront sur parole.

25

Elle enlève ses chaussettes et les jette sous le lit, grimpe sous la couette en gardant le reste de ses vêtements. Les voix sont à l'étage au-dessous, des voix étrangères, qui parlent fort et se lâchent sous l'effet du cidre de grand-mère ; les voix enflent et tombent, enflent à nouveau, comme des vagues. Ils ne savent rien d'elle. Si quelqu'un la voit, il la prendra pour une autre.

Ils arrivent maintenant, les monstres. La valise est un puits derrière l'armoire. Ils ont escaladé pour arriver jusqu'ici, ont trouvé appui entre les blocs de pierre avec leurs griffes acérées. Elle halète :

— Je ne suis pas ici, il n'y a personne qui s'appelle Lotte ici... Allez-vous-en ! Il se trouve que je ne m'appelle pas Lotte, moi !

Un poids sur la couette la fait se redresser dans le lit. Il y en a un, là. Une grosse bête noire qui cherche la meilleure façon de se coucher. La fillette remonte ses genoux d'un coup pour le faire tomber par terre. La créature se relève, s'approche de son cou, de son visage, elle sent la graisse et le pipi de chat. Lotte veut s'enfoncer sous ce corps lourd, flotter au loin. Au même moment, une lumière blanche inonde la chambre. Les planches du plafond deviennent brillantes.

— Lotte ! Tu es là ?

C'est la voix de sa grand-mère.

— Je t'ai cherchée partout ! T'étais où ?

— Betsi… elle s'est échappée… j'ai dû aller la chercher… tout près de la pierre de sel.

— Et les moutons ?

— Ils n'étaient pas là. Ça s'est bien passé.

— Mais tu ne veux pas…

Sa grand-mère s'approche du lit.

— Tu n'as pas faim ? Tu ne veux pas descendre dire bonjour ? dit-elle.

Elle se penche au-dessus de la couette et découvre le visage de la fillette.

— Mais Lotte… comme tu es pâle ! Tu es malade ?

La main de sa grand-mère couvre la moitié de sa tête et aspire la chaleur de son front.

— Non, tu n'as pas de fièvre. Tu veux seulement dormir ?

— Oui…

— Eh bien, bonne nuit.

L'obscurité est silencieuse un court instant, puis ils sont de retour. Ils n'ont nulle part où aller. Ils ne sont pas dangereux. Elle rit dans le noir. Ils ne sont pas dangereux ! Elle se relève sur un coude et les regarde droit dans les yeux, sourit.

Alors, il se produit quelque chose. Une vibration dans l'air, un voile entre elle et eux. Ils retournent à reculons dans l'ombre derrière la valise, posant leurs pattes doucement, une à une ; ils ont rentré leurs griffes ; les yeux jaunes se ratatinent comme ceux de harengs saurs ; ils disparaissent, leurs museaux en dernier, leurs moustaches tremblent, raides et mortes. Alors elle comprend : ils disparaissent dans les toilettes, dehors, et pas du tout dans la valise. Elle se recouche. L'obscurité tournoie et l'aspire vers le fond.

— Il n'y a personne ici… il n'y a personne ici… je… suis personne…

Son rêve est un cauchemar de sang. Elle se vide de son sang par tous les creux et trous de son corps : narines, aisselles, nombril, bouche, yeux. C'est elle qui le veut. Elle le fait gratuitement. Elle cuit son sang puis le crache sur les tapis. Elle colle des sparadraps, les uns après les autres, sur le tablier de sa mère, mais les pansements ne parviennent pas à recouvrir les taches de sang. Ses mains tremblent, la colle ne veut pas prendre sur le tissu épais. Pourtant, sa mère la soulève et la serre contre elle, blanche et légère comme un oiseau. Elle crie au visage de sa mère, mais les mots ne font que s'égoutter de sa bouche comme des bulles rouges. Sa mère devient un point sur le sol, loin, très loin, en bas. Elle est suspendue à des ficelles, comme dans un théâtre de marionnettes. Lotte tend les bras pour hisser sa mère jusqu'à elle, mais les ficelles cisaillent sa chair, ses bras sont trop fins et trop blancs, ils sont sans force. Il neige à présent sur sa mère, sur le petit point et sur les ficelles. Des flocons roses tombent sur la terre noire, une araignée grimpe à une des ficelles. S'il n'y avait pas eu toute cette neige, sa mère aurait été en état de trouver le chemin pour monter jusqu'ici. Maintenant, elle est en bas et elle a froid, et les bulles de sang qui sortent de la bouche de Lotte lui donnent la nausée.

26

Elle s'appuie contre le chambranle de la porte, la cuisine danse devant ses yeux. Ils sont partis. Grand-mère va et vient pour débarrasser la table. Elle a remis son tablier. De toute façon, Lotte avait entendu deux voitures démarrer. Grand-mère se retourne.

— Ah, te voilà ! Nous sommes montés te voir, mais tu dormais si bien qu'on n'a pas voulu te réveiller. C'est vrai, tu dormais à poings fermés, on t'aurait cru morte ! Ton père te passe le bonjour.

Elle ne lâche pas le chambranle de la porte. Son corps est lourd, comme rempli de l'eau d'un bain tiède. Il n'a pas voulu la réveiller.

— Va dans la salle de bains t'habiller. Tu auras ton petit déjeuner après.

— Je n'ai pas faim, murmure-t-elle.

Son grand-père arrive. Il ne la regarde pas, ne fait que passer, va se servir à boire. Il remplit la tasse réservée à Lotte d'eau du robinet et la porte à sa bouche. Il tient l'anse de la main droite, de sorte que Smørbukk et la moitié du cochon sont tournés vers son menton. Une goutte d'eau coule du coin de ses lèvres. Il ferme les yeux en buvant, sa pomme d'Adam monte et descend en faisant tellement de bruit qu'elle peut l'entendre. Il vide la tasse, la remplit de nouveau, la vide encore une fois. Puis il la pose à côté de l'évier et sort. Il passe devant elle, sa salopette sent l'huile de moteur et l'acide du silo.

Elle cligne lentement les yeux, voit à travers l'obscurité créée par ses paupières : c'est une obscurité où il fait bon être. L'éclairage de la cuisine est d'un gris mat. Elle va s'asseoir, tend la main. Grand-mère a le dos tourné, elle empile des assiettes, enlève les miettes et les sachets de thé. Lotte lâche. Mais la tasse tombe sur le tapis ; la seule chose qui se casse, c'est l'anse. Elle se détache et pendouille comme un sourcil blanc. Smørbukk sourit, le cochon tire sur la corde.

— Enfin, Lotte ! Elle t'a échappé des mains ?
— Oui.
— Ça doit pouvoir se recoller...

Grand-mère se penche et ramasse les morceaux.

— Non. C'est pas la peine. Je n'en veux plus.

Elle se dirige à pas lents vers la porte de la salle de bains, le sol tangue, la voix de grand-mère la pousse par-derrière :

— Comment ça, tu n'en veux plus ? Mais enfin, Lotte...

Ils vont aujourd'hui à la prairie de fauche, celle qui est à flanc de coteau, presque aussi haut que celle de la pierre de sel, mais plus au sud. Grand-mère remplit le panier de bouteilles de jus de fruits, de tartines beurrées et de galettes déjà fourrées. Lotte entend la meule tourner dans le moulin et imagine son grand-père penché au-dessus, une faux à la main ; elle voit son oncle préparer un tas de claies qu'il va porter sur son dos. Il est assis près du mur bleu et approche une tartine de ses lèvres. Le dos brun de Movind, plus bas dans le pré, occupe toute la fenêtre et la vue.

Elle a du mal à tenir la tête droite. Elle boit un peu d'eau, à petites gorgées. Son cou la brûle. C'est une belle balade d'aller jusqu'à la prairie de fauche. Il y a là-haut les ruines d'une ferme, des murs bas et gris qui forment des carrés. Et pendant la pause déjeuner, grand-père parle des fermiers qui habitaient là et venaient de Sinnstad.

Les adultes fauchent avec tout le fjord dans le dos, Lotte et la chienne sautent parmi les noisetiers et cueillent des noisettes, ou bien elles vont chercher des mûres et des groseilles blanches sauvages.

Il l'a regardée dormir. Est-ce qu'il a mis les cinquante couronnes quelque part dans la pièce ? Est-ce qu'il les a cachées pour lui faire la surprise ?

— Tu as terminé de manger, Lotte ? On part, maintenant…

Grand-mère prend le panier posé sur le banc.

— Je… est-ce que je ne peux pas rester ici, à la maison ?

— Ici ?

— Je suis si fatiguée… j'ai pas la force…

— Tu peux nous rejoindre un peu plus tard, tu n'as qu'à prendre Betsi en laisse, elle saura bien nous retrouver.

— Mmm.

Elle porte le verre à sa bouche et voit grand-mère, comme dans un aquarium, sortir de la cuisine, son panier au bras et un fichu d'un blanc étincelant à la main.

Le papier blanc est dans la valise, plus exactement dans la poche latérale où elle l'a mis il y a bientôt huit semaines. Elle le déplie et regarde fixement le numéro de téléphone écrit au stylo à bille. Elle descend l'escalier, une marche à la fois, très lentement. Le combiné a des trous dans lesquels elle doit parler. Ces trous sont presque bouchés par quelque chose de marron. Le téléphone est posé sur un napperon blanc. La grande horloge accrochée au milieu du mur devant elle happe le temps qui passe. Les rayons du soleil glissent sur le cadran, l'aiguille des secondes fait une ombre aussi étroite qu'un crayon, on dirait une tige de pissenlit. C'est le cœur qui a lâché. Le battant se balance comme le tambour d'une machine à laver.

Elle pose le bout de papier sur la table à côté du téléphone et compose le numéro.

— Allô ?

— Oui, allô… ? Qui est à l'appareil ?

— C'est Lotte !

— Ici c'est chez les Hansen. Lotte ? Quelle Lotte ?

— Lotte Sinnstad. Je voulais seulement…

— Lotte Sinnstad ? Qui c'est ? On ne connaît aucune Lotte.

Ses doigts laissent des traces de sueur sur le téléphone. Mais dès qu'elle a raccroché, elles s'évaporent.

Le miroir est dans l'entrée, en hauteur. Elle trouve un escabeau et grimpe dessus en s'appuyant au mur des deux mains. La première chose qu'elle voit, c'est une frange, beaucoup plus longue que celle qu'elle a d'habitude. Si elle avait eu une frange aussi longue, sa mère l'aurait houspillée et serait allée chercher une paire de ciseaux, puis elle aurait coupé une large bande de cheveux qui lui aurait laissé des pointes piquantes sur l'ensemble du visage. Sous la frange, il y a deux trous noirs. Elle se penche plus près. Ce sont des yeux, très juste. Puisqu'ils ont des cils. Et sous les trous, on découvre un nez. Avec des taches de rousseur. Et sous le nez, on trouve la bouche.

Elle a souvent dessiné des visages, des visages de femmes avec les cheveux relevés. Elle les dessine alors comme ça. La bouche est un trait sombre sans paroles. Elle n'a pas de commissures. C'est un visage très laid. Pas seulement à cause de la frange désordonnée et beaucoup trop longue : tout, dans ce visage, est laid. Les choses ne vont pas ensemble. La bouche ne va pas avec les yeux. Le nez sent autre chose que ce que les yeux voient et ce que les oreilles entendent. Le visage a deux noms ; pour cinquante couronnes, le premier disparaît. Le visage dans la glace pourrait posséder une maison de poupée. Le visage dans la glace ne veut la prêter à personne. C'est mal dessiné, il faudrait tout de suite aller chercher une gomme. Ses mains glissent le long du mur. Elle se met d'abord à genoux sur l'escabeau, puis descend et s'allonge par terre.

Elle reste ainsi un bon moment. Ensuite, elle se relève, passe devant l'horloge et entre dans la cuisine. Elle décrit un grand arc de cercle pour éviter le fourneau brillant. Il n'a pas une tache. Sa tasse est posée en haut, sur le buffet, l'anse cassée à côté. Elle veut la prendre, mais au moment où elle tend les bras, sa peau se met à picoter, par à-coups. Des taches noires flottent dans l'air. Elle repose son front contre le buffet, ferme les yeux, un poids descend de sa nuque jusque dans ses talons. Lentement, elle baisse les bras. Elle réussit à saisir la tasse, et une fois qu'elle l'a, elle va dans le garde-manger. La tasse lui fait penser au sucre. À quoi bon la réparer ? L'horloge sonne dix heures dans le salon. La maison vibre.

Le puits produit un ruissellement ténu. Le fond est noir et scintillant, sauf à l'endroit où il y a une bouteille de lait, une seule. Derrière la bouteille, deux filets d'eau se disputent et forment un V. La bouteille a des gouttes de rosée sur le goulot. Lotte lâche la tasse. Cette fois, elle se brise en mille morceaux qui sont emportés par le courant avant de s'arrêter un peu plus loin et de rester en déséquilibre. Elle se tient au bord de la margelle, se penche, le menton contre la pierre, et sent l'odeur de l'eau et du béton, l'air froid qui flotte à la surface de l'eau.

Puis elle se décide à descendre. Le froid glacial saisit la plante de ses pieds et remonte le long de ses jambes, l'obscurité et le ruissellement se referment sur elle et l'enveloppent entièrement ; elle voit les adultes qui coupent l'herbe, là-haut, sur le flanc de la montagne, les faux qui fouettent l'air, le panier avec la nourriture qui les attend, les fronts luisants de sueur et le grand-père qui crache sur le tranchant de la lame qui brille. La pénombre glaciale emprisonne le bruit d'écoulement. Ses genoux l'élancent, elle les frotte. Un de ses pieds se met à saigner. Le sang mêlé à l'eau est projeté dans le tourbillon du courant, aussi noir que la pierre du fond. Elle plonge une main dans l'eau, voit le sang passer sur sa main tel un voile rouge. Elle la sort de l'eau et la lèche. Ça n'a pas un goût salé. Ça a un goût de montagne et de glacier.

27

— Pourquoi tu n'es pas venue, Lotte ? On t'a attendue !

Le panier au bras de sa grand-mère est vide. Sa robe a des demi-lunes sombres sous les bras. Elle sent l'herbe. Une brise effleure la joue de Lotte quand elle lève les yeux vers sa grand-mère.

— Je… je me suis coupée.

— Ah bon ? Comment tu t'es fait ça ?

— Je voulais prendre la tasse… pour voir si on pouvait la recoller… et puis je l'ai entièrement cassée, et je me suis coupée.

Elle a récupéré les morceaux au fond du puits et les a posés en tas à côté de l'évier. Elle boite, avec un pied seulement à moitié enfilé dans sa sandale. Grand-mère baisse la chaussette pour regarder :

— Ah, je vois que tu as mis du sparadrap, c'est bien… Bon, eh bien je vais te préparer quelque chose à manger.

Elle s'assied sur le muret près du porche. Le fjord est gris de calcaire et de neige fondue, un groupe de mouettes crient en volant au-dessus de l'exploitation où la scie gémit et plante ses dents dans une nouvelle victime. Le temps avance par petits morceaux, comme si une main énorme posait une rangée de dominos. Chaque domino incarne un petit bout de temps. La main fait ça d'elle-même, les dominos finissent par former un long serpent qui ondule. Grand-mère l'appelle.

— J'ai mal au cœur, marmonne-t-elle à table.
— Je crois vraiment que Lotte est malade, dit sa grand-mère. Tu es sûre que tu ne veux pas manger quelque chose, même un tout petit morceau ?
— Laisse-la, si elle n'a pas envie, dit le grand-père.
Elle descend du banc et retourne dehors. Elle s'allonge dans l'herbe, mais sans baisser les paupières, car à l'intérieur, une obscurité veut l'enterrer vivante. Elle écarquille au contraire les yeux, clignant vite quand ils deviennent trop secs. Elle reste dans cette position jusqu'à ce que grand-mère vienne lui demander si elle peut l'aider à dévider un écheveau. Il a dû s'écouler pas mal de temps, beaucoup de dominos. Ils ont mangé, grand-mère a fait la vaisselle, s'est reposée un peu, et maintenant elle a sorti de la laine.

Lotte écarte les bras. Le fil rouge s'envole et elle garde les yeux dessus quand il suit le long côté, d'un bras à l'autre, prend le virage et repart dans l'autre sens. Ça fait un sifflement énergique. La laine filée très serrée pique contre la peau nue. L'écheveau est lourd, elle baisse légèrement les bras. Du coup, le fil s'échappe, glisse sous d'autres en les entraînant, et une grande quantité de laine s'échappe de son avant-bras gauche.

Grand-mère tressaille. Les fils emmêlés provoquent un autre nœud en l'espace de quelques secondes. Lotte a beau tendre les bras et les écarter de son mieux, c'est trop tard. Elle ne sait plus quoi faire, regarde ses bras, des flots rouges de laine qui pique et qui gratte dont elle ne voit ni le début ni la fin.

— Ah non ! Ça ne va pas du tout, s'écrie grand-mère. Il n'y a que des nœuds.

Elle ne rit pas.

— Je n'ai pas tenu assez serré, je ne voulais pas…

— Ne bouge pas, je vais essayer de…

— Je suis vraiment obligée ? Il faut que j'aille aux toilettes.

Sa grand-mère lui retire l'écheveau rouge des bras et le pose autour du dos de deux chaises. Elle se penche et entreprend de démêler les fils. Lotte en profite pour se sauver. Elle est dehors.

L'oncle arrive dans la cour. Elle le voit à travers un brouillard de taches rouges. Il ne faut pas que l'oncle remarque les taches.

— Bonjour, mon oncle ! crie-t-elle.

Sa gorge s'ouvre juste assez pour prononcer ces trois mots, avant de se refermer.

— Salut, Lotte ! Tu sais quoi ?

Il se penche vers elle, elle le regarde en souriant. Sa peau tire, mais elle tient à sourire, coûte que coûte.

— Tu ne vas pas rentrer chez toi en avion, lui confie-t-il tout bas.

Les pierres de la cour tournent. Un flot dur de quelque chose de chaud inonde sa tête, elle place une main sur son oreille, mais rien ne sort.

— Mais… mais… je ne vais pas rentrer à la maison ? Et l'école… et maman…

L'oncle ne réagit pas à ce dernier mot, mais poursuit :

— Mais si, tu vas rentrer chez toi, mais pas en AVION ! J'ai acheté une voiture, chuchote-t-il en baissant encore la voix. Nous allons tous ensemble prendre la voiture : grand-père, grand-mère, toi et moi… J'ai pu emprunter quelques couronnes à ton père et à Monica, alors maintenant, je rentre et je vais faire la surprise à ma mère ! Un petit tour à

Trondheim ! Hein, qu'est-ce que t'en dis, Lotte ? Je sens qu'on va bien s'amuser !

Ils tournent de plus en plus vite, maintenant. Ses mots sont des éclats de verre qui lui entrent directement dans la chair, ils ouvrent et brûlent. Grand-mère va venir à Trondheim, va franchir le seuil d'une maison avec écrit « Karlsen » sur la porte. Perlevik et Trondheim vont se trouver reliés par une route sale, à même le sol. Et elle suivra cette route. Sa mère remarquera qu'elle ne vient pas de l'aéroport de Værnes mais qu'on l'aura déposée au pied de l'immeuble, avec sa petite valise, seule, dans de nouveaux vêtements qu'elle n'aura pas pu tacher avec du soda. Sa mère demandera qui était dans la voiture qui l'a amenée jusqu'ici. Lotte répondra qu'il y avait l'oncle, grand-père et grand-mère. Sa mère pleurera en disant qu'ils ne sont même pas montés la voir, mais qu'au fond elle s'y attendait.

Elle entend des fragments des mots que la voix de l'oncle répète dans le salon. Maintenant, il ne chuchote plus. Elle regarde soudain le ciel : à l'endroit où les montagnes le retenaient avec leurs doigts, ça s'est déchiré. Comme des fils de laine, le cercle s'est rompu, des paquets et des nœuds se sont formés parce qu'elle n'a pas tenu assez serré. Les montagnes ont percé des trous dans le ciel, leurs doigts les ont agrandis et sont arrivés de l'autre côté. Tout le ciel est sur le point de glisser, flasque et lourd, le long des parois rocheuses. Il est déjà presque à la hauteur de la pierre de sel. La lumière devient verte. Elle rassemble son corps : bras, jambes, tête. Elle rassemble tous ses membres épars pour en faire une masse compacte et incandescente. Puis elle se met à courir.

28

Les noisettes sont bientôt mûres. Certaines grappes sont déjà tombées, des fruits bruns accrochés trois par trois par des feuilles sèches. Respirer fait monter un goût de sang dans sa bouche. La nuit l'enveloppe bientôt. Le ciel est tout proche, là-haut. Ses genoux saignent, elle a trébuché plusieurs fois. Le ciel fait tomber sur elle des odeurs d'azur et de nuages. Elle continue à courir, laisse les noisettes par terre.

Arrivée à la dernière barrière, elle s'arrête. Les moutons vont croire que c'est le jour du sel et vont lui sauter dessus, au comble de l'excitation. Ils sont capables d'entendre de loin qu'on ouvre la barrière. Elle voit la pierre de sel qui luit, toute léchée, propre comme un sou neuf.

Près de la barrière, l'herbe pousse en grosses touffes. Elle s'allonge sur le côté, tire sa robe en éponge rouge sur ses genoux, ne laissant que ses chevilles ressortir. Elle devient une baie rouge dans la verdure, un fœtus qui ne pèse rien. Elle sent le pouls de la terre battre contre son corps et lui communiquer sa chaleur, elle tourne son visage contre l'herbe et inspire : odeur de terre et d'insectes, de baies mûres et de tabac amer, de sel qu'on renverse et qui crisse contre la pierre... Les parfums vibrent dans l'air, d'abord chauds puis de plus en plus froids. Les yeux grands ouverts, elle scrute l'obscurité. Il y a une grosse pelote, un enchevêtrement inextricable de laine rouge et de pâte dure : de la laine grossière et une odeur de levure. Avec les dents, elle tire sur un fil, tire fort. La masse de laine et de pâte se resserre, elle tire encore plus fort. Au début, le fil devient fin et brillant comme celui, ténu, d'une toile d'araignée, puis il se brise, se divise en deux. Chaque bout se recroqueville et reste en l'air. Elle relâche ses mâchoires.

La lune s'élève au-dessus des noisetiers. La couche de brouillard, plus bas, continue de s'étendre dans le fjord. Les geais se chamaillent un moment dans les arbres avant que la forêt ne se referme pour la nuit.

29

Le ciel et les arbres ne font plus qu'un quand elle ouvre les yeux. La forêt l'entoure de toute sa hauteur, noir corbeau, c'est un rêve, une jungle. Elle entend les sauterelles jouer dans les herbes. Elle essaie de redresser son corps, mais il s'est comme coincé tout seul. Ses vêtements ont gelé et forment un angle aigu. Elle se trouve près de la pierre de sel, tout près du ciel qui a failli lui tomber sur la tête. Il est de nouveau tendu au-dessus d'elle, avec la lune et les étoiles. La voie lactée. Sept étoiles. Elle est de travers, elle bascule. Aucune main ne peut la retenir pour l'empêcher de tomber. Elle se tend pour partir en flèche, ses roues scintillent. Derrière ses roues se trouve l'éternité, couleur bleu nuit, comme les mouches.

Un bruit la réveille.

Il est là. Ses membres s'assouplissent, elle se laisse glisser jusqu'à avoir le poteau de la barrière dans le dos, des bouts de bois lui piquent la main. Quelque chose se faufile. Les sauterelles s'immobilisent. Les couronnes des arbres se balancent d'un côté à l'autre, berçant la forêt. La lune a le visage d'un vieillard qui fixe, bouche bée, la voie lactée.

— Miiiiaaooooo…

Il veut la prendre. Il est venu ici pour la prendre. Elle a oublié de regarder sous la nappe. Peut-être que son père les a glissés sous la nappe. Ils ne pouvaient pas entendre qui elle était parce que les trous étaient bouchés par quelque chose de marron.

— Miiiiaaoooooo…

Le son vient de plus bas, du sentier. Les pierres usées par les pas brillent sous la clarté de la lune béante. Les moutons sont derrière elle et elle n'a aucun sac en cuir à leur présenter. Ils pourraient lécher ses joues, à la place.

— Miiiiaaoooooo…

Son regard est jaune. Elle s'appuie contre la barrière, les mains derrière le dos, regarde ses cuisses nues avec de profondes griffures, le sang perle. L'odeur est comme une gifle, une odeur âcre de gibier. La fourrure flamboie, orange et noire. Elle est sur sa route. Il se tient prêt à bondir. Quoi qu'elle fasse, elle ne pourra pas lui échapper.

C'est alors qu'elle voit la goutte dans la fourrure. Une goutte blanche qui coule le long de la nuque, le long des rayures. La queue balaie le sable, brosse le sentier. C'est de la sève de pissenlit. Elle est dans une grotte. Autour de la grotte, il y a une mer de tiges de pissenlits.

— NON !

Elle est assise en hauteur. Elle est une géante. Elle lâche le poteau de la clôture et saute dans la mer, écrase les pissenlits avec ses poings. Il s'est rapproché.

— NON !

De la sève sort des touffes vertes. La voie lactée prend de la vitesse et bascule, tête la première, vers la Terre. Tout au loin, elle entend quelqu'un crier un

prénom de fille. Les fissures noires l'aspirent, elle lui
lance les tiges à la figure.

— NON ! VA-T'EN !

Les tiges découpent l'air en tranches ; il se recroqueville sous la cascade qui se déverse dans toutes
les directions. Des touffes jaune d'or recouvrent le
sentier. L'herbe, le long du fossé, est trop haute.
Grand-père n'a pas besoin de la faucher. Elle peut
le faire elle-même.

— VA-T'EN… VA-T'EN, JE TE DIS ! C'EST
MOI QUI COMMANDE !

Les rayures orange bougent, il courbe la nuque
pour se retirer dans l'ombre. Car une autre créature
arrive, qui émet un sifflement. Les arbres sont traversés par un souffle. Elle appuie les mains contre ses
cuisses, du liquide salé en sort, elle a comme du
chocolat chaud dans la bouche. Une ombre a jailli.
Le sentier devient fourrure et crocs, les taches jaunes
sont poussées par le vent vers les pierres. La forêt
tonne. C'est la chienne.

— Betsi… oh, gentille Betsi… ATTAQUE,
prends-le…

La chienne saisit la nuque du gros chat et le secoue.
Les appels se rapprochent. Le chat halète et sort les
griffes, attrape une oreille et tire dessus d'une longue
griffe invisible. La chienne gémit, mais ne lâche pas
prise.

Le chat a une respiration sifflante, de l'écume blanche
lui coule des moustaches. La chienne change sa prise
et referme ses canines autour du larynx de l'animal.

Les ombres se calment.

— Betsi ! Ne le tue pas, Betsi… oh, Betsi, ne le
TUE pas…

Elle se met à courir à reculons sur le sentier.

— Viens, Betsi, allez viens… laisse-le, maintenant… LÂCHE-LE, Betsi !

Le chat s'agite un instant, les pattes en l'air, avant de tomber de la gueule de la chienne comme une masse inerte. Betsi a lâché. La carcasse du chat sauvage roule sur le sol. La chienne se penche en haletant, renifle le corps, pattes écartées, une oreille en sang, sa queue tremblante décrivant une boucle par-dessus son dos.

Elle court vers eux, se laisse tomber à côté du chat et le caresse. Il est beau, doux comme un museau de cheval. La brume la fait trembler, ses cuisses sont brûlantes de froid.

— Lotte ! Oh mon trésor ! Si tu savais comme on a eu peur !… Oh, Lotte…

Est-ce son nom ? C'est son nom. Les bras de grand-mère se referment sur elle, la forêt chantonne et la berce. C'est son nom. Elle entend l'oncle soulever la chienne et lui parler tout bas. Elle-même est soulevée et placée dans les bras de grand-père – des bras qui sautillent quand il descend le sentier au petit trot. Une torche éclaire le chemin devant eux.

— Mais pourquoi es-tu montée jusqu'ici, Lotte ? On s'est fait un sang d'encre !

— Je ne veux… je ne veux pas…

Elle claque des dents.

— Je ne veux pas rentrer en voiture à Trondheim. Je veux… je veux… rentrer en AVION chez maman…

— Que dis-tu ? D'accord, mais est-ce une raison pour t'enfuir comme ça dans les bois ? J'avoue que je ne comprends pas, Lotte.

Sa grand-mère lui caresse la joue.

Grand-père ne dit rien, son menton monte et descend sous les couronnes des arbres. La voie lactée se tient tranquille. Sept étoiles. Ses mains tiennent bon.

— Je ne veux pas… je ne veux pas ! crie-t-elle, le visage tourné contre la veste qui reçoit des taches humides.

Ces taches sont douces pour le visage qui s'appuie contre elles, c'est elle qui les a faites. Elles lui appartiennent.

— Maman sera si triste… Ne viens pas à Trondheim, grand-mère !

— Ta maman ? Pourquoi serait-elle triste que je vienne à Trondheim ?

— Tu ne vas pas lui rendre visite, si ?… Je ne veux pas rentrer en voiture. JE NE VEUX PAS aller chez papa et Monica. Il l'a embrassée…

Le menton de grand-père s'incline. La forêt bruit. La chienne gémit dans les bras de l'oncle.

— Elle ne va pas bien, mère.

— Betsi ?

— Oui, je crois que c'est le cœur. Elle respire bizarrement.

— On est bientôt arrivés.

La chienne meurt. Elle est allongée sur le sol de la cuisine et meurt. L'oncle la caresse du front jusqu'à la queue, puis reprend le même geste à partir du front. Il se frotte les yeux. Grand-mère a relevé le bas de son tablier devant son visage. Grand-père mâchonne tant qu'un liquide noir lui coule des deux coins de la bouche.

— C'est son cœur qui explose…, chuchote Lotte, qui s'agenouille près de la chienne et suit les mouvements de la main de l'oncle.

— Oui, répond grand-mère, mais ce n'est pas de ta faute.

— Non.

Elle se traîne à quatre pattes jusqu'à sa grand-mère, pose la tête sur ses genoux qu'elle enlace.

— Maman, sanglote-t-elle, je veux rentrer chez ma maman.

— Je crois que tu devrais aller à la salle de bains, maintenant, mon trésor… Il faut te laver un peu… Et puis, ce n'est pas un spectacle pour une petite fille.

— Je veux… je veux… être là quand elle mourra.

— C'est maintenant, fait l'oncle tout bas.

La respiration de la chienne s'arrête, elle émet un bref hoquet avant que le dernier souffle lui fasse tirer sa langue rose. Ses yeux s'ouvrent. L'oncle les referme avec les doigts. La boucle de sa queue disparaît, elle retombe en arrière sur le tapis. Juste à la naissance de la queue, un peu de liquide clair s'écoule.

— Elle FAIT PIPI, mon oncle. Elle n'est pas morte ! s'écrie Lotte.

— Si, répond l'oncle.

Elle dort avec sa grand-mère, blottie contre sa chemise de nuit en flanelle.

— Elle dort ? hasarde son grand-père.

— Oui… Je crois qu'elle dort, maintenant, pauvre petite.

— Oui…

— Nous rendrons visite à Bente, quand nous irons à Trondheim.

— Oui.

— Elle m'a manqué.

— Mais Eli, as-tu pensé à ce que va dire Leif ?

— Ça ne m'intéresse pas, de savoir ce que Leif dira. Ou disons que ça ne m'intéresse plus.

30

Le front appuyé contre la vitre, elle claque des dents au rythme des vibrations du moteur. La nuque de l'oncle est haute et contractée, ses phalanges serrent bien le volant. La broche de grand-mère scintille dans la pénombre ; elle se retourne vers Lotte et lui sourit.

Le chemin ne fait plus qu'un, avec Perlevik à un bout et Trondheim à l'autre. Maintenant, elle va faire ce trajet par la route. C'est l'automne, sa mère l'attend. La vitre rafraîchit son front.

— Lotte, chuchote-t-elle.

Elle sent sa chaussure lui comprimer un peu le pied, le creux du cou avec le nouveau bijou, son bras dans le pull pur angora qui repose sur l'accoudoir, son ventre derrière le bouton de son pantalon.

— Lo-tte… Lo-tte… Lo-tte…

Dans le coffre, grand-mère a emballé un grand jambon fumé pour l'offrir à la mère de Lotte, et cinq paires de chaussettes en laine qu'elle vient de tricoter. Ce sera une surprise de les voir arriver. Ils iront sonner à sa porte un jour avant la date à laquelle Lotte devait rentrer en avion. Ils vont d'abord chez Lotte, puis les grands-parents et l'oncle iront voir le père. Ils en ont décidé ainsi.

Ils ont enterré le chat sauvage avec la chienne. L'oncle est monté les chercher et les a fourrés dans un sac. La terre était chaude et sèche quand ils les ont inhumés. Lotte a cueilli un bouquet de pissenlits. Elle a arraché la moitié des tiges, on aurait dit des tussilages, et les a étalés sur le sol pour leur faire comme une couverture.

Sa frange la chatouille, elle est nette et courte, grand-mère la lui a coupée juste avant de partir. Son derrière est au chaud sur le siège de la voiture. Elle pose sa paume contre la vitre, écarte les doigts en éventail. Ils sont petits, musclés et, somme toute, assez jolis, tout bronzés. C'est une main qui n'appartient qu'à elle, et à personne d'autre.

— Lotte, répète-t-elle tout bas.

Elle regarde vers l'avant, entre les têtes. La route vient à sa rencontre.

10/18, une marque d'Univers Poche,
est un éditeur qui s'engage pour
la préservation de son environnement
et qui utilise du papier fabriqué à partir
de bois provenant de forêts gérées
de manière responsable.

Impression réalisée par

La Flèche (Sarthe), 3001416
Dépôt légal : octobre 2013
X06001/01

Imprimé en France